Le
Gazon

...toujours plus VERT chez le voisin?

Catalogage avant publication de Bibliothèque et
Archives nationales du Québec et Bibliothèque et Archives Canada

Dubois, Amélie

Le gazon… toujours plus vert chez le voisin ?

ISBN 978-2-89585-591-0

1. Titre

PS8607.U219G39 2014   C843'.6   C2014-941729-2

PS9607.U219G39 2014

Illustration de la couverture avant : © Yvon Roy

Les Éditeurs réunis bénéficient du soutien financier de la SODEC et du
Programme de crédits d'impôt du gouvernement du Québec.

Nous remercions le Conseil des Arts du Canada de l'aide accordée à notre
programme de publication.

Nous reconnaissons l'aide financière du gouvernement du Canada par l'entre-
mise du Fonds du livre du Canada pour nos activités d'édition.

Édition :
LES ÉDITEURS RÉUNIS
www.lesediteursreunis.com

Distribution au Canada :
PROLOGUE
www.prologue.ca

Distribution en Europe :
DNM
www.librairieduquebec.fr

 Suivez Les Éditeurs réunis sur Facebook.

Imprimé au Canada

Dépôt légal : 2014
Bibliothèque et Archives nationales du Québec
Bibliothèque nationale du Canada

AMÉLIE DUBOIS

Le Gazon

... toujours plus VERT chez le voisin?

LES ÉDITEURS RÉUNIS

De la même auteure

Oui, je le veux… et vite !, Les Éditeurs réunis, 2012.

Ce qui se passe au Mexique reste au Mexique !, Les Éditeurs réunis, 2012.

Ce qui se passe au congrès reste au congrès !, Les Éditeurs réunis, 2013.

SÉRIE « CHICK LIT » :

Tome 1. *La consœurie qui boit le champagne*, Les Éditeurs réunis, 2011.

Tome 2. *Une consœur à la mer !*, Les Éditeurs réunis, 2011.

Tome 3. *104, avenue de la Consœurie*, Les Éditeurs réunis, 2011.

Tome 4. *Vie de couple à saveur d'Orient*, Les Éditeurs réunis, 2012.

Tome 5. *Soleil, nuages et autres cadeaux du ciel*, Les Éditeurs réunis, 2013.

Tome 6. *S'aimer à l'européenne*, Les Éditeurs réunis, 2014.

 www.facebook.com/pages/Amélie-Dubois

 ame_dubois

www.ameliedubois.com

Si tu crois que ce sont les rayons du soleil qui te rendent heureux,
c'est que tu n'as jamais dansé sous la pluie...
– Anonyme

... pieds nus dans le gazon !
– Amélie Dubois

À la mémoire de Joey.
Dans le cœur de tous, les héros ne meurent jamais.

Prologue

Les femmes sont les trésors des dieux... Ici, je présume aléatoirement « des » dieux, car je dois avouer que ce concept d'entité supérieure reste, encore à ce jour, bien vague dans ma tête. Certains disent qu'il n'y en a qu'un seul et unique, d'autres trois, certains allèguent même qu'un dieu existe à l'intérieur de chacun de nous. Or, si c'est le cas, ça en fait plusieurs... Si un jour je rencontre l'un de ces dieux, la première requête que je lui ferai sera : « les femmes... s'il vous plaît, expliquez-moi. » Maman disait toujours : « Peu importe qui crée, la valeur réelle de quelque chose ou quelqu'un réside uniquement dans le cœur de celui qui l'apprécie ». Ceci dit, les femmes me fascinent énormément, et ce, depuis toujours. Dès mon plus jeune âge, accroché au tissu vaporeux de la jupe de maman, je me souviens que j'avais rapidement saisi la différence notoire entre l'univers des hommes et celui des femmes. Celles-ci me captivaient déjà beaucoup, d'ailleurs. Dans la grâce de leur féminité, oui, dans leur beauté aussi, mais surtout dans leur complexité. les joyaux divins que sont les femmes semblent tout autant forts et résistants que délicats et raffinés. Comme si chacune portait en elle une puissance inouïe, une ténacité à toute épreuve et une endurance à faire blanchir de peur les plus grands guerriers de ce monde. Malgré tout, leur fragilité et leur insécurité font en sorte qu'elles sautent parfois, dans un tout petit ricochet, d'une émotion de plénitude à un état de mécontentement sans que nous, les hommes, comprenions ce qui s'est produit. Chaque fois que j'ai aperçu une femme malheureuse — peu importe son âge —, mon cœur a réagi instinctivement et je me suis senti si impuissant. C'est donc dire que les femmes, en général, me troublent.

L'une d'elles en particulier: Claire. Chère Claire, si douce et bienveillante, mais aussi si souvent insatis- faite. Une femme qui semble toujours savoir exacte- ment où elle s'en va, mais qui dit haut et fort ne pas le savoir du tout. Je l'observe discrètement depuis longtemps déjà, je l'analyse et je tente tant bien que mal de la comprendre. Ce n'est pas une mince tâche de saisir toutes les facettes de son caractère. la nuit du 10 juin ne fut pas de tout repos pour Claire, j'en conviens, mais je crois que cela s'avérait nécessaire. J'ai fait ce que j'ai fait parce que j'en avais le pouvoir. En réalité, j'ai fait ce que j'ai fait cette nuit-là parce que je devais le faire... pour elle.

Les membres de la famille nucléaire

Claire Aubry, 38 ans, infirmière, mère et femme

Phrase fétiche : « Misère, on s'en sortira pas ! »

Alexandre Trudeau, 44 ans, journaliste, père et mari

Phrase fétiche : « On va trouver une solution ! »

Laurie Trudeau, 14 ans, adolescente

Phrase fétiche : « C'est injuste ! Je veux aller vivre en famille d'accueil ! »

Mathis Trudeau, 12 ans, préadolescent

Phrase fétiche : « J'ai faim ! Qu'est-ce qu'on mange ? »

Ma vie, le 10 juin

Mon cadran sonne. Déjà… Misère, on s'en sortira pas! Suis-je la seule sur terre à redouter ce moment chaque jour? Comme une fatalité que l'on souhaiterait ne jamais voir arriver. La science nous a appris que les gens doivent dormir au moins huit heures par nuit pour bien fonctionner. À la fin de notre vie, nous aurions ainsi passé le tiers de notre existence à dormir. Euh… je m'excuse, mais non! Dans mon cas, c'est plutôt le quart seulement, voire le cinquième. Je réussis difficilement à atteindre le chiffre magique de huit heures, et ce, même si je consacre beaucoup d'efforts au projet. Les journées sont toujours trop courtes, je cours partout et, la plupart du temps, c'est le ratio d'heures de sommeil qui écope pour tout le reste. Chaque fois que je vois des gens dormir dans un film ou à la télé, je fantasme. Ce n'est pas une blague, je fais presque des «aaah» orgasmiques en m'imaginant sous les draps à leur place. Certains rêvent d'un voyage exotique, d'un téléviseur de quatre-vingts mille pouces ou d'un véhicule luxueux; moi, je rêve de dormir, simplement dormir! Voici la preuve que je n'ai jamais été une femme très exigeante.

Le Gazon

Comme dans la vie « il faut ce qu'il faut », je traîne ma lourde carcasse jusqu'à la salle de bain. Toute la maisonnée dort encore à poings fermés. Quelle injustice ! Je dois toujours me lever la première et, étrangement, je me couche souvent la dernière. Logique ? Non… Le balancier ne revient jamais de mon côté. S'il le fait un jour, je dormirai probablement pendant six années consécutives !

Les yeux encore à moitié dans le même trou, j'ouvre à tâtons le robinet d'eau chaude. Je joins mes mains ensemble sous le jet froid qui devient de plus en plus tiède. J'adore laisser mes mains sous l'eau jusqu'à ce que ce soit brûlant[1]. J'attends toujours à la dernière seconde, lorsque la chaleur devient quasi insupportable, pour les retirer. Pendant que l'eau coule sur ma peau, je m'inspecte dans le grand miroir devant moi. Bon sang que j'ai l'air fatigué ! Encore. Des poches de kangourou brun foncé se dessinent sous mes yeux. Ce n'est pas l'avenir qui appartient à ceux qui se lèvent tôt, mais bien les cernes, oui ! Minimum trois fois par semaine, je me fais dire : « Mon Dieu que tu as l'air fatigué, Claire… » Je le sais. Dans mon cas, je pense que même après deux semaines intenses de soins de drainage lymphatique facial dans un spa nordique finlandais, j'afficherais une mine épuisée !

---

1. Petit TOC que votre auteure partage aussi… Étrange… ☺

Comme la chaleur sur mon épiderme a atteint un niveau insoutenable, je retire mes mains et ferme le robinet. Ça brûle encore un peu pendant quelques secondes. En m'essuyant, je fixe toujours mon reflet dans la glace. Chaque jour, je me démène comme un diable dans l'eau bénite pour tenter de tout faire... Dans le but d'obtenir quoi, en fin de compte? Sûrement pas de la reconnaissance, car j'ai l'impression que personne sur cette planète n'apprécie TOUT ce que je fais.

Je me rends à la cuisine pour préparer les lunchs de toute la famille. Par chance, j'ai pris un peu d'avance hier soir, à minuit et demi, en revenant de travailler. En sortant beaucoup trop de choses en même temps du frigo, j'échappe le pot de moutarde, qui tombe au sol et roule sur la céramique. Pfft! J'aurais besoin de deux mains de plus. Pourquoi ne greffe-t-on pas deux membres supérieurs supplémentaires à chaque maman qui accouche, question de l'aider à tout faire en même temps? Affronter les réalités de la vie matriarcale avec juste deux mains, c'est tout simplement irréalisable. Quoique, si nous en avions deux de plus, nous tenterions probablement d'en faire quatre fois plus!

Ma première tâche terminée, je rassemble sur le coin de l'îlot les aliments nécessaires au déjeuner. Comme un automate préprogrammé, je démarre la machine à café en appuyant sur le bouton-poussoir. Le café, un élixir que je considère comme essentiel à ma survie sur terre. Tout le monde dort toujours paisiblement... Aaaah! Je rumine de nouveau cette injustice sociale exécrable en déposant un nuage de lait chaud fouetté sur mon double allongé.

Au moment où je tombe bêtement dans la lune en contemplant un amas de mousse de lait qui ressemble un peu à une petite souris, je suis dérangée par des sifflements joyeux. Alexandre, mon mari, se lève comme chaque matin en sifflotant au grand jour à quel point la vie est merveilleuse. Ce qu'il a le bonheur facile, lui... Je l'envie parfois.

À peine quelques secondes plus tard, un zombie poilu passe dans le corridor devant moi sans même daigner lever la tête pour voir où il s'en va. Il atteint tout de même avec brio la salle de bain, et ce, sans foncer dans un mur. C'est mon valeureux fiston, avec ses cheveux longs à mi-chemin entre une coupe «Beatles» et une «*mop* industrielle». Il se peigne toujours en créant un effet de «vent très fort venant de par-derrière la tête». Une mode assez répandue qui reste, à ce jour, encore bien ambigüe pour moi. À mon humble avis, je préférerais qu'il porte une coupe courte et plus propre, mais bon, pour les questions de mode d'ados, autant en ce qui concerne les cheveux, les vêtements que la musique, je suis hors circuit, on sait ça depuis longtemps !

J'entends à cet instant précis ma fille chérie qui semble à son tour s'activer dans sa chambre. Tant mieux, je n'aurai ainsi pas besoin de m'approcher de sa porte pour tenter de la réveiller. S'introduire dans un périmètre trop rapproché du seuil de son repaire suffit parfois à déclencher des rugissements dignes de faire frémir la faune de la brousse africaine au grand complet. Un petit bout de femme qui en a dedans, aucun doute là-dessus.

Alexandre, qui arrive auprès de moi, m'embrasse sur une joue avant de dire :

— Bon matin, ma chérie !

Comme je me souviens d'un détail qui le concerne, je le lui dis tout de suite, de peur de l'oublier.

— Il faut que tu paies le gars du gazon aujourd'hui...

— Oh, je n'aurai pas le temps de passer à la banque avant d'aller au journal... Toi ?

— On appelle ça le partage des tâches, Alexandre. Ce n'est pas comme si nous n'en avions jamais parlé... Tu t'occupes du type du gazon, je gère la femme de ménage. Je fais le lavage, tu sors les poubelles. D'autres exemples, ou ça va comme ça ?

— Chérie... On va trouver une solution ! Tu veux de l'aide pour les lunchs ?

— Trop tard, déjà terminés.

— J'ai faim ! Qu'est-ce qu'on mange ? grogne mon fils qui entre finalement dans la cuisine, précédé par ses cheveux en broussaille toujours victimes d'un coup de vent imaginaire.

— Des toasts et des céréales, ce matin. Je suis pressée...

— Baaah... J'aurais préféré des crêpes...

— Des crêpes ? Oui, j'ai juste ça à faire, me lever trois heures avant tout le monde pour faire des crêpes alors que j'ai travaillé jusqu'à minuit à l'hôpital, hier… Ce sera des toasts, voilà tout !

— Je suis la seule de ma classe à pas avoir de iPad. Vous me marginalisez auprès de mes pairs et j'en souffrirai grandement dans ma future vie d'adulte, élabore Laurie, qui entre à son tour dans la cuisine, les yeux bien accrochés à son téléphone portable.

Je roule des orbites en direction du seul membre de la famille qui me comprenne dans cette maison, alias le frigo, avant de respirer par le nez de façon audible.

— Bon, qu'est-ce qu'il faut pas entendre ce matin…

— Je veux un iPad, bon !

— Laurie ! Ça suffit ! que je rugis finalement, le ronronnement de mon ami le frigo n'ayant pas réussi à calmer l'impatience latente que je porte au cœur depuis un certain temps.

— C'est injuste ! Je veux aller vivre en famille d'accueil !

«Ah ! cette journée débute vraiment bien !» est tout ce qui me vient à l'esprit en regardant l'heure sur la cuisinière.

— Alex, dis quelque chose, s'il te plaît ?

— Ma grande fille, on va reparler de tout ça une autre fois…

Mon fils entreprend alors une lecture sérieuse de l'endos de la boîte de céréales, l'air presque dégoûté à mort de devoir manger « ça ». Il réitère donc son fantasme culinaire du moment :

— Ça aurait été bon, des crêpes…

Misère, on s'en sortira pas ! Bienvenue dans la vraie vie ! MA vie. Celle que j'ai choisie, à ce qu'on dit. Certains croient que tout est une question de choix. Honnêtement, quand tout défile à cent milles à l'heure, comment peut-on encore trouver le temps de choisir ? On m'a refilé un formulaire en douce et j'ai coché « oui », coché « non » ? Y avait-il des choix de réponses ? Des choix multiples ? Ça m'échappe. Aucun souvenir. Quoique avec mon horaire de fous, je commence déjà à en perdre des grands bouts et je n'ai même pas encore quarante ans. Alzheimer précoce ? La vie va si vite, on se fait trimballer, pousser, précipiter dans tous les sens et hop ! on atteint la quarantaine et on n'a rien vu arriver.

Enfant, tout me semblait toujours long. Je me souviens du trajet en voiture avec mes parents pour nous rendre au camping où nous allions chaque été. Du haut de mes huit ou neuf ans, ça me paraissait interminable. Il s'agissait tout au plus d'une heure trente minutes de route. Ceci dit, je ne crois pas que l'écoulement du temps soit juste une question de perception. Je pense qu'au passage à la vie adulte, le sablier céleste ouvre les valves au maximum. Le sable coule et coule et coule, et on se réveille un matin en réalisant : « Quoi ? Quand ça, le quarante ? » Bien moi, à la vie, je lui dis poliment: «Vos quarante ans, je n'en veux pas! Non merci, on passe au suivant. Pas prête, c'est tout! Repassez dans cinq ans et on verra.»

Ce n'est pas la crainte de vieillir en devenant physiquement moche qui justifie ma réticence. Ah non, parce que les questions concernant la beauté et l'importance d'avoir un corps parfait, j'ai fait une croix là-dessus à partir de la trentième semaine de ma première grossesse, lorsque j'ai aperçu des vergetures exploser sur mon pauvre abdomen. À ce moment précis, j'ai compris que bien des choses que je possédais ne passeraient pas à travers ce ravage. Mes atouts physiques les plus enviables se sont envolés comme par magie. Pouf! Bye-bye la compagnie! Je parle ici d'un ventre plat, de seins fermes – pointant quiconque de façon effrontée – ou de cuisses sveltes. Par chance, les dommages ne se situent qu'au milieu de mon corps. Belle nouvelle! Je reste donc pas si mal dans les extrémités, compte tenu de mon âge. Sauf peut-être pour mes poches de kangourou dans le visage… Bref, mes mollets, mes avant-bras, mes mains, mes pieds et mes cheveux sont encore très bien. Je n'aurai pas tout perdu en chemin, sur cette belle route de la maternité!

Mais la vie est bien rusée. Quand on tient ce petit être dans nos bras, tout beau, tout rose et en santé, bien des choses deviennent instantanément futiles et sans importance. C'est seulement quand ces beaux bébés vieillissent que l'insatisfaction face à son corps revient parfois au grand galop. L'apparence est secondaire… jusqu'à ce que nos enfants entrent au secondaire, justement!

Être mère

Mon nom est Claire et, ironiquement, je sens que rien n'est clair. Je suis une cordonnière mal chaussée du prénom. Je tente de me convaincre depuis un temps : « Tu as choisi ça, Claire. Tu as choisi cette vie. » La vie de famille… Qu'est-ce que ça signifie, au juste ? La joie de voir ses enfants grandir, de les aider à s'accomplir, à devenir de bonnes personnes. Revenir du travail, voir leur grand sourire et se dire que l'on fait de notre mieux et que tout est bien ainsi. Être patiente, aimante, toujours disponible et le faire dans la bonne humeur. Prendre soin d'eux, les guérir, panser leurs bobos en étant heureuse des cadeaux exceptionnels que la vie nous a donnés. Respirer le bonheur dans son rôle de mère, et ce, chaque minute qui passe… Ça ne va pas, non ?! La vie de famille, c'est plutôt négocier, s'obstiner et dire « non » au lieu de « oui » environ 95 % du temps. C'est tenter de faire comprendre le bon sens à des enfants qui voudraient qu'on leur achète tout ce qu'il y a à vendre sur la planète. Il faut se tenir debout et faire la guerre à des compagnies malicieuses qui inventent toujours un nouveau truc insignifiant pour semer un désir ardent dans le cœur de nos chers descendants.

L'enfant (contaminé) : « Maman, je veux absolument avoir la figurine grandeur nature de BanMAN. »

La mère (bienveillante) : « Mais qui c'est, lui, mon chéri ? »

L'enfant (contaminé) : « Le superhéros qui lance des grenades en forme de bananes en se téléportant dans le temps. »

La mère (innocente) : « Jamais entendu parler de lui. »

L'enfant (contaminé) : « Normal, maman, le film sort juste dans deux ans, mais ils le vendent déjà. »

La mère (soucieuse de l'équilibre du budget familial) : « Non, tu as assez de jouets comme ça, mon grand. »

L'enfant (contaminé) : « Tu ne veux jamais rien m'acheter ! Je le veux ! »

La mère (méchante) : « Non, mon grand… »

N'est-ce pas un peu précoce, la vente de produits dérivés deux ans avant la première médiatique ? Bon sang ! Notre vie au grand complet est rendue un produit dérivé !

La vie de famille, c'est aussi planifier au quart de tour un horaire précis pour que tout le monde arrive à tout faire en tenant compte du fait que, de nos jours, les enfants ont l'agenda aussi chargé que celui du président des États-Unis ! On les rendra fous, les pauvres ! Mais les psychologues, les éducateurs, les professeurs et Canal Vie le conseillent, donc nous, les parents, on suit la vague. Pas question que je sois la seule mère n'ayant pas donné la chance inouïe à sa progéniture d'expérimenter le nouveau cours de yoga-cardio-confiance-plus-axé-sur-le-développement-de-l'estime-de-soi-en-harmonie-avec-le-plexus-solaire. Je n'ai d'ailleurs jamais compris le fondement même de ce cours…

L'estime de soi est dorénavant une compétence transversale conditionnelle à l'obtention du diplôme de maternelle. C'est presque rendu qu'il faut valoriser son enfant pour ses crises.

L'enfant (en colère, en train de faire le bacon, au sol près de la caisse au supermarché) : « NAAAAAAA ! »

La maman (honteuse, mais qui écoute religieusement Canal Vie) : « Hum. . . Je ne t'achèterai pas le bonbon que tu veux, mon chéri, mais maman doit te féliciter pour ta belle crise qui démontre ton assurance et affirme ta personnalité ! Maman est fière de toi, mon amour ! Maman t'aime ! »

N'importe quoi !

Être mère, c'est donner, donner et donner en se demandant si quelqu'un voit tout ce que l'on fait. Allo ? Personne ne se rend compte que je vis la langue à terre en permanence ? Je me la grafigne sur le plancher depuis déjà un bon quinze ans ! Je nettoie gratuitement les trottoirs du quartier au complet quand, par pur miracle, je trouve trente minutes pour sortir marcher.

Le **Gazon**

Par contre, je ne suis pas ce genre de femme aigrie qui n'aurait jamais dû avoir d'enfants et qui le regrette, ah, ça non! Mes deux grands amours, je les aime plus que tout au monde. Et dire qu'ils m'ont aimée à la folie aussi, jadis… La belle époque! Mes deux petits, accrochés à mon bas de pantalon comme si le fait que je quitte la pièce les anéantissait. Ils me faisaient les sourires baveux les plus généreux du monde lorsque j'allais les chercher dans leur couchette au réveil de la sieste. Les voir faire leurs premiers pas, dire leurs premiers mots, découvrir la vie à travers leurs lunettes de tout-petits, ça n'a pas de prix. Ces moments-là resteront gravés dans mon cœur pour toujours et aussi dans mon appareil photo numérique – appareil surchargé depuis minimum un bon dix ans, d'ailleurs. Mais plus les petits vieillissent, plus on perd toute cette magie. Ils deviennent alors des ogres aux bras trop longs qui ne pensent qu'à manger ou encore qu'à fuir le nid. Exactement comme les deux spécimens classiques que je nourris de façon quotidienne à la maison.

Je jette un œil vers ma chère fille, qui ne semble pas dans un meilleur état d'esprit que tout à l'heure en ce fameux matin de nombril de semaine. Quels parents ignobles sommes-nous de ne pas lui payer de iPad comme ça, sans raison, en s'appuyant sur l'argument indéniable que « tous ses amis en ont un »! Si nous étions samedi, elle partirait de ce pas en direction de sa chambre pour préparer son attirail en prévision de sa déportation imminente vers une famille d'accueil. D'habitude, je réussis à bien la désamorcer, et ce, sans même qu'elle ait le temps de passer à la toilette pour y cueillir sa brosse à dents. Ah oui, car même en sérieuse crise de planification de fuite, mademoiselle garde toujours une conscience exemplaire en ce qui a trait à son hygiène dentaire. Durant le primaire, on leur a bien incrusté dans le coco l'importance de combattre le tartre ! Ceci dit, elle a rarement assez de temps la semaine pour planifier son expédition avec efficacité, sinon elle raterait l'autobus et, du coup, tous les potins croustillants de sa copine Laurence. Copine avec qui elle a probablement bavardé au téléphone pendant trois heures hier soir, puis *tchatté* pendant un autre deux heures sur Facebook avant d'aller dormir, son téléphone glissé sous son oreiller, au cas où… Je ne sais pas ce qu'elles peuvent avoir à se raconter de si important, ces deux-là[2] !

Quoique, si je creuse un peu dans ma mémoire, je me souviens que je discutais avec ma meilleure amie Nathalie pendant des heures lorsque nous étions jeunes filles. Chère Nathalie. Elle est encore dans ma vie à ce jour, mais nous nous voyons peu. Trop peu à notre goût, à vrai dire. Elle a une famille aussi. Nous tentons de souper ensemble au moins une fois par mois. Par chance, nos maris s'entendent très bien.

Mon fils adoré, qui promène avec nonchalance sa cuillère dans son bol de céréales ennuyantes, soupire de nouveau. Ma fibre maternelle qui aimerait toujours que

---

2. Bah, elles parlent des garçons… des gars… et des « mecs » aussi ! C'est pas mal ça.

tout soit parfait réagit d'instinct en culpabilisant. La culpabilité. Belle galère, ça aussi! Suis-je la seule mère à me sentir coupable pour tout? La voilà, ma maladie à moi. Nous partons pour le week-end… et je culpabilise parce que ma fille a oublié son chandail bleu préféré, celui avec le col brodé de fil blanc tout autour. J'aurais dû le lui faire penser, elle le porte un jour sur deux depuis huit mois… Si l'un de mes enfants ne semble pas s'amuser… je culpabilise. On change d'activité alors. On change de ville, peut-être? De pays? Si l'itinéraire est mal planifié… je culpabilise encore en me convainquant que le trajet en voiture était beaucoup trop long pour deux ados ayant les hormones qui plafonnent… Pfft!

Je me ronge aussi les sangs lorsque je fais manger du surgelé à mes enfants. Quelle mauvaise mère je suis, car ces repas-là renferment plein d'agents de conservation. J'ai lu quelque part que ça donnait presque instantanément le cancer… Quoique, de nos jours, est-il possible de dénicher quelque chose qui ne donne pas le cancer sur les tablettes des supermarchés?

J'attrape une gastro, je culpabilise. Ah non! Je ne serai pas assez présente pour ma famille, je prendrai du retard sur le lavage et je ne pourrai même pas aller reconduire ma fille à son foutu cours de yoga-cardio-confiance-plus-axé-sur-le-développement-de-l'estime-de-soi-en-harmonie-avec-le-plexus-solaire, étant donné que ça me sort par les deux bouts à toutes les dix minutes… Pfft! C'est quoi l'idée d'être un humain physiquement vulnérable, aussi?! Un jour, par accident, je me suis fait accrocher par une voiture alors que j'étais à vélo. Les enfants étaient encore petits à cette époque. Rien de grave. Une petite commotion et quelques contusions mineures. Je m'étais sentie si coupable. Imaginez si j'étais décédée ? Seigneur ! Ma tribu au complet y serait passée ! Ils seraient tous morts, incapables de survivre sans moi. Je les imagine tous au salon, assis en rond sur le tapis, assoiffés, affamés et sales, à se balancer d'en avant en arrière en gémissant, complètement démunis. Non, il ne faut pas que je meure avant au moins quatre-vingts ans. Quatre-vingts... le double de quarante...

Être infirmière

En enfilant mon uniforme blanc cassé à la chambre, je commence à craindre d'être en retard à l'hôpital. Je suis infirmière. Quel choix de carrière ! Nous sauvons des vies, nous aidons les patients. Nous nous sentons valorisées chaque minute qui passe, car nous savons que notre travail change le monde. Notre métier améliore le sort des gens, il fait une différence. Tous les jours, nos patrons sont fiers de nous et nous donnent des tapes dans le dos pour chaque bon coup afin de nous maintenir solidement accrochées à notre vocation. Les infirmières et infirmiers sont solidaires entre eux et les relations de travail s'avèrent toujours positives et harmonieuses au sein d'un hôpital. Les patients sont tous reconnaissants et gentils et, chaque jour, ils nous remercient chaleureusement de ce que nous faisons pour eux… Euh… Erreur ! Pas tout à fait représentatif de la réalité. Être infirmière, c'est donner, donner, encore donner, et dans l'ombre en plus. Dans l'ombre d'un médecin, dans l'ombre d'une chambre, dans l'ombre de la mort, parfois.

Être infirmière, c'est voir des gens passer à la chaîne, faire tout notre possible pour eux et espérer le mieux par la suite, et ce, quand ils ont été agréables. Sinon, on leur souhaite en secret de se faire écrabouiller par une ambulance trop pressée dès leur congé signé ! Être infirmière, c'est aussi de « devoir » au patient. De « devoir » des soins adéquats dans un système qui ne nous donne que peu de moyens pour y arriver, mais qui en exige toujours plus de nous. C'est aussi de « devoir » une attitude joviale, peu importe ce qui se passe dans notre vie. Tout le monde exige un service parfait et à SON goût, et ce, rapidement, parce que le sablier de la vie a ouvert les valves…

Patient (qui exige) : « Madame l'infirmière, je dois absolument parler à un médecin d'ici quinze minutes pour un petit détail de rien du tout, car je dois aller chercher mon plus jeune à la garderie. Ça ne prendra que deux minutes… »

Infirmière (qui doit) : « Laissez-moi voir… Ah, je crois que vous serez un peu retard, car il y a environ dix-huit heures d'attente pour voir un médecin aujourd'hui… »

Entre collègues, nous affirmons souvent à la blague qu'il nous faudrait parler non pas des «patients», mais des «impatients»! Il ne faut par contre pas croire que je n'aime pas mon travail. C'est faux. J'aime mon boulot, même après tout ce temps, mais la réalité est souvent bien loin de ce que l'on nous décrivait dans les cours théoriques lors de ma formation.

On trime dur, on a des horaires sans bon sens, mais un jour, on soigne CE patient, celui qui est patient, justement, et qui nous sourit en nous remerciant du fond du cœur. Oui, lui, je l'aime. Lui, il m'accroche à ma vocation... Je travaille depuis plusieurs années aux soins postopératoires de courte durée. Malgré que les gens défilent sans arrêt et que le roulement soit toujours assez rapide, les journées se ressemblent toutes à la longue. Mais bon, je ne suis pas celle qui rêve d'avancement, de devenir chef d'équipe ou responsable de quoi que ce soit. Je fais mon boulot du mieux que je peux et voilà tout. Je ne suis pas jalouse des rois et maîtres non plus – même s'ils m'agacent souvent –, car je sais pertinemment que je n'aurais jamais pu devenir médecin. Je ne rumine donc pas en secret une envie refoulée. À l'école, j'avais des résultats acceptables, mais sans plus. Ce que je déplore, c'est que l'attitude de certains docteurs est parfois méprisante envers le personnel périphérique. Heureusement, ce n'est pas le cas de la majorité. Une chance! Il faut dire qu'ils encaissent un stress que je n'aurais jamais été capable de supporter, donc je tire mon épingle du jeu en prenant la place qui me revient et je me tais. Je ne suis pas une meneuse qui doit se surpasser et relever des défis. Je ne suis qu'une femme aux ambitions modestes...

Être femme

En revenant à la cuisine, je termine ma rôtie au beurre d'arachide, debout, en finalisant de l'autre main l'assemblage des lunchs de tout le monde. Je jette un œil vers Alexandre qui réagit avec entrain en lisant le journal sur sa tablette, assis à table. Il travaille comme journaliste pour la rubrique des faits divers de *La Tribune*, le quotidien de notre ville, Sherbrooke. Il est bon. Je me souviens de lui, lorsque je l'ai rencontré durant ma dernière année de cégep. Il avait cette fougue dans les yeux et cette passion qui semblait lui brûler dans le ventre. Il voulait révéler au monde entier LA nouvelle, l'information que tout le monde voulait entendre. Ça fait déjà bien longtemps... Cependant, par-dessus tout, il rêvait – et il en rêve encore très fort d'ailleurs – d'être écrivain. Il a commencé un roman depuis environ soixante-douze ans, et il n'en a que quarante-quatre, ça donne une idée... Il en parle, il fantasme et il s'excite souvent à propos de ça. Mais le hic est qu'il ne l'écrit pas ! Il ne fait rien d'autre que d'en parler. Je lui souhaite bien évidemment de réaliser un jour son ambitieux rêve, mais hélas, après tout ce temps à entendre parler d'un projet qui n'aboutit pas, j'ai perdu un peu de flamme, bien malgré moi.

Nous sommes mariés depuis seize ans, mais en couple depuis quelques années de plus. Eh oui! Déjà! Après tout ce temps passé ensemble, l'intimité amoureuse acquiert une profondeur symbolique inégalée. Nous n'avons pas besoin de nous parler pour nous comprendre, les petites chicanes anodines n'ont plus d'importance. Nous sommes légers, agréables et complices en tout temps. Nous planifions des moments de couple de façon régulière pour nous retrouver et faire l'amour toute la nuit. Nous nous faisons sentir jour après jour que nous sommes les deux êtres les plus exceptionnels du monde. Notre vie conjugale est douce, simple, facile... Faux! Archi-faux! Pas du tout. En vérité, nous ne sommes plus un couple, mais bien une équipe de gestionnaires professionnelle incorporée depuis que nous avons eu les enfants! Nous sommes aussi deux animateurs de camp de vacances à temps partiel, la fin de semaine. Pour nos enfants, oui, mais aussi pour leur horde d'amis variables, excentriques et parfois nauséabonds qui prennent régulièrement d'assaut notre sous-sol pour y faire « nous ne savons quoi » pendant des heures. Et tout ça, c'est sans parler de notre deuxième boulot à temps partiel à titre de chauffeurs de taxi...

Bref, nous planifions, planifions et planifions pour que tout concorde dans l'espace-temps des sept cases de la semaine. Avec nos deux horaires de travail irréguliers, c'est un casse-tête presque chaque fois. Et la semaine suivante, ah zut! je suis transférée de nuit, donc tout est à recommencer. Le comble de la complexité reste tout de même quand une nouvelle choc éclate et qu'Alexandre se met à courir partout en Estrie!

La relaxation, c'est pour les autres. La dernière fois que j'ai relaxé, c'était dans mon cours optionnel « Relaxation » en éducation physique pendant ma première année de cégep. Cela est bien sûr attribuable au fait qu'Alexandre et moi divisons les tâches à la maison de façon inéqui-table. En effet, c'est la triste réalité... et comme j'en prends largement plus que lui, chaque fois que j'en ai la chance, je lui remets sur le nez. C'est comme une carte de reproche que je garde toujours dans ma manche lors des affrontements. Tout ça est un peu ma faute, par contre. À la longue, j'ai compris que j'étais mieux de faire certaines tâches moi-même que de les confier à Alexandre, qui n'oublie jamais le moindre détail concernant un incendie au centre-ville, mais qui égare son portefeuille dans les poches de son propre veston! Parfois, j'ai la vague impression d'avoir non pas deux, mais bien trois enfants à la maison!

Ceci dit, mon mari est un homme facile qui déteste la dispute. Donc, il fait souvent des pieds et des mains pour l'éviter. « On va trouver une solution », clame-t-il haut et fort minimum trente fois par jour. Mais je l'ai choisi pour partager ma vie il y a de ça déjà bien longtemps. Ai-je fait le bon choix? Quelle serait ma réalité si un autre homme partageait ma vie et était le père de mes enfants? Pour les autres, comment ça se passe? Nous avons deux couples d'amis que nous voyons de temps en temps, dont celui de ma meilleure amie Nathalie, et ils paraissent tous plus heureux que nous. Leur vie respective semble toujours mieux organisée que la nôtre. Ils ont l'air de ne pas manquer de temps, d'avoir plus de loisirs, d'argent, de tout. Même dans leur couple proprement dit, je trouve qu'ils sont plus complices, qu'ils rient plus, s'amusent plus. Ils semblent tous plus amoureux que nous, même s'ils sont eux aussi mariés depuis longtemps.

Je ne suis pas de ces femmes séductrices qui désirent plaire à tous les hommes et se faire remarquer. Je ne suis pas non plus une grande rêveuse de romantisme et d'exci-tation. Mais désirer que notre mari nous trouve encore formidable, est-ce si exigeant?

Être mêlée

— Range ton assiette, Laurie!

Encore une fois, elle s'éclipsait en douce comme si le messie en personne comptait tout bonnement ramasser derrière elle. Tout le monde se fie sur moi dans cette maison! « Pas grave, Claire va le faire… » Pfft! En rechignant comme si je lui avais demandé de récurer la cuvette de toilette avec sa propre brosse à dents, elle balance son assiette dans le lave-vaisselle avant de s'enfuir dans son repaire. Je contemple distraitement l'intérieur en inox de l'appareil qui reluit à la lumière du jour. Bien entendu, elle a laissé la porte de celui-ci grande ouverte…

Depuis quelque temps, je me demande à quel point ma vie actuelle me rend heureuse. Je suis impatiente avec les enfants, débordée comme jamais par le travail et Alexandre me tape souvent sur les nerfs. Je sens parfois que je vis comme un androïde, autant dans ma vie de couple, qu'au travail ou avec les enfants.

Est-ce mon destin? Est-ce que je crois à ces prophètes qui disent qu'une ligne de vie est déjà tracée pour chaque être humain et que nous sommes voués à accomplir notre mission sur terre sans détenir aucun pouvoir sur quoi que ce soit? Je ne sais pas. Je ne sais même pas en quoi je crois, d'ailleurs! Je n'ai tout simplement pas eu le temps de me forger une opinion. Voilà! Est-ce mauvais de ne pas avoir de croyances spirituelles précises à mon âge? Pour réfléchir à ce genre de questions existentielles, ça prend un contexte favorable: un long congé, des palmiers, un temple, de l'encens, un gourou à l'air étrange juché en position du lotus inversé qui récite des mantras pas trop loin… Pas juste une maison en désordre peuplée d'un mari et d'enfants qui ont toujours faim.

J'ai lu un livre une fois à ce sujet, il y a de ça bien longtemps. L'auteur – qui était allé dans ce lieu parfait où l'on retrouve des palmiers, un temple, de l'encens et un gourou à l'air étrange juché en position du lotus inversé qui récite des mantras – expliquait que, selon lui, la vie s'avérait être une somme de chemins, de choix. Nous prenons des routes, des directions et nous façonnons à travers tout ce cheminement notre avenir et notre destinée. Il disait: « Sur la rivière des possibilités infinies, nous choisissons les dérivations à remonter dans la barque de notre vie... » Hum... Étant plus ou moins friande de la navigation en général, sa métaphore maritime m'avait plus ou moins touchée, mais je comprenais l'essentiel de sa philosophie. Pas certaine d'y adhérer, par contre. Je le trouvais un peu « illuminé », pour être honnête. J'en étais donc venue à la conclusion qu'à ma liste d'incontournables faisant partie du contexte idéal pour réfléchir à la spiritualité, je devais ajouter « fumer de l'opium avec l'homme étrange qui se tient sur la tête... ».

Des chemins? Je suis d'accord que certaines décisions s'offrent parfois à nous, comme : « On achète la minifourgonnette ou la berline familiale ? » « La bleue ou la grise ? » Pas de quoi faire dévier la trajectoire de son existence sur terre. Peu importe les choix, la personnalité de quelqu'un reste, ses valeurs, son éducation, qui elle est dans son ensemble aussi. Une personne ne peut pas changer de manière draconienne parce qu'elle a emprunté une route différente. Du moins, il me semble...

Le **Gazon**

Comme je le disais, j'ai l'impression de n'avoir pas trop décidé de ma vie. Je crois plutôt que les choses se sont présentées à moi, puis, j'ai encaissé, j'ai suivi la vague – mon destin, probablement – et hop! voilà que le quarante ans frappe à ma porte et que je me bute à des remises en question. En vérité, je remets l'amour au grand complet en question. L'amour sous sa facette la plus large. C'est-à-dire, l'amour de MA vie.

Je cours à la salle de bain pour me brosser les dents. Je fais souvent des heures supplémentaires ces temps-ci. Nous aimerions offrir aux enfants un voyage dans le Sud pour Noël et notre budget actuel ne le permet pas. Nous tentons en fait d'éviter une nouvelle menace de fuite de Laurie, car «tous ses amis sont déjà allés dans le Sud au moins trente-sept fois...» Et comme je culpabilise qu'elle soit la seule à ne pas avoir appris le merengue avant son bal des finissants, nous ferons ce voyage! Mais pour l'instant, il faut mettre les bouchées doubles. Plus souvent qu'autrement, les quarts de travail doubles dans mon cas... Je suis si fatiguée.

En embrassant mes enfants sur la tête à la hâte, je souris vaguement à Alexandre en cherchant mes foutues clés dans ma sacoche format géant. Plus je vieillis, plus mes bourses grossissent! Est-ce proportionnel à l'âge, ce truc? Et je les remplis toujours au maximum de leur capacité. Jean Airoldi disait l'autre jour à la télé que le

sac à main d'une femme devrait en principe être proportionnel à la largeur de ses hanches... Tabarnouche...
À voir mon sac, il faudrait que je songe très sérieusement
à prendre quarante livres de fesses au plus vite !

J'ouvre la porte d'une main en farfouillant toujours
dans ma valise d'épaule avec l'autre.

Mon cellulaire sonne. « Misère, on s'en sortira pas... »
En aboutissant sur le porche, toujours sans mes clés, je
réponds avec aplomb :

— Oui, allo !

Un type à l'accent franco-africain bien senti me
baragouine une interminable introduction pour finir par
m'expliquer qu'il désire me proposer les services avanta-
geux d'une nouvelle compagnie de téléphonie et... je ne
peux en dire plus sur son offre supposément alléchante,
car je rétorque du tac au tac :

— Non, non, non. Pas le temps. Au revoir ! puis je
raccroche sans plus de délicatesse.

Bon sang ! Je n'ai tellement pas de temps pour ça !
En arrivant près de la voiture, je trouve enfin mes clés.
Alléluia ! Elles s'étaient glissées dans mon paquet de
mouchoirs coincé sous une lampe de poche compacte et
une vieille barre énergisante probablement périmée depuis
la Deuxième Guerre mondiale. Je remarque également

dans le fond ma bourse un sachet de sauce aux poivres en poudre un peu tordu… Euh? Vraiment nécessaire[3]?

Le type responsable du gazon m'apparaît dans la cour. Un homme assez âgé qui travaille pour mes parents depuis belle lurette. Un vieux garçon solitaire, venant je ne sais d'où, mais basané comme un Hindou. Triste sort, il est sans femme et sans enfant. Nous l'avons presque engagé par pitié. De plus, le prix dérisoire qu'il demande est ridicule. Comme convenu avec Alexandre, il s'occupe de lui et moi de la femme de ménage. Ma façon de déléguer un minimum. La pelouse, c'est un truc de mec, non? Il surgit près de moi au moment où j'entre enfin dans ma voiture. Il enlève son chapeau de paille trop grand pour sa tête maigrichonne et il le pose sur sa poitrine en guise de politesse.

— Madame Claire, je voulais vous dire…

— Ah non, non, non. Je n'ai pas le temps. Voyez ça avec Alexandre, d'accord? Bonne journée!

En m'engouffrant dans mon automobile, j'aperçois notre voisin de gauche qui m'épie comme un voleur par la fenêtre de sa cuisine. Il est si étrange, ce voisin. Un homme vivant en ermite qui est maladivement obsédé par son gazon. Il ne nous parle presque jamais…

Je recule de la cour en trombe.

---

3. Absolument! Ne jamais sortir de la maison sans un sachet de sauce aux poivres. Sait-on jamais…

Ma vie, le 10 juin au soir

Quelle journée de fous, une fois de plus ! Une patiente qui devait obtenir son congé à midi a tout à coup fait une réaction allergique à la morphine. Elle restera finalement sur l'étage une ou deux nuits de plus que prévu. Résultat : il manquait un lit pour le patient qui devait prendre sa place à treize heures. J'ai dû gérer la colère d'une femme scandalisée de voir son père de soixante-dix ans installé dans le corridor le temps de trouver une solution de rechange. Elle m'a presque accusée de maltraitance envers un aîné !

En regardant l'heure, je panique. Je n'arriverai pas à temps pour faire à souper à mes deux ogres. Merde ! S'ils se mettent tout bonnement à grignoter les murs de la maison, nous ne serons pas plus avancés ! Dans les faits, mon quart de travail s'est terminé à seize heures, mais depuis, je « m'impatiente » à mon tour dans une salle d'attente depuis environ vingt minutes. Vingt minutes de trop ! J'avais planifié attendre ici cinq minutes au maximum. Puisque je me donne corps et âme pour le système de santé, ne pourrais-je pas bénéficier de quelques petits avantages ? Je mériterais beaucoup d'avantages même. Mais bon, nous avons un médecin de famille, ce qui découle sans conteste d'un miracle céleste de nos jours !

Aujourd'hui, j'ai un rendez-vous pour subir le deuxième type d'examen médical que les femmes détestent le plus au monde, le premier étant exécuté avec un bec de canard froid et peu jovial, bref, tout ce qu'il y a de plus décevant comme phallus, pour vous donner un indice. La réalité du deuxième est que, sous peu, je me ferai écrabouiller les seins comme deux galettes de sarrasin. Il paraît que le peu de glandes mammaires que mes charmants enfants n'ont pas bouffés jadis me sortiront peut-être par le bout des mamelons sous la pression. Ce sera la première fois que je passe ce genre d'examen. Il s'agit d'une démarche purement préventive, car ma grand-mère maternelle a déjà eu des tumeurs aux deux seins. Bénignes, par chance, mais il n'y a pas de risque à prendre.

En regardant ma montre, je me demande si les enfants seront en mesure de mettre la main sur la clé cachée sous le tapis du portique afin d'entrer dans la maison. Ils ne l'utilisent que peu. Et s'ils avaient hérité du gène de mémoire sélective défaillante de leur père et qu'ils ne se souvenaient plus où elle se trouve ? Et si un maniaque psychopathe assoiffé de jeune sang frais passait par là au même moment ? Jadis, j'aurais plutôt dû inscrire mes enfants à un cours de karaté, au lieu de ce cours douteux de yoga-cardio-confiance-plus-axé-sur-le-développement-de-l'estime-de-soi-en-harmonie-avec-le-plexus-solaire…

— Claire Aubry, salle 2.

Bon, pas trop tôt ! La radiologiste que je connais de vue me demande de me dévêtir dans une salle adjacente en me questionnant sur une rumeur croustillante qui circule au sujet d'un chirurgien travaillant au bloc opératoire, donc que je côtoie de temps à autre en «postop».

— Il a couché avec la secrétaire médicale du sixième ou pas? Pendant un temps, la rumeur semblait béton, mais là, il paraît qu'il est toujours avec sa femme. À moins qu'elle ait accepté l'égarement de son mari pour garder sa grosse cabane...

N'ayant pas le temps de me tenir à jour à propos de TOUS les cancans savoureux circulant dans l'hôpital, je hausse les épaules pour toute réponse. Pour gagner du temps, je me dévêts devant elle. En dégrafant mon soutien-gorge... beige, je songe: «Ouin... Compte tenu de ma lingerie peu raffinée, j'aurais dû me changer dans la petite salle, finalement.»

J'installe ma première poche de lait vide sur la grosse lamelle de plastique. Les côtes frottant sur l'appareil et la joue bien écrasée sur une plaque de métal glaciale, je perçois l'étau qui se resserre une première fois. Ouille! Galette. Après les ravages de l'allaitement, mon sein s'avérait déjà difforme... c'est maintenant indéniable que ce truc ne reprendra jamais son allure initiale. La peau a sûrement fendu.

Après quelques secondes, l'appareil libère gentiment mon sein droit, ou du moins, ce qu'il en reste. Même manœuvre pour le gauche. Mon sein gauche est moins vide quant à lui. Il paraît que les femmes ont toutes des seins asymétriques. Dans mon cas, c'est une évidence, mais pas une réjouissance ! Je me demande parfois si j'ai, sans trop m'en rendre compte, donné le sein droit plus fréquemment à mes enfants...

Une fois la deuxième galette bien pressée comme un citron pour en extraire tout le jus, je me rhabille en vitesse. C'est désagréable, mais dans l'ensemble, tout de même pas si mal. En fait, après avoir vécu deux accouchements de plus de dix heures, je pourrais me faire arracher un bras à froid et je trouverais le tout « pas si mal ».

— En tout cas, apparemment que sa femme est très jolie en plus. Les hommes sont tous de gros cochons infidèles ! conclut avec ferveur la radiologiste en griffonnant quelques notes dans mon dossier.

N'ayant aucune opinion précise sur la vie sexuelle de ce médecin ni sur celle des hommes en général, d'ailleurs, je hausse les épaules de nouveau. Pour ma part, je n'ai jamais été infidèle à mon mari. Je ne pourrais pas. De toute façon, je suis une femme ordinaire et les hommes me regardent peu. Je me suis déjà demandé si Alexandre pourrait l'être, par contre. Au journal, il a déjà supervisé une stagiaire qui avait dix ans de moins que moi. Même si elle était très jolie, je n'en ai jamais fait de cas. Je fais confiance à Alexandre. Malgré que notre vie sexuelle ne soit plus ce qu'elle était, nous faisons encore l'amour, parfois. Souvent le samedi, quand je ne travaille pas. Bon, tout ça semble très routinier et moche à première vue, mais les jours de semaine, tout va trop vite. Alexandre ne semble pas malheureux de ce côté-là. J'aimerais parfois vivre une sexualité un peu moins prévisible, mais ma motivation à y insuffler du renouveau perd souvent de la vigueur quand dix heures du soir arrivent et que mon oreiller m'appelle désespérément. Alexandre me laisse venir à lui sans jamais rien demander. Je suis toujours celle qui donne le coup de départ, donc je n'ai jamais à dire «non» à mon mari et je crois sincèrement que c'est mieux ainsi.

16 H 48

Mon médecin, qui entre dans la salle, me sourit. C'est un gentilhomme. Je ne travaille jamais avec lui, mais je l'aime bien. Il a presque soixante-cinq ans. C'est donc dire que nous perdrons sûrement ses précieux services bientôt. À son départ pour la retraite, si l'hôpital ne me trouve pas un nouveau médecin de famille dans les cinq jours ouvrables suivants, je me prépare déjà mentalement à faire du piquetage dans la cafétéria, rien de moins que les seins nus! Pas de doute qu'ils m'en trouveront un autre sans délai!

Je me dévêts le haut du corps une seconde fois. Sous-vêtement beige, prise deux... Je ne savais pas qu'il m'examinerait aussi les seins de façon manuelle.

Une fois sa palpation terminée et après quelques questions de routine concernant ma santé, il me déclare:

— Voilà! Nous allons faire analyser tout ça. À première vue tout semble beau, Claire. Vous savez, le but de cet examen n'est pas d'inquiéter les patientes, mais étant donné vos antécédents familiaux, nous devons le faire même si vous n'avez que quarante et un ans[4]…

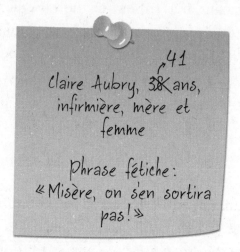

Pendant qu'il remplit des notes dans mon dossier, je fixe le mur derrière lui qui présente une affiche explicative d'un immense vagin en deux dimensions. Bon… Oui, j'ai déjà franchi le cap des fameux quarante ans. Je mens sur mon âge à tout le monde, et ce, en commençant par moi-même. Je ne dis pas trente-neuf ans, car c'est trop suspect. Chaque fois que je croise une femme disant qu'elle a trente-neuf ans, je ne la crois pas. J'aime bien trente-huit. Comme si je sentais qu'il me reste encore deux ans pour affronter la réalité.

En tombant dans la lune sur un des deux ovaires géants de l'affiche, je réalise de plein fouet que j'ai bel et

---

4. Bruit de criquet…

bien quarante et un ans. Peu de situations me ramènent à cette réalité. Mon mari n'en fait jamais mention, et comme il peine à se souvenir de ma date d'anniversaire chaque année, je présume qu'il a également perdu le fil pour mon âge. La dernière fois que j'ai été confrontée à mon âge véritable, c'est en faisant ma demande de passeport l'an dernier. Sinon, personne ne sait sauf ma mère, donc personne ne m'en parle. Même mes collègues au département, à qui je répète depuis quatre ans que j'ai trente-huit ans, n'y voient que du feu !

Au moment où mes yeux bifurquent vers une des deux trompes de Fallope pédagogiques, le médecin s'adresse à moi.

— Claire ?

— Oui ?

— Avez-vous des questions ?

Je songe : « Êtes-vous heureux dans la vie, docteur ? Croyez-vous au destin ? Avez-vous déjà discuté avec un gourou bizarre près d'un palmier ? »

— Non, non, ça va docteur.

Physiquement, je vais bien en général, mis à part ce mal dans le haut du dos au niveau des omoplates que je traîne depuis la mi-trentaine. J'adopte une mauvaise posture, je pense. J'ai aussi un genou qui fait des bruits de croquant quand il pleut. Début d'arthrose ? Je souffre de migraines à l'occasion, mais je me drogue sans gêne pour tenter de faire passer la douleur, car je n'ai pas le temps, non plus, d'avoir mal à la tête. Avant de franchir le cap des trente ans, je n'avais jamais eu mal nulle part. Je pouvais manger n'importe quoi aussi. Maintenant, je digère mal les oignons, l'ail, le pesto et, si je mange trop tard, je dors très mal. Et que dire de l'alcool…! Si par malheur je prends un tout petit verre de trop, j'en ai pour des semaines à m'en remettre!

Tandis que je scrute toujours avec intérêt l'utérus béant devant moi, je réfléchis: «Est-ce que les gens se contentent habituellement d'être juste *un peu* heureux dans la vie?»

Je réalise que le médecin a terminé en le voyant se lever de son gros fauteuil de travail.

— Le reste se fera par courrier interne. N'hésitez pas s'il y a quoi que ce soit, Claire.

— Merci, docteur, que je fais en me redressant à mon tour.

Pour pouvoir me garer, je dois sortir de mon véhicule afin de déplacer le vélo de Mathis qui trône en plein milieu de la cour. Le jardinier, qui travaille dans une plate-bande, me regarde prendre le vélo avec force et le balancer plus loin dans une colère évidente. J'ai dû casser les oreilles de mon fils à ce propos environ un milliard de fois! Avant de retourner dans mon automobile pour l'avancer, je crie avec impatience :

— Quelqu'un peut me dire si c'est ÇA, mon destin ? TOUT ramasser derrière TOUT le monde jusqu'à ma mort, je n'ai pas choisi ça... Ah ça, non ! Je n'ai assurément pas choisi ça !

L'air perplexe, le jardinier ne dit pas un mot et retourne la tête vers les vivaces alignées devant lui. J'aperçois alors le voisin bizarre qui m'épie encore par la fenêtre... Bon sang, il n'a rien d'autre à faire, le pauvre ?!

En pénétrant chez moi, des cris de mort m'accueillent.

— T'es con ! gueule affectueusement ma fille chérie à son frère adoré dans le salon.

Alexandre est déjà rentré. Il n'y a même pas un embryon de souper de débuté... Mon charmant mari n'a que sommairement ramassé la table du déjeuner de ce matin. Des montagnes de graines de pain hautes comme l'Himalaya s'y trouvent encore...

Assis au salon, il scrute avec grand intérêt l'écran d'ordinateur devant lui en faisait fi de nos enfants qui s'arrachent réciproquement la tête sur le divan modulaire. En tant que parents, nous développons tous ce genre d'écoute sélective pour maintenir notre santé mentale à un niveau acceptable.

— MAMAAAAN ! beugle ma fille, maintenant à demi coincée sous un coussin que son frangin tente de maintenir sur son visage pour l'asphyxier en douceur, ni vu ni connu.

Comme mon tendre époux se trouve à proximité de la coquette scène de tentative de meurtre, je ne m'en mêle pas et j'attends qu'il intervienne. C'est la règle de la proximité. Il est le plus près, donc...

Il lève les yeux vers le divan et balance un «voyons?» molasse et peu convaincant en direction de son vaillant fils qui déploie toujours beaucoup d'efforts pour mener à terme son projet «éliminer ma sœur avant le souper».

En ouvrant la porte de mon fidèle acolyte, le frigo, je songe que j'aurais dû attraper un poulet cuit à l'épicerie – même si ce genre de volaille contient sûrement des agents cancérigènes qui viendraient une fois de plus nourrir ma culpabilité...

— T'es un malade mental! crache ma fille, qui a réussi contre toute attente à retourner son frère sur le dos, et ce, de façon assez spectaculaire, je dois l'avouer.

Celui-ci réplique en criant à son assaillante un mot d'église que les voisins ont assurément entendu, étant donné que toutes les fenêtres sont ouvertes. Nous aurons encore l'air de la bande de demeurés du quartier !

Pendant un instant, Laurie semble songer à la possibilité d'agripper la lampe de lecture pour lui en foutre un bon coup sur la tête. Comme le mobilier de la salle de séjour se trouve en danger, j'interviens en gueulant comme une perdue :

— ÇA SUFFIT !

Wow ! J'ai utilisé avec brio le quadruple de la puissance quantifiable en décibels des cris précédents de ma progéniture. L'ensemble de ma charmante famille lève des yeux ébahis vers moi. Il est rare que je crie de la sorte. D'ordinaire, je monte le ton beaucoup plus graduellement, mais pas ce soir. La commotion collective s'avère par contre brève. Aussitôt que je retourne à mon analyse du futur souper, tout le monde reprend sa tâche. C'est-à-dire que mon mari repose les yeux sur son portable pendant que fiston en profite pour asséner, du poing droit, un crochet franc et direct sur la frêle épaule de sa frangine qui avait baissé sa garde à cause de mon cri de mort.

Toujours absorbé par son écran, Alexandre m'annonce :

— J'ai eu une nouvelle idée gé-ni-ale pour mon roman !

Avec une musique de fond assourdissante mettant en vedette Laurie qui menace maintenant à tout vent d'arracher les yeux de son frère avec ses ongles, je commente à voix forte :

— Ah oui ? Tu écris ?

— Non, non, je fignole mon plan…

Je hausse les sourcils à mon cher frigo en guise de réponse.

Las du combat, Mathis laisse finalement la vie sauve à sa sœur – pour cette fois – et il avance vers moi en me demandant :

— Qu'est-ce qu'on mange ?

— Une omelette avec des pommes de terre bouillies…

Il me balance un «aaah» chargé de désillusion avant de s'enfuir dans sa chambre pour ruminer en solitaire sa deuxième déception culinaire de la journée.

Laurie avance vers moi.

— *Mom*, je veux vraiment un iPad !

— Laurie, c'est NON !

Pour appuyer mon refus catégorique et lui signifier qu'il n'y a pas matière à discussion, je soutiens le regard de ma fille avec sévérité en continuant d'éplucher les pommes de terre sans regarder ce que je fais. N'essayez pas ça à la maison, je suis une maman professionnelle !

J'ouvre le robinet d'eau chaude. Mon rituel du matin et du soir. Je m'observe dans la glace pendant que je joins mes mains sous le jet. Toujours cet air fatigué. L'ensemble de l'œuvre est moins monstrueux que ce matin, mais tout de même. Je me sens nostalgique, moche. La vie. La routine. Ce soir, j'en ai gravement marre.

Lorsque j'entre dans notre chambre, Alexandre se tient debout près de la grande fenêtre. Tenant le pan de rideau entrouvert du revers de la main, il fixe la maison du voisin étrange, l'air songeur. Peut-être que lui aussi il en a assez, de notre vie[5]? Peut-être que lui aussi il se demande s'il a fait le bon choix de m'épouser puis de me faire deux enfants? Peut-être qu'il songe lui aussi à ce que pourrait être sa vie s'il avait fait des choix différents? Même si c'était le cas, je sais qu'il ne m'en parlerait pas, pour ne pas me froisser. C'est pour les mêmes raisons que je garde mes réflexions pour moi. Si un jour il abordait lui-même le sujet, peut-être que je lui confierais mes angoisses.

En m'assoyant sur le lit, je l'observe toujours avec discrétion, de biais. Il semble tristounet en contemplant la maison d'à côté. Comme s'il regardait par là, mais sans vraiment porter attention. Peut-être que s'il me partageait ses préoccupations du moment, s'il m'en parlait, cela ferait l'effet d'un baume sur les miennes. Je sentirais que nous sommes deux à être aux prises avec le même genre de questionnement. Peut-être que cela nous amènerait à nous rallier pour tenter d'apaiser notre lassitude mutuelle? Oui, plus j'y pense, plus j'aimerais que mon mari s'ouvre à moi... et ce, même si certaines choses qui le préoccupent pourraient être difficiles à entendre.

---

5. Alexandre, pas le voisin étrange. ☺

En glissant mes jambes sous la couverture, je songe sans le dire : «Alexandre, dis-moi, est-ce que l'on s'aime encore?»

Comme s'il avait entendu le fond de ma pensée, il tourne la tête vers moi. Une ride s'est creusée au-dessus de la ligne de ses sourcils. Il est sérieux... Je sens qu'il va le faire. Je sens que nous allons enfin percer cet abcès. Maintenant convaincue que nous sommes au diapason concernant nos angoisses communes, j'attends sagement qu'il fasse les premiers pas, bien assise dans notre lit conjugal, les deux mains sur les cuisses.

Le regard de nouveau focalisé sur la résidence du voisin, il murmure :

— Hum...

Comme la démarche pour entamer une discussion sérieuse est plus laborieuse pour les hommes que pour les femmes, je lui donne un petit coup de pouce en demandant :

— Quoi?

— Je sais pas..., hésite-t-il, probablement craintif de me froisser en abordant ce délicat sujet.

Je l'encourage en réitérant ma question pour lui témoigner ma réelle ouverture à en discuter :

— Quoi? Chéri, dis-moi, je t'écoute...

Il secoue la tête de gauche à droite et regarde le plancher. Il va se lancer, je le sens...

— Tu sais quoi, Claire?

— Non, mais dis toujours...

— Je ne sais pas ce que le voisin fait de si magique, mais son gazon est vraiment plus vert que le nôtre, hein! On dirait que je suis comme jaloux...

Silence. Un «V» large comme une envolée de bernaches qui migrent vers la Floride se forme dans mon inter-sourcils. Une goutte d'eau chaude tombe dans l'évier de la salle de bain.

Il tire les rideaux et délaisse la fenêtre pour venir s'installer à son tour dans le lit. Je fixe le couvre-lit, les mains bien à plat sur mes cuisses, mon grand «V» toujours bien dessiné en plein front. Déçue d'avoir ridiculement fabulé une conversation improbable, je ferme la lumière posée sur ma table de chevet et je m'allonge sous le poids de mes lourdes insatisfactions en rabattant sur moi la couverture de la résignation. Au final, je pèse une tonne dans ce lit.

— En tout cas, je vais en parler au gars qui s'occupe du gazon! On va trouver une solution!

Je ne réponds pas et songe: «Oui, parle-lui au plus vite, au gars de la pelouse, Alexandre, car moi aussi je trouve que le gazon de tous les voisins semble plus vert que le nôtre, justement, et j'aimerais bien ça en trouver une, solution...»

Le Gazon

En fermant les yeux, je pense très fort: «S'il y avait une quelconque façon de voir, de savoir, de connaître l'avenir et ce qui m'attend, j'aimerais tellement ça. À la question: "Si vous pouviez lire le livre du destin de votre vie, le feriez-vous?", ce soir, je répondrais: "Oui, s'il vous plaît, j'aimerais bien en lire quelques passages"...»

Bon sang! Où suis-je?

En bougeant un peu dans mon lit, je souhaite très fort que ce soit le matin et non le milieu de la nuit. Bien entendu, je me tape parfois des épisodes d'insomnie en raison de mon horaire trop variable et, chaque fois, je pense devenir cinglée. Il n'y a rien de pire que de vouloir dormir très fort... et que ça ne dorme PAS. C'est de la pure torture, selon moi. Plus insupportable que le supplice de la goutte sur le front! À tout coup, j'anticipe que je serai encore plus épuisée le lendemain et impatiente avec les enfants, que ma journée sera un enfer et que je me ferai dire deux fois plus souvent que d'habitude que j'ai «donc l'air fatigué»...

En ouvrant un œil, je remarque qu'il fait jour. Ah, bonne nouvelle! En fait, il fait même très clair... Trop clair. Mes yeux peinent à distinguer quoi que ce soit tellement la lumière qui m'entoure est éclatante. Mon mari a déjà ouvert tout grand les rideaux ou quoi? Pendant un moment, je ne repère rien autour, outre cette blancheur opaque qui semble m'envelopper telle une nappe de brouillard chaude en haute mer. Où suis-je? Je touche la couverture près de moi. C'est bel et bien mon lit. Je me tourne un peu pour étendre le bras vers mon mari. Je tapote dans le vide. Il n'est visiblement pas là. Je suis seule. Est-il déjà debout? S'il est en train de faire les lunchs à ma place, je lui décerne sur-le-champ la Médaille du sacrifice du Gouverneur général! Mais quelle heure est-il au juste?

Paniquée à l'idée que je sois en retard, je me redresse tout de go. L'environnement m'aveugle maintenant comme si le soleil avait remplacé la maison du voisin. Ou plutôt, comme si je me trouvais au beau milieu d'un ciel aux fortes lueurs lactescentes. Ma vision qui se précise me montre qu'il n'y a rien autour de moi, sauf un épais brouillard qui devient de plus en plus translucide. Pas de meuble, pas de plancher ni de murs, juste du blanc.

— Bonjour, Claire, fait une voix, sans que je distingue de silhouette autour.

— Qui êtes-vous?

Pas de réponse. Que se passe-t-il? Je ne suis pas morte toujours? Dans le coma, peut-être? Zut, j'espère que non, car je n'ai vraiment pas le temps…

— Qu'est-ce qui m'arrive? Où êtes-vous? dis-je en m'adressant au vide qui m'entoure et qui parle, semble-t-il.

— Calmez-vous, Claire, tout va bien.

Mes yeux, qui distinguent maintenant de façon nette ce qui m'entoure, me renvoient bel et bien une image de gros nuages. Je dérive carrément parmi de gros cumulus. Je rêve ?

— Tout ne va pas vraiment bien, non. J'ai le déjeuner à préparer pour les enfants, les lunchs à faire et, on est jeudi, donc je dois écrire ma liste d'épicerie aussi et… et qui êtes-vous, au juste ? Dieu ?

— Ah, voilà une supposition bien flatteuse, mais non, malheureusement, je ne suis pas Dieu. En vérité, compte tenu de l'immensité du monde, je ne suis que peu. Eh oui, je ne suis que peu… Mais je tiens à vous rassurer, Claire, que nous sommes toujours la nuit, donc vous avez amplement de temps.

— La nuit ? Aaah, je rêve, c'est ça ?

— Exactement.

— Ah bon ! Dieu soit loué, je ne suis pas morte ! Vous auriez tout de même pu garder un peu de suspense. Vous savez, dans les films, on comprend juste à la fin que ce n'était qu'un songe, finalement[6]. Mais bon, ça ne me dit toujours pas qui vous êtes.

— À l'étape où nous sommes, ce n'est pas important…

— Écoutez, je ne veux pas avoir l'air trop « contrôlante », mais vous êtes débarqué dans MA tête, donc je pense que j'ai le droit de savoir qui vous êtes !

---

6. Je n'allais assurément pas vous faire ce coup-là !

— Justement, arrêtez de vouloir toujours tout contrôler, chère Claire. Laissez-vous aller un peu…

Silencieuse, je reste là un moment, à réfléchir. Je rêve et j'en suis consciente. Étrange. À ce que je me souvienne, ce genre de situation ne m'est jamais arrivé auparavant.

— Qu'est-ce qui vous tracasse ces derniers temps, Claire, dites-moi ?

— Ah, vous êtes psy ? Génial, je n'ai ni le temps ni les moyens de me payer une thérapie quand je suis réveillée. On va faire d'une pierre deux coups !

— Vous prenez le tout avec humour. C'est très bien.

— Avec la vie de fous que je mène, si je n'en avais pas, je ne passerais pas à travers, croyez-moi.

— Parlez-moi donc de cette vie, justement.

— Je sais ! Hi ! hi ! Vous êtes ce fameux gourou qui fait du yoga ? Vous n'auriez pas un petit peu d'opium, question de se détendre un peu ?

— Peut-être, mais pas pour vous. Ha ! ha ! Vous aurez besoin de toute votre tête pour la suite…

— C'est mon rêve ! Je décide ! Qu'on m'apporte de l'opium !

— C'est votre rêve, en effet, mais vous ne déciderez pas de ce qui s'y déroulera pour cette fois. Je prends les commandes.

Le Gazon

En continuant d'observer l'immense nuage vaporeux sur lequel mon lit semble flotter, je songe à cet homme qui me parle, mais que je ne vois pas. Sa voix est loin, comme en écho, mais elle me dit vaguement quelque chose. J'ai l'impression d'avoir déjà entendu cet homme.

— On se connaît ?

— Ce n'est pas important. À présent, nous allons devoir procéder, car je n'ai pas toute la nuit, et surtout, il n'y a pas que vous dont je dois m'occuper. Vous êtes arrivée ici car vous l'avez souhaité, vous l'avez demandé. Vous vous questionnez et je vais tenter de faire la lumière avec vous à propos de ce questionnement existentiel qui vous tourmente.

— Procéder à quoi ?

— À l'expérimentation.

— Quoi ? Non, non, non, je ne fais pas de test de médicaments ou de techniques médicales, ni rien de tout ça... Et de plus, je n'ai rien demandé du tout.

— Claire, pour l'amour, décrochez un peu de votre boulot pour une fois ! Ha ! ha ! ha ! Et oui, vous l'avez demandé, et de façon très nette en plus.

Il se bidonne, lui ! Mais qui est-il donc ?

— J'exige des réponses !

— Vous en aurez en temps et lieu, mais d'abord, souvenez-vous de ce qui vous préoccupait avant de vous endormir...

— Écoutez, mon mari me communiquait avec désolation le fait que le gazon de notre voisin bizarre était plus vert que le nôtre. Ce fut là notre dernier sujet de discussion de la soirée.

— Le voisin bizarre, oui... Et ensuite ?

Comme je me souviens très bien avoir songé à consulter le livre de mon destin... je me doute que c'est ce à quoi ce dieu invisible fait probablement référence. Cela dit, je commence à croire au fond que je discute réellement avec Dieu en personne.

— Ah ! Vous comptez me révéler le futur ? Que c'est excitant ! Je suis prête ! que je fais en me redressant, impatiente de voir se dérouler devant moi les prochains quarante ans de ma vie.

— C'est en effet ce que vous avez souhaité, mais c'est malheureusement impossible. Je vous ferai expérimenter autre chose, par contre.

— Vous avez du *popcorn* ? Je sens que ce visionnement sera passionnant. Je le préfère avec du sel et beaucoup de beurre fondu, même si ce n'est pas bon pour les artères. Dites-moi, avez-vous une grosse barbe ? J'ai toujours imaginé que Dieu portait une barbe...

— Bon, bon, bon, trêve de bavardage pour le moment. Nous allons débuter et vous comprendrez au fur et à mesure. Allongez-vous dans le lit, fermez les yeux et relaxez...

Relaxer, relaxer. Facile à dire. Je suis là, accrochée à un nuage, et je parle au fantôme de Dieu le Père tout-puissant. La folie me guette du coin de l'œil, je crois. Il s'agit certainement d'un rêve prémonitoire présageant que je deviendrai psychotique sévère sous peu.

— Allongez-vous, Claire, répète la voix directive de l'homme.

— Ah, parce que vous me voyez en plus ?!

— S'il vous plaît, Claire, je suis très occupé cette nuit...

— Ah bon, bon...

Comme sa voix semble tout de même douce et bienveillante, je collabore. Avant de m'exécuter, je place une ultime requête :

— Avez-vous un cellulaire ? C'est que, si je meurs, je dois absolument trouver quelqu'un qui fera le déjeuner ce matin, sinon tout le monde dans cette maison mourra de faim...

— Ha ! ha ! ha ! Vous ne prenez même pas le temps de rêver tranquille !

On se bidonne tout de même un tantinet, dans ce rêve cinglé ! En m'allongeant dans mon lit, je réfléchis à la situation. Impossible d'être rationnelle compte tenu de l'irréel intégral qui m'enveloppe.

— Fermez les yeux.

Aussitôt mes paupières closes, tout se met à tournoyer autour. Je ne vois pas, mais je le sens. Mon lit chancelle de plus en plus rapidement dans un déplacement qui me semble à la fois rotatif et stationnaire. J'entends la voix au loin me souhaiter : « Bon voyaaaage, Claiiiire... »

Tout tourne et tourbillonne pendant un moment jusqu'à ce que je perçoive un mouvement d'atterrissage. Mon lit vient de se poser quelque part, du moins, c'est l'effet que j'ai ressenti. Mais où ? Tout devient noir dans ma tête. Mes pensées s'embrouillent. Zut, je me suis fait berner. Je viens de mourir...

Quel rêve étrange...

Me réveillant, je bouge un peu dans mon lit. Je m'étire et j'entortille les jambes ensemble en pointant mes orteils au maximum. Étrange sensation. Je me souviens vaguement de mon rêve ; je parlais avec un homme suspendu dans un nuage tout blanc. Dieu, je pense. Qu'est-ce qu'il racontait, donc ? C'est un peu confus dans ma tête.

Alexandre bouge derrière moi. L'alarme reten-
tira probablement d'ici quelques minutes... Maudite
alarme. Je laisse mes yeux fermés, question de profiter
d'un dernier moment de quiétude avant la tornade des
matins de ma vie. Si ma fille me reparle de ce foutu iPad,
je l'étripe au beau milieu de la cuisine sans préavis. Les
secousses du matelas m'indiquent qu'Alexandre vient
de pivoter d'un demi-tour. Il s'approche ensuite doucement dans mon dos. Sans crier gare, il plaque son torse
contre moi et m'agrippe sans gêne un sein en passant son
bras autour de mon corps. Je sens même très bien son
érection contre mes reins... Tabarnouche! Qu'est-ce
qu'il lui prend, lui, ce matin? La peau de sa main me
paraît rugueuse et sèche. La couverture est aussi très
rude. Mais... Perplexe, j'ouvre un œil. Ce n'est pas ma
literie, ça? Un lainage velu brun pâle me recouvre. On
dirait du chanvre. Une odeur terreuse s'en dégage. Je
ne me souvenais même pas que nous avions de la literie
de ce genre à la maison. Alexandre, qui ne dit toujours
rien, continue de compresser mon sein gauche avec
motivation. Il doit encore rêver, lui. Au fait, comment
se fait-il que je sois nue?! Ça aussi, ça m'échappe. Je
ne me rappelle pas avoir enlevé mon pyjama durant la
nuit. J'ai dû avoir très chaud... Serait-ce le début de ma
préménopause?

Sous la pression de la main de mon mari qui me triture
toujours le sein, je ressens alors quelque chose de trempé
au niveau de ma poitrine. Hein... Je reconnais très bien
cette sensation... Doux Jésus! À cause de son mouvement

de palpation, du lait s'écoule à présent de mon mamelon ! QUOI ? Est-ce un effet secondaire de la mammographie d'hier après-midi ? Traumatisée, je soulève un peu le bras lourd d'Alexandre et je me retourne comme une crêpe vers lui pour le mettre au courant du drame en cours. En atterrissant d'un bond sur mon autre flanc, je vois le dessus de la tête de mon mari, qui est inclinée vers le bas. Tous ces cheveux... Mon époux n'a pas autant de cheveux et ils ne sont pas frisés de la sorte. Je comprends alors à mon grand désarroi que CET HOMME N'EST PAS ALEXANDRE DU TOUT ! Comme la main de l'homme en question s'était d'instinct reposée sur mon autre sein, et ce, malgré mon agile pivot, je l'enlève subitement et la lance dans le lit tel un vieux chiffon. Importuné par mes mouvements brusques, l'étranger relève un peu sa tête bouclée. Puisque je ne le reconnais pas du tout, je me cache la poitrine sous la couverture qui pique en le dévisageant avec effroi.

— Bonjour, mon amour... Je perçois dans ton langage corporel que tu n'es pas réceptive à mes caresses ce matin, mais j'accepte ta réticence dans l'amour et la paix.

Mais qui est ce débile ? Je voulais rencontrer un gourou zen, oui, mais pas dans ce genre de contexte ! Je viens d'atterrir dans une secte ou quoi ? Trop sous le choc, je ne réponds pas à son témoignage « d'amour et de paix » et j'observe tout autour. La chambre où je me trouve est très rustique. Des lattes de bois de grange recouvrent la moitié des murs à partir du bas. Une tapisserie campagnarde à petites fleurs roses et beiges grimpe sur l'autre moitié du mur jusqu'au plafond. Des vêtements jonchent le sol. Près de moi, un petit tabouret de bois fait office de table de chevet. Le matelas semble directement posé au sol, sans structure de lit pour le soutenir. Misère, où suis-je? Et ce sein qui coule toujours… Tantôt, je rêvais, c'était évident: le nuage, la brume, la lumière, la voix de Dieu… À présent, tout semble bien réel, il n'y a pas de doute.

Le type inconnu se tourne sur le dos, avant de respirer profondément en guise de méditation matinale. J'entends alors des petits pas qui courent sur le plancher à l'extérieur de la chambre. Un piétinement léger, mais assez rapide. Qu'est-ce que c'est? Un enfant d'environ deux ans surgit dans la chambre en criant: «Maman!», puis il fonce sur moi tel un animal prêt à tuer. Complètement stoïque, je l'accueille dans mes bras. Il me sourit avec béatitude avant de commencer à tirer avec force sur le drap de chanvre qui me recouvre. Qu'est-ce qu'il me veut, lui? N'opposant pas de résistance – je ne vais quand même pas repousser avec force un bébé de cet âge – je le laisse faire. Il retire carrément la couverture et plaque mon sein gauche contre ses lèvres pulpeuses. Il commence alors à téter avec vigueur… Au même moment, l'étranger dans le lit se tourne vers nous pour flatter la tête de mon agresseur de mamelle et il murmure:

— Bon matin, petit Gustave à son papa.

«Gustave à son papa»? Terrorisée par ce qui m'arrive, je toise l'homme qui se lève. Je tourne les yeux vers ce petit Gustave, bien motivé à me vider le sein gauche au complet. Je déplace de nouveau mon regard vers cet homme, nu au beau milieu de la chambre. Je n'y comprends rien à rien.

Hum… Debout face à moi, je remarque bien malgré moi la toison masculine généreuse qui entoure son pénis. C'est une véritable jungle équatoriale que ce type porte au bas-ventre. Pas très joli. Il agrippe un tas de vêtements sur une chaise de bois et me sourit avec douceur avant de sortir de la pièce sans prendre le temps de les revêtir. Gustave lâche finalement mon sein gauche pour se diriger avec résolution sur le droit. Non, mais, on ne se gêne surtout pas! Ses grands yeux bruns m'observent amoureusement en effectuant ses mouvements de succion. Il ressemble un peu à Mathis lorsqu'il était petit, donc… il me ressemble en réalité. Qu'est-ce qui se passe, pour l'amour?

À l'évidence, je rêve encore. Cet enfant semble avoir plus de deux ans. Comment se fait-il qu'il boive encore au sein?! Et pas n'importe lequel en plus… le mien! Il lâche mon mamelon dégoulinant pour m'indiquer avec motivation:

— Jouer dehors, maman!

Qui, dans la vie, allaite encore un enfant qui parle?! Il commencera l'université bientôt, il faudrait bien le sevrer, le pauvre! Il recommence à me suçoter avec engouement. Par chance, il fait attention à ne pas me mordre de toutes ses dents. Je dois absolument comprendre ce qui se passe, et vite. J'entends des bruits de plus en plus forts provenant des pièces voisines. Des pas, des voix. J'aimerais en avoir le cœur net et découvrir où je suis, bon sang. Me suis-je fait kidnapper dans la nuit par le dirigeant d'une secte afin d'agir comme mère substitut pour sa colonie d'enfants illégitimes ?

— Dehors, maman !

Comme le petit Gustave semble désormais plus intéressé par la perspective d'aller à l'extérieur que par son festin matinal, je le soulève pour ensuite m'extirper du lit à mon tour. Ouf... En m'observant un peu, nue, debout au milieu de la chambre, je remarque que ma toison pelvienne est assez volumineuse moi aussi. Je pouvais bien juger cet homme tout à l'heure, je ne suis guère mieux. J'ai un ours entre les deux jambes. Et que dire de cette fourrure abondante sous mes aisselles... Le gamin quitte la chambre en courant, probablement apeuré par tout ce poil. Il faudrait que ce rêve prenne une pause urgente, le temps que je trouve un salon de toilettage pour animaux. À moins que je me fasse des tresses rastas à la Bob Marley ?

Je cherche des vêtements dans la chambre. En agrippant un chandail et une jupe longue qui reposaient sur une chaise de bois, j'entends de plus en plus d'action dans cette maison.

Une fois habillée sommairement, donc sans sous-vêtement, je me dirige à pas de loup dans le corridor. La décoration d'inspiration « paysanne » me donne l'impression de déambuler dans un *bed and breakfast* bon marché. En aboutissant dans la grande pièce du fond qui englobe la cuisine et le salon, quelle n'est pas ma surprise d'être accueillie par trois enfants assis à une table et par le type velu qui se trouve à être encore… tout nu, et ce, devant les enfants! Voyons!? «Même si tu gères une secte, habille-toi un minimum, franchement!»

Deux des enfants me sautent dans les jambes.

— Maman! se réjouissent les deux fillettes ayant entre quatre et six ans.

— Maman! crie un autre petit bonhomme d'environ quatre ans qui bondit maintenant comme un kangourou sur sa chaise.

Celui-là doit être le jumeau de la fillette de quatre ans, car ils sont identiques. Je reste là, impassible, les yeux ronds comme des boules de billard.

— Bonjour, maman! m'envoie un autre garçon d'approximativement huit ans qui vient d'apparaître au fond du corridor par où j'ai pénétré dans cet enfer.

Mais bordel! Combien sont-ils? Bébé Gustave s'accroche à ma jambe et gémit un peu en se tortillant. Mon instinct maternel me pousse à m'accroupir à sa hauteur pour l'apaiser. Il lève alors mon chandail et attrape un de mes seins pour s'enfiler une nouvelle petite collation. Seigneur! Accroupie en petit bonhomme au beau milieu de la cuisine, les lèvres du petit Gustave toujours bien accrochées à mon sein, je tente de rationaliser ce délire.

C'est irréel! Un beau cauchemar ridicule qui, je l'espère, se terminera bientôt afin que je puisse retrouver mes deux enfants qui ne tètent plus et mon mari qui s'habille le matin.

Justement, l'homme inconnu qui regardait dehors près de la fenêtre revient dans la cuisine pour se servir un autre café. Il aide au passage la petite jumelle, retournée à table, qui semble avoir de la difficulté à beurrer sa rôtie. Comme il est toujours flambant nu, je ne peux me retenir de lui cracher:

— Habille-toi, bon sang!

Il me regarde un long moment avant de sourire en me faisant un signe de «paix», deux doigts levés et le poing fermé.

— Les enfants, maman a passé une nuit difficile. Vous devrez être très gentils avec elle aujourd'hui...

— Oui, papa, répondent docilement deux ou trois membres de la colonie de vacances en continuant à manger.

Comme Gustave vient enfin de me lâcher la mamelle, je me relève et baisse mon chandail. L'air troublé, je dévisage tout le monde comme si je venais d'atterrir dans une famille d'extraterrestres vivant avec candeur sur la planète Mars. Le tout-nu, qui commence finalement à s'habiller dans le salon, me déclare:

— Je vais de ce pas voir ce qui se passe, mon amour. Je crois que l'une d'entre elles va mettre bas aujourd'hui. De plus, le voisin doit passer me donner de cet engrais bio dont il m'a vanté les mérites. Bien hâte de voir le résultat. On doit absolument remédier à ce problème de sauterelles au plus vite ! C'est évident que son produit fonctionne à merveille, son gazon est vraiment dans un meilleur état que le nôtre…

Je ne lui réponds pas, pataugeant de nouveau à grands coups de brasse dans le néant. Qui va « mettre bas » au juste ? De pauvres mères porteuses maintenues captives dans un autre bâtiment ?

Maintenant habillé, il quitte la pièce en disant :

— À plus tard, mes amours !

Enfin débarrassée de lui, je mets en branle une première mission : découvrir l'identité de ce maniaque qui me tient en otage. Comme les enfants semblent tranquilles, je fouille la grande pièce des yeux. Je repère un petit secrétaire de bois dans le salon. J'y fonce. Des enveloppes et des papiers traînent un peu partout. Je les consulte à la hâte. La plupart des documents sont adressés à « La ferme de brebis Manu et Claire ». Qu'est-ce que c'est que cette histoire de brebis ? Une lettre semble adressée à lui seul : Manuel Robitaille. HEIN ? QUOI ? Je connais ce nom. Il s'agit d'un garçon qui était dans ma classe de troisième année à l'école primaire…

— *Allo! Quelqu'un t'envoie ça, me révèle Jean-François avant de courir rejoindre ses amis à l'autre bout de la grande cour en rigolant.*

Les joues un peu rougies, j'ouvre le petit papier qui était plié en deux. Dans une écriture plus ou moins nette, je distingue une question : «Veux-tu sortir avec Manuel R. ? Oui Non» Nerveuse, je regarde Nathalie, qui semble jalouse de ma situation.

Le Manuel R. en question se tient au milieu de son groupe d'amis qui ricanent et il me détaille en ne riant pas du tout. Je ne sais pas trop quoi faire. Je le trouve gentil et il est bon au ballon, mais je lui ai seulement parlé à quelques reprises. Une fois, entre autres, lorsqu'il était venu chercher les berlingots de lait avec moi, et nous avions vaguement discuté de son lapin, Dolly. Par contre, il porte souvent une espèce de veste de laine que je considère un peu laide...

Nathalie court vers la surveillante de la cour pour lui demander un crayon. Celle-ci en sort un de sa poche. Mon amie revient vers moi en gambadant, tout sourire.

— *Chanceuse! Dis oui! Dis oui! tente de me convaincre Nathalie.*

J'hésite. Il est vraiment bon au ballon... tout le monde le choisit toujours en premier lorsqu'on forme des équipes pour jouer. J'agrippe le papier et j'encercle le «oui». Trop contente, Nathalie m'arrache la feuille des mains et elle court vers le groupe de garçons pour la leur remettre. Au moment où Manuel voit ma réponse, il lève les yeux vers moi et sourit dans ma direction. Il porte justement sa veste laide aujourd'hui...

Nom de l'ex-conjoint : Manuel Robitaille
Date de la rencontre : 4 mai 1982
Lieu : École primaire Laroque, Sherbrooke
Durée de la relation : 54 minutes

Pendant le cours d'éducation physique subséquent, nous ne nous étions pas échangés un traître mot et Nathalie était venue me dire que «mon nouveau *chum*» me donnait rendez-vous dans le parc après l'école pour m'embrasser sur la bouche[7]. Horrifiée par la proposition répugnante, j'avais «cassé» sur-le-champ avec lui en faisant porter le message par son ami Jean-François, croisé en allant reporter mon ballon dans le fond du gymnase à la fin du cours. Après réflexion, Manuel avait beau être bien bon dans les sports, je l'avais vu s'enfoncer les doigts

---

7. Arrrk! ☺

dans le nez trois fois durant le cours. Ouache! Voilà donc l'intégralité de notre passé conjugal.

Ceci dit, est-ce vraiment lui? Pourquoi le voir ressurgir dans mes pensées maintenant? Après tout ce temps… Je lève les yeux vers les cinq petits mousses dans la cuisine. Seraient-ce nos enfants si j'étais restée avec lui à cette époque? Quel rêve absurde! J'ai soudainement une image plus nette de mon rêve précédent: l'homme invisible qui me parle, mon lit dans le nuage, l'expérimentation…

Ce n'est pas clair. Je ne comprends pas du tout la logique de cette séquence d'événements.

— Fini de manger, maman! me déclare le petit jumeau en repoussant son assiette, le bas du visage bien badigeonné de confiture de fraises.

Bon, Manuel déambule nu, oui, mais au moins il prépare le déjeuner. Ce sera déjà ça de gagné si je suis prise ici pour le reste de mes jours. Gustave revient à la charge en tirant avec vigueur sur ma jupe. Ah là, non! C'est assez! Je dois sevrer ce pauvre enfant au plus vite! Je me dirige vers la cuisine pour tenter de dénicher un gobelet à bec. Je rince une débarbouillette que je tends au jumeau sale. En réaction à mon refus de le nourrir au sein, Gustave pleurniche en pliant ses petits genoux d'impatience. Il s'écrase finalement au sol, en larmes. «Oh, mon petit homme, sache que Claire en a vu d'autres!»

Je trouve dans une armoire un gobelet, que je remplis de lait avant de le lui offrir. Le lait familial se trouve dans un réceptacle de verre. Du lait de brebis? En le remettant au frigo, je jette un œil à nos vivres. Beaucoup de fruits et de légumes, du tofu, des lentilles brunes flottent aussi dans une grande tasse d'eau en verre. Mon Dieu! Je cuisine énormément, et très santé à ce que je vois! Pas d'agents de conservation ici. Que du bio!

Je regarde l'heure: sept heures trente. J'ignore quel jour de la semaine nous sommes, mais il y a de grandes chances que certains de ces enfants doivent se rendre à l'école ou à la garderie. Pour m'en assurer, je me dirige vers un calendrier accroché au mur à la hauteur des yeux des enfants. Le mois de juin. Comme les jours passés y sont cochés avec de grands X, j'en déduis que nous sommes rendus le... le 10 juin. Donc, hier...

Ma vie avec Manuel, le 10 juin

N'ayant aucune idée de la suite logique des choses, je regarde la ribambelle de frimousses devant moi avant de déclarer avec candeur:

— Qui va à l'école?

Quatre paires d'yeux perplexes me dévisagent. Des petits sourcils se froncent. Peu interpellé par ma question, Gustave scrute avec attention son verre à bec comme s'il n'avait jamais vu un objet aussi bizarroïde de toute sa vie.

— Qui va à la garderie? que je tente de nouveau en souhaitant une collaboration plus énergique de la part du régiment pour cette question.

Silence. Les deux jumeaux font des bruits de poisson avec leur bouche en me fixant tandis que les deux plus vieux semblent me trouver franchement étrange. Gustave, qui a retourné son gobelet face contre le plancher, tape maintenant dessus avec ses deux mains, comme s'il s'agissait d'un tambour.

Comme j'ai clairement besoin de renfort pour organiser la matinée de ces pauvres enfants, je m'adresse au plus vieux sans détour:

— Qu'est-ce qu'on fait aujourd'hui, mon grand?

Les deux jumeaux-poissons répondent en chœur:

— Tu avais promis qu'on ferait de la peinture!

Les deux aînés enchaînent:

— Et nous des mathématiques...

Quoi? Ah, bien évidemment! La ferme de brebis, le mec tout nu, la bouffe végétarienne, l'engrais bio, les poils en abondance: nous sommes des hippies et je leur fais l'école à la maison...

Après avoir posé des questions subtiles aux plus vieux pendant tout le début de la matinée, je me retrouve assise en tailleur à la table basse du salon à faire des mathématiques d'un côté tout en gérant un éclaboussant projet de gouache de l'autre. Gustave, toujours en opposition à son initiation au verre à bec, a pleuré pendant presque une heure parmi tout ce brouhaha. À mon grand bonheur, il a finalement bu son lait, et il dort actuellement sur le divan comme un loir. Contre toute attente, je ne suis pas trop dépassée par les événements. Mon instinct de maman organisatrice et mon talent de gestionnaire de camp de vacances ont pris le dessus. Mis à part le fait que les jumeaux sont couverts de peinture des orteils jusqu'aux cheveux, tout roule.

Manuel dérange mon moment de maman-professeur-éducatrice-en-garderie en entrant en trombe dans la maison.

— Amène les enfants! C'est maintenant!

«Maintenant» quoi? Les deux plus grands se lèvent avec entrain. Comme les deux pauvres jumeaux crasseux m'observent, les deux bras écartés, je les entraîne à la salle de bain pour effectuer un brin de toilette plus que nécessaire.

Sensible au fait que sa pauvre mère semble démunie depuis le début de la matinée quant à l'organisation de la routine, le plus vieux prend la tête des opérations. Il me rejoint et me remet un sac à dos porte-bébé. Comprenant que ce doit être mon attirail habituel pour trimballer Gustave, je délègue à l'aîné, alias mon sauveur, la tâche de sécher les jumeaux et je me rends au salon pour atteler mon petit monstre qui dort encore. Il se réveille un peu à cause du dérangement, mais se rendort presque aussitôt que j'enfile le sac sur mon dos. J'ai déjà employé un porte-bébé pour mes enfants, mais il se plaçait devant à l'époque et il convenait à des bébés plus jeunes, donc beaucoup moins lourds.

Une fois dehors, les enfants gambadent à travers nos poules vers le bâtiment le plus gros au fond d'une grande cour. Je me laisse donc guider à destination par la marmaille sautillante d'excitation.

Notre domaine est vaste et verdoyant. Je distingue trois bâtiments : deux garages doubles en bois et une grande fermette. C'est beau et très bien entretenu. Sous le regard d'un épouvantail quelque peu menaçant, je longe un grand jardin de culture maraîchère qui semble impeccablement soigné. Tabarnouche! Si c'est moi qui m'occupe aussi de ça, j'ai de quoi être fière.

En passant la porte ouverte de la fermette, une odeur animalière très forte me monte au nez. À l'intérieur, il y a des brebis partout, divisées dans des enclos plus ou moins symétriques qui sont séparés par des cloisons de bois. Le sol est recouvert de foin dont l'arôme agréable et frais vient pallier la puanteur des excréments de mouton.

Le mélange d'effluves me rappelle une visite à la foire agricole faite avec mes parents dans ma jeunesse. Je n'ai jamais vraiment eu d'autres contacts avec les animaux de la ferme outre cette expérience. Cinq chats de gouttière qui s'enroulent tous ensemble nous accueillent à l'entrée. La petite jumelle se rue sur eux pour en prendre un en particulier dans ses bras.

— Ti-grou ! s'exclame-t-elle, heureuse de me présenter son copain à poils.

En vérité, j'ai peur des chats. Je ne les aime pas, et ce, depuis toujours. J'ai l'impression que les félins ont quelque chose de méchant dans le regard, quelque chose de malicieux. Lorsque j'étais enfant, la vieille chatte toute blanche de ma grand-mère m'a griffée deux fois avec fureur tout en ronronnant. Voilà la raison pour laquelle j'attribue aux chats des intentions mesquines. Je crois que je suis encore traumatisée.

Comme les enfants, qui sautent dans tous les sens, semblent converger vers un même point de mire au fond de la fermette, je les suis. Une nouvelle odeur nauséabonde, cette fois-ci bien familière, me monte alors au nez… Zut, je crois que le colis endormi que je trimballe sur mon dos vient de me faire un beau cadeau dans sa couche lavable. Comme il semble actuellement y avoir une urgence au département des brebis, je décide d'attendre afin de ne le changer qu'à mon retour à la maison. Mère indigne que je suis…

En aboutissant au fin fond du bâtiment, je retrouve Manuel à genoux devant une brebis énorme, couchée dans une mare de sang. Mon Dieu! Malgré ma fibre d'infirmière habituellement bien accrochée, le visuel et l'odeur qui émanent de cette scène me lèvent le cœur.

— Viens m'aider, mon amour.

Ouache! Pour faire quoi? Mon valeureux mari temporaire me tend une paire de gants de caoutchouc bleus qu'il vient de prendre sur un petit banc près de lui. Notre progéniture fascinée s'agglutine tout autour en attente du miracle. Le petit Gustave, qui commence à être lourd et de plus en plus puant, roupille toujours dans mon dos. Les gants enfilés, je me dirige vers Manuel en espérant qu'il me dicte quoi faire avec précision. J'ai des connaissances pour changer un pansement et faire des injections de morphine, mais superviser l'accouchement d'un agneau reste une aptitude que je n'ai jamais eu la chance de développer dans ma carrière.

Les doigts intégralement insérés dans le vagin de l'animal, Manuel me fait signe de prendre sa place avec un grand sourire. Seigneur…

— C'est toi l'experte!

Ah oui? L'experte en plus? Accroupie devant la pauvre bête qui se lamente, je ne bouge pas d'un poil.

— Allez!

« Allez, allez », plus facile à dire qu'à faire ! Propulsée par mon instinct, je glisse à mon tour les doigts dans l'orifice béant et dégoulinant ouvert devant moi. Comme si je savais exactement ce que je faisais, j'étire un peu la peau autour pour faire de la place au petit qui doit passer. En vérité, je sens intérieurement que je sais ce que je fais. Qui l'eût cru ? Me voici, Claire Aubry, devant une brebis qui met bas avec un enfant de deux ans qui dort dans mon dos – la couche bien remplie –, et je gère tout ça comme une vétérinaire détenant plus de vingt ans de métier.

En apercevant la petite bête qui commence à sortir, j'écarte les doigts pour lui laisser de la place. Les enfants me regardent avec admiration. Manuel aussi. Un parfum de sang chaud envahit l'enclos. Décidément, le mélange d'odeurs qui m'entoure est assez exécrable, merci. En moins de deux, un bébé mouton prisonnier d'une épaisse poche, qui ressemble à du latex, glisse au sol devant moi. Malgré l'écœurement généralisé que je ressens, la scène me touche. Comme si les connaissances arrivaient dans ma tête au moment où la scène se déroule, je libère la tête du petit en perçant délicatement la poche des eaux qui le recouvre.

Les enfants approchent pour voir le petit bébé. Manuel me sourit. Voilà ! Je suis officiellement une sage-femme de brebis. N'importe quoi !

Le Gazon

Quelle journée de dingue ! Dotée de l'énergie foudroyante d'une femme au foyer hyper organisée, je cuisine à présent un sauté de lentilles aux légumes pendant que la marmaille s'amuse dehors. Tous à l'exception de Gustave, toujours avec moi. Pauvre petit, je crois que le lait de brebis ne lui a pas fait. Il est aux prises avec une diarrhée explosive depuis la fin de l'avant-midi. En fait, quand je suis revenue à la maison pour le changer, il y en avait partout sur lui, dans le porte-bébé ainsi que dans mon dos… Vive les couches de tissu !

Aujourd'hui, j'ai dû faire une heure de lessive à la main. J'ai en vérité cherché la machine à laver pendant près d'une demi-heure, pour finalement conclure que cet électroménager s'avérait inexistant dans ma nouvelle vie campagnarde. Ceci dit, j'ai aussi sarclé les légumes dans le jardin pendant que les enfants se roulaient dans le gazon, qui est effectivement clairsemé et un peu sec, je dois l'avouer. J'ai vendu des légumes bios de notre jardin à des gens qui se sont présentés dans la cour. J'ai même concocté un pain maison en fin d'après-midi. Sans oublier que j'ai tenté de résister à Gustave le Terrible, qui a essayé de boire au sein toute la journée. Je subissais donc des attaques-surprises à tout moment. J'ai résisté, et ce, malgré des montées de lait incroyablement douloureuses que j'ai dû calmer en m'extrayant manuellement un peu de lait pour ne pas exploser… Bref, tout ça sans parler de l'accouchement de ce matin. Somme toute, cette panoplie de connaissances diverses figurait dans ma tête et je n'avais jamais besoin de me poser de questions face à la marche à suivre. Ma conscience est là, la mienne, celle de Claire, l'infirmière et mère de deux ogres qui ont toujours faim... mais je suis désormais Claire « Robitaille », fermière de brebis et mère de cinq mômes. Surprenant, ce rêve. Tout compte fait, tant qu'à rêver, aussi bien s'investir à fond dans le projet !

Pendant que je popote derrière le fourneau, Manuel entre dans la maison accompagné par deux de nos cinq rejetons. Gustave profite de la diversion pour se ruer sur moi une énième fois. « Non, non, non ! Tu auras encore le gobelet, mais rempli d'eau cette fois. » Mon « mari », qui ne semble pas comprendre mon refus de nourrir notre fils au sein, me demande :

— Tu ne l'allaites plus ? Je croyais que tu voulais faire comme avec les autres et le nourrir jusqu'à l'âge de quatre ans...

Pardon ?! C'est donc dire que je viens tout juste de sevrer les jumeaux ? Misère... Est-ce que ça signifie aussi que j'allaitais récemment les jumeaux ET Gustave à la fois ? C'est complètement insensé ! Non, mais trayez-moi à la machine comme une brebis, tant qu'à y être !

— Non, c'est terminé ! que je déclare en continuant de remuer ma succulente potée aux légumes biologiques.

Le **Gazon**

Manuel hausse les épaules en me servant un verre de quelque chose. Je goûte. De l'hydromel. C'est bon, mais très sucré. Je préfère de loin le bon vin rouge californien, mais bon. Les deux autres enfants entrent dans la maison et s'installent au salon avec un casse-tête. Je trouve ces enfants, «mes» enfants en fait, agréables et calmes, sauf peut-être pour le petit Gustave et sa chiasse extrême, toujours impliqué à fond dans son projet «je veux le sein de ma mère et rien d'autre». Je me sens très posée aussi. Si quelqu'un m'avait dit que je me retrouverais dans cette situation familiale un jour, je lui aurais crié par la tête: «Es-tu malade? Je deviendrais folle!» Mais au contraire, tout se passe bien. Je ne voudrais pas de cette vie dans la réalité, mais je gère le tout comme une bonne chef de meute. Je découvre ainsi un côté de ma personnalité que je ne connaissais pas: la zénitude organisationnelle...

18 н 27

Après un bon repas végétarien partagé en famille, je me ressers un verre d'hydromel, en songeant que j'aimerais bien que ce rêve se termine bientôt. Je le trouve un peu long... Je me demande combien de jours je vais rêver que je vis ici. J'entends alors un cri strident provenant du salon:

— AAAAH! Mamaaan! Gustave a mis de la crotte partout!

Misère...

Ce soir, j'ai bordé ces enfants pour le dodo un à un, comme s'ils étaient véritablement les miens – après avoir pris soin de superposer deux couches lavables au cadet, bien-sûr. Après une journée en leur compagnie, je me suis attachée. La petite jumelle, qui me ressemble comme deux gouttes d'eau, après réflexion, m'a dit : «Je t'aime, maman» avant que je quitte sa chambre, et mon cœur a fondu comme s'il s'agissait bel et bien de ma petite Laurie à cet âge. Ce rêve est si net, si ressenti, et ce, autant par rapport aux situations qu'aux émotions. Je me demande si je m'en souviendrai de façon limpide à mon réveil.

En rejoignant Manuel, qui lit un livre de poésie engagée à la chambre, je réalise que l'hydromel m'a un peu monté à la tête. Je m'allonge sur le matelas et je me glisse sous la couverture brune qui pique. Je reste tout habillée, car je ne me sens pas plus à l'aise que ce matin de me retrouver à poil devant cet homme. Il est là, nu comme un ver sur le lit, avec cette touffe toujours bien saillante au bas de son abdomen...

Il délaisse un peu son bouquin pour me dire :

— J'aimerais bien faire l'amour.

Le Gazon

Ah merde! Je n'avais pas songé à cette requête éventuelle. Tout ça a beau n'être qu'un rêve, je n'ai pas du tout envie de faire la chose avec lui…

Je murmure une onomatopée de négation en me tournant sur le côté. De toute façon, il va probablement accepter «avec amour et paix» mon refus de contact charnel, tout comme ce matin.

Étant donné ma journée bien remplie, je m'endors en moins de deux, nichée sous cette couverture rugueuse à l'odeur terreuse…

Entre ciel et terre

En reprenant conscience, une situation de déjà-vu m'enveloppe. Je suis dans mon propre lit, bien emmitouflée dans ma douce literie. Suis-je revenue à la maison? Hum… j'en doute, car même les yeux bien fermés, je perçois de nouveau la forte lumière. Je les ouvre illico pour constater que je me retrouve de plus belle en état de flottaison sur le nuage. Ce n'est donc pas terminé? J'espérais bien me réveiller enfin chez moi pour aller prendre soin de ma tribu, à moi. Je me demande si Dieu est encore dans les parages.

Je songe à l'expérience que je viens de vivre sur cette ferme de brebis. Un souvenir traumatisant ressurgit… Ma main se rue sur un de mes seins pour le palper en douceur.

Ouf! Je constate à ma grande joie que je ne semble plus souffrir de montées de lait.

— Euh… S'il vous plaît, Claire, un peu de retenue… Ha! ha! ha!

Ah, le voilà. Il est toujours là. Étant donné qu'il me voit, je lâche tout de suite ma poitrine en faisant comme si je tentais simplement de replacer mon pyjama.

— Bonjour!

— Et puis? Vous vous en êtes très bien tirée, à mon avis.

— Bien tirée dans quoi? Ce rêve bizarre? À propos de l'accouchement de la brebis ou de la diarrhée extrême du petit?

— De façon générale, disons, dans toute cette perspective de votre vie.

— Ce n'était pas une perspective de ma vie du tout, mais carrément une autre vie!

— Il s'agissait d'un aperçu de ce qu'aurait pu être votre vie… Appelons cela une vie potentielle.

— Ah non, désolée. Jamais au grand jamais je n'aurais pu vivre comme ça. Mais je comprends mieux à présent ce que vous vouliez dire en parlant d'«expérimentation». Vous vouliez me confronter à une réalité différente pour que j'apprécie la mienne?

— Hum… Je ne dirais pas ça si simplement.

— Ah bien, ça va, c'est fait! J'ai compris! J'apprécie ma petite vie, voilà tout. Je peux me réveiller et retourner chez moi, donc?

— Non, pas tout de suite. Ce n'est pas terminé. En fait, ce n'est que le commencement. Mais qu'avez-vous compris exactement, Claire?

— Que j'aime ma vie, ma famille, mes DEUX enfants. Je ferai même des crêpes à mon garçon dès l'aube et j'irai acheter un iPad à Laurie!

— Non, Claire, comme je vous disais, tout n'est pas si simple…

— Comment ça, «pas si simple»?

Il répète alors tranquillement:

— Qu'avez-vous appris?

— Je vous l'ai déjà dit: que j'étais heureuse dans ma vie.

— Non, je parle par rapport à vous, plus précisément…

— Hein?

— Écoutez, nous allons poursuivre l'expérimentation sans plus attendre, car je dois retourner voir quelqu'un d'autre.

— Ah non ! J'ai bien aimé les vacances à la campagne, la ferme et tout, mais je ne veux pas retourner là-bas. J'ai bien compris la morale de l'histoire, je vous assure.

— Une fois le processus enclenché, vous devez franchir l'ensemble des étapes. Il n'est malheureusement pas possible de faire avorter la démarche en cours de route.

— Mais je n'en ai rien à faire de votre processus et de votre démarche ! Je vous répète que je n'ai rien demandé du tout !

— Ah oui, vous l'avez demandé, et je suis ici pour vous aider.

— Misère, on s'en sortira pas…

— Allongez-vous, Claire, et fermez les yeux.

Même si je ne désire pas du tout retourner dans cette vie spéculative de fermière, j'obtempère tout de même puisque je constate que je n'ai pas d'autre choix. Je réalise aussi que je ne m'étais jamais vraiment questionnée au sujet des rêves. J'ai toujours cru que notre subconscient dictait nos songes. Or, je n'ai clairement aucun contrôle dans ce rêve-ci. De plus, je n'arrive toujours pas à identifier qui est cet homme mystérieux.

Je ferme les yeux. Mon lit se met à tourbillonner et je tombe et tombe…

Le **Gazon**

De retour à la ferme ?

Reprenant mes esprits nettement plus vite que la première fois, je relève mon tronc du matelas tel un ressort. En position assise, je me prépare mentalement : « Manuel tentera sûrement un autre rapprochement sexuel ce matin, et le petit Gustave récidivera sans aucun doute avec une attaque saugrenue sur un de mes seins. »

À ma grande surprise, je constate toutefois que les draps qui m'entourent sont doux et très délicats. Du satin, couleur crème. La chambre où je me trouve est si blanche que mes yeux peinent à percevoir le décor de façon nette. Je me croirais presque encore sur le nuage. L'image qui se précise me présente une chambre d'une blancheur immaculée très épurée et dépourvue de meubles, sauf pour un grand récamier de cuir ivoire trônant dans un coin de la pièce. Un impressionnant lustre de cristal surplombe ma tête. Le grand lit *king* est majestueux et très confortable. Sommes-nous à l'hôtel ? Ma foi, avons-nous quitté la ferme pour se payer un voyage de luxe ? Manuel, qui dort près de moi, bouge un peu. Je me tourne vers lui… Coup de théâtre ! Ce n'est pas lui du tout. L'homme à mes côtés n'a pas un seul cheveu sur le crâne. Qui est-ce ? Ce n'est pas mon Alexandre non plus…

C'est alors qu'une alarme retentit dans la chambre. Le son provient d'un téléphone intelligent qui tressaute sur la table de chevet du côté de l'homme chauve. Comme un automate, il se redresse pour s'asseoir sur le rebord du lit et il saisit l'appareil pour le faire taire avant de pousser un soupir bruyant empreint d'exaspération. Il se lève et marche vers une porte au fond de l'immense pièce sans même daigner jeter un regard dans ma direction. En moins de deux, je l'entends actionner la douche. Une salle de bain adjacente à la chambre… nous sommes bel et bien à l'hôtel, selon moi. Je perçois alors des bruits de piétinements derrière une grande porte fermée. Ah, il doit s'agir d'une suite à plusieurs pièces, alors. Je me lève à mon tour et je revêts une robe de chambre de soie rouge qui reposait en tourbillon sur le plancher près du lit. Une autre porte double surdimensionnée me fait face. Curieuse, je l'ouvre. Doux Jésus! Un *walk-in* presque aussi grand que la chambre apparaît devant moi. Nous ne sommes pas à l'hôtel. J'entre. Des souliers en quantité industrielle reposent sur des porte-chaussures démesurés qui atteignent pratiquement six pieds de haut, et des vêtements sont suspendus partout autour sur des rails symétriques qui longent trois des murs de la pièce. Un banc sans dossier de style baroque et en velours mauve foncé attire l'œil au centre de la pièce. Le rêve ultime de presque toute femme sur cette terre se dresse devant mes yeux.

Je m'assois à l'extrémité moelleuse du long siège pour réfléchir. Si je ne suis pas à la ferme, ni avec Manuel, alors où suis-je et avec qui? Je prends alors conscience de mon corps à travers ma délicate robe de chambre. Je suis toute petite. Mince, plutôt. Tellement que j'ouvre ma robe de chambre pour me regarder dans un miroir plein pied situé dans un recoin de la garde-robe. À mon grand bonheur, j'apprécie de ne pas remarquer la présence de l'ours sur mon entrejambe. Ce sera au moins ça de gagné! Je suis à l'évidence plus maigrichonne, mais quelques vergetures encore rose foncé apparaissent au bas de mon ventre. Je n'ai certainement pas eu cinq enfants, mais peut-être un ou deux. Selon moi, j'ai même accouché assez récemment. Je distingue aussi de petites cicatrices rondes en voie de guérison sur les deux côtés de mon abdomen. Ai-je subi une opération? Suis-je malade? Je ne sais pas.

L'homme inconnu dégarni est toujours sous la douche lorsque je sors de cette pièce de rêve pour me diriger vers la seconde porte. En l'ouvrant, une grande pièce encore plus étincelante m'apparaît. Celle-ci est très vaste, à aire ouverte et entourée de fenêtres grandioses. Des murs complets de lumière. Une femme se trouve à l'autre bout dans ce qui semble être la cuisine. Elle me paraît à deux kilomètres de distance tellement cette baraque est immense. En approchant, je remarque qu'elle n'est pas seule…

— Bonjourrr, madame, m'accueille ladite femme avec un accent hispanique très prononcé.

— Bonjour…

Un poupon ayant tout au plus neuf mois gigote dans une chaise haute devant elle. Une fillette qui ressemble encore étonnamment à ma Laurie lorsqu'elle avait cet âge. Hum… les vergetures. Ce doit être mon enfant.

Sans plus attendre, je me rends près de l'îlot central de la cuisine où j'aperçois des papiers. Je regarde au passage la date inscrite sur un journal reposant bien à plat sur le splendide comptoir de quartz blanc. Le mercredi 10 juin. Ah d'accord, c'est le jour de la marmotte…

À l'aveuglette, j'agrippe un compte d'électricité déjà ouvert. L'adresse est dans le centre-ville de Montréal et le compte s'avère au nom de Steve Bérubé. Hein ? Qui est-ce ? Je réfléchis. Seigneur ! Une fois de plus, je crois deviner de qui il s'agit. Le petit voisin, de biais avec notre campement lorsque nous avions fait du camping en famille, l'été de mes onze ans…

Le garçon que j'ai vu de loin, en arrivant hier soir, passe une première fois devant notre emplacement de camping sans m'adresser la parole. Je l'observe. Il pousse des cailloux dans le chemin avec ses pieds. Il se retourne et poursuit sa route, mais dans ma direction cette fois. Il me regarde en avançant. Ça me gêne. Une chance, mes parents sont à l'intérieur.

En arrivant à ma hauteur, il s'arrête et donne un franc coup de pied sur le caillou le plus gros qui se trouvait devant lui. Ainsi catapulté, le projectile amorce une envolée par-dessus le chemin pour ensuite disparaître dans un fossé de broussailles.

Il va me parler. Je le sens.

— Veux-tu venir jouer avec moi au bord de la rivière ?

— Ouais..., que je réponds en tentant d'avoir l'air calme et peu impressionné. Attends, je vais le dire à mes parents.

— OK, je vais chercher mon bicycle !

En entrant, je trouve papa et maman qui s'affairent à ranger l'intérieur de la caravane motorisée que nous avons empruntée à mon oncle Jean pour l'occasion.

— Je vais aller jouer !

— Hein ? Avec qui ? Où ça ? fait ma mère, toujours trop inquiète pour rien.

— Le voisin, il veut me montrer la rivière...

— Vous ne vous baignez pas sans surveillance, c'est bien compris ?

— Oui, maman...

Je sors sans plus attendre. Le garçon est là, dans le chemin, à califourchon sur sa bicyclette. Je me dirige vers le camion rouge de mon père, contre lequel mon vélo est appuyé.

En arrivant à la rivière, à cinq minutes de là, il se présente :

— Je m'appelle Steve.

— Moi, c'est Claire.

Steve me montre ensuite un passage donnant accès à plusieurs rochers nous permettant de traverser presque la moitié de la rivière sans nous mouiller. Je le trouve gentil, beau, et surtout, il est plus grand que moi. Il semble aussi moins bébé que les gars de mon école.

Après avoir tenté de lancer des pierres sur un autre rocher plus loin dans la rivière, Steve m'entraîne vers la forêt. Il m'amène près d'une vieille cabane de bois dans un arbre qui semble avoir été fabriquée il y a de ça bien longtemps. Elle tombe un peu en ruine. Des planches de bois sur le mur se dressant devant nous pendouillent vers le sol, ne tenant bon qu'à l'aide de quelques clous d'un seul côté. L'échelle qui permettait jadis d'y accéder est aussi endommagée, faisant en sorte que nous ne pouvons pas y grimper.

— Je veux emprunter des outils à mon père pour la réparer. Je veux la vendre après pour faire de l'argent! Veux-tu m'aider?

Trouvant son ambitieux projet de construction tout à fait amusant, j'acquiesce:

— Ouais!

Au moment où nous retournons à nos vélos, un gars et une fille, plus vieux que nous, arrivent à pied par *le sentier. Les yeux dans les yeux, ils passent devant sans même nous voir. Le couple se dévêt alors pour s'élancer dans la rivière. Une fois immergés, les jeunes tourtereaux amorcent une embrassade sensuelle. Timide, je détourne la tête en sondant avec furtivité les yeux de Steve. Solidement accroché aux poignées de sa bicyclette et fixant le sol, celui-ci me demande :*

— Est-ce que tu as un chum *?*

— Non.

— As-tu déjà embrassé un gars ?

Ayant peur d'avoir l'air bébé, je mens.

— Oui, deux fois...

— Pfft ! Moi aussi, ben des filles, là...

Il enfourche alors son vélo et il déguerpit dans le chemin... Je le suis.

Nom de l'ex-conjoint : Steve Bérubé
Date de la rencontre : 10 août 1985
Lieu : Camping du geai bleu
Durée de la relation : 15 jours

Voici le premier garçon que j'ai embrassé sur la bouche. Ce jour-là, nous avions ramassé le matériel nécessaire à la restauration de sa cabane, puis nous nous étions affairés à la tâche. Le soir, en nous quittant après notre grosse besogne, nous nous étions embrassés comme deux novices n'ayant jamais embrassé personne, cachés derrière les conteneurs à déchets du camping. Que de romantisme ! Nous avions convenu que nous sortions ensemble dès le lendemain matin. Je me sentais si grande d'avoir enfin un vrai *chum*. Nous avions passé les deux semaines de mes vacances familiales ensemble, mes parents ne se doutant pas du tout que j'embrassais à pleine bouche le petit voisin à chacune de nos balades près de la rivière. Ma mère en aurait fait une syncope olympique. Le dernier soir, au moment de nos adieux, je me souviens qu'il avait même osé poser sa main bien à plat sur ma poitrine, du moins, sur l'embryon de sein que j'avais à l'époque. Je l'avais laissé faire, sans trop savoir si c'était bien ou mal. Comme sa famille habitait en Outaouais, bien loin de Sherbrooke, je n'avais pas eu de ses nouvelles avant la rentrée des classes.

En passant pour la première fois les grandes portes doubles de la polyvalente, quelques jours après la fin des vacances, mon cœur avait fait boum boum pour un autre garçon. Steve m'avait téléphoné quelque temps plus tard, mais j'étais déjà raide dingue amoureuse d'un autre, donc j'avais refusé sa demande de venir jouer chez moi. Il était en visite en Estrie pour le week-end et, comme il habitait loin, c'était là notre seule et unique chance de se voir. Je ne me souviens pas clairement de lui ni de sa personnalité, nous étions si jeunes…

Ma vie avec Steve, le 10 juin

En habit griffé gris foncé et rasé de près, Steve pénètre dans la pièce. Je remarque d'emblée son air d'homme froid non intéressé à adresser la parole à qui que ce soit. Il s'assoit au bout de l'interminable table de cuisine pendant que la femme hispanique accourt vers lui avec un café et le journal. Je l'observe. Il est bel homme, mais sa mine sévère à souhait lui enlève tout potentiel de charme, à mon sens. Sa froideur me fige. Il lève des yeux austères vers moi. Son visage semble dépourvu de rides d'expression, comme s'il ne souriait pratiquement jamais.

— Bon… tu fais encore la tête à cause de ce que tu m'as demandé ?

Je ne me défends pas, complètement dans le néant face aux détails entourant notre vie et ce que je lui ai réclamé.

— Cette histoire de gazon est ridicule, Claire ! Tu fais l'enfant, encore une fois !

De gazon ? Je ne comprends rien à rien. La femme de service lui apporte alors deux rôties beurrées qu'il commence à grignoter en silence, les yeux bien rivés sur son journal. Ignorée de la sorte, j'en profite pour m'approcher de la petite fille qui castagne avec entrain un anneau de plastique sur la tablette de sa chaise-haute. Elle est si mignonne. Elle a la petite bouche pulpeuse de ma Laurie et ses grands yeux vifs aussi. À ma vue, elle délaisse son jouet pour se mettre à chigner en se tortillant puis elle se tourne vers la servante en tendant les deux bras dans sa direction. Quoi ? Ce bébé semble me craindre... Est-ce ma fille ou pas ? Compte tenu de sa réaction effarouchée, sûrement pas ! Mais j'ai tout de même l'impression qu'elle me ressemble... Je reste néanmoins près d'elle et je lui souris avec tendresse pour tenter de l'amadouer. Elle ne s'apaise qu'au moment où la femme revient à proximité.

Son déjeuner terminé, Steve se lève et me questionne :

— Tu dînes avec Joanie, ce midi, après tes soins ? Tu veux garder la Mercedes ?

La Mercedes ? J'en prendrai bien une, oui ! Comme je fais le pied de grue au beau milieu de la pièce, la bouche un peu entrouverte, en ne sachant trop si je dois oser, il explose :

— Claire, change d'air, cibole! Parle donc à ton con de psy cet après-midi et arrive au souper ce soir en grande forme, s'il te plaît. Mets ta robe rouge et tente de remonter tes seins mous un peu. Maquille-toi aussi, tu as une tête à faire peur! C'est à peu près tout ce que je demande dans la vie, donc... Et si tu fais bien ça ce soir, je l'installerai peut-être, ton gazon sur le toit, même si je trouve ton caprice complètement ridicule.

Il attrape une mallette de cuir qui patientait près de l'îlot et se dirige à la hâte vers la porte.

Comment me parle-t-il, lui? Quel impoli! Je le déteste! Il est sorti du *condo* sans même daigner regarder son enfant. Si c'est le sien, bien sûr... En réponse à mon regard traumatisé, notre employée baisse les yeux. Ce qu'elle semble soumise. Et moi aussi, d'ailleurs, juste à voir la façon dont cet énergumène s'est adressé à moi. Et cette histoire de gazon... Il me manipule avec des pots-de-vin ou quoi?

— Quel est votre nom? que je demande avec gentillesse à la dame.

— Rosa, madame..., répond-elle en fronçant les sourcils, ne semblant pas comprendre pourquoi je l'interroge à ce sujet étant donné que je dois la connaître depuis longtemps déjà.

Elle quitte alors la pièce pour se diriger vers ma chambre. Elle revient illico avec deux contenants de pilules. Elle en sort quelques comprimés et remplit un verre d'eau à moitié.

— Madame, fait-elle en posant le tout sur le comptoir de quartz blanc devant moi.

Qu'est-ce que c'est ? À la place d'ingurgiter ce qu'elle m'offre, j'inspecte avec attention les étiquettes sur les pots. Effexor et Lorazépam. Un antidépresseur et un anxiolytique. Tabarnouche ! Je ne vais vraiment pas bien... Elle m'incite de nouveau à ingérer le tout en roulant une main dans les airs, à la hauteur de mon visage. Pressée de la sorte, je m'exécute, avant de la remercier. En retournant prestement à la chambre, je recrache les deux comprimés que j'avais gardés dans ma joue droite. Je sais que l'on ne doit jamais sevrer le corps trop radicalement de ces trucs-là, mais la Claire qui évolue et réfléchit dans ce satané rêve ne consomme pas de médication habituellement, donc je devrais être en mesure de m'en sortir sans.

Découragée, je m'échoue sur la toilette de la salle de bain adjacente à la chambre. La pièce est tout aussi luxueuse et vaste que le reste de cette maison. Mais qu'est-ce que cette vie ? J'ai possiblement un bébé qui ne semble pas me reconnaître, un mari qui me traite comme une moins que rien et je prends des substances puissantes signifiant que je suis sous l'emprise d'une grave détresse psychologique. Ce n'est pas moi du tout, ça ! Quoique je ne m'imaginais pas non plus capable d'être à la tête d'une colonie d'enfants et de brebis... Je dois en apprendre davantage. Cette amie, la Joanie avec qui je dîne, devrait être en mesure de me donner de l'information sur ma propre vie.

Je m'habille en vitesse avant de retourner avaler un truc vite fait à la cuisine. En vérité, j'ai enfilé mes vêtements de façon précipitée, mais de les choisir fut plus laborieux. Autant de choix… Ceci dit, j'aimerais bien passer toute la journée ici à essayer des vêtements, MES vêtements, mais je suis trop curieuse de voir ce qui m'attend pour la suite.

Je m'approche à nouveau de la petite puce, qui semble accepter ma présence auprès d'elle un peu plus que tout à l'heure. Je réussis même à la prendre dans mes bras sans qu'elle pleure. Rosa me regarde, émue. Pourquoi ? Je ne prends jamais ce bébé dans mes bras ou quoi ? Elle est très jeune, peut-être que je suis en post-partum depuis l'accouchement ?

Je remarque alors un grand calendrier sur le frigo. Je m'y rends pour scruter le tout. Des rendez-vous y sont inscrits pour aujourd'hui. Naturellement, rien n'est clair pour moi. Je me tourne donc vers Rosa en arborant l'air d'une pauvre demeurée dépressive, psychotique et désormais amnésique par-dessus le marché. Je fais tellement pitié qu'elle galope à mon secours. Elle me montre la case du mercredi 10 juin. Je lis : Spa détente Zen, neuf heures trente, et Dr Smith, quatorze heures. Je réalise tout à coup : nous sommes en pleine semaine, je ne travaille donc pas? Comme Rosa décèle mon air toujours perdu, elle me désigne le calendrier en mettant son doigt près du rendez-vous au spa comme pour me faire comprendre la prochaine étape de ma journée. J'analyse de nouveau l'horaire dans son ensemble. Eh bien! Je vais au spa rien de moins que deux fois par semaine! La vie est belle! Toutefois je rencontre ce psy trois fois par semaine... la vie n'est peut-être pas si belle que ça, finalement.

Je rends l'enfant à Rosa et je reste là, plantée au beau milieu de la cuisine, ne sachant pas par où commencer. Ma valeureuse servante me tend mon cellulaire, ma sacoche et un trousseau de clés. J'y aperçois celle de la Mercedes. Bon...

En sortant du *condo*, je longe l'interminable corridor en ne sachant pas trop où me diriger. C'était clairement plus facile dans l'autre rêve avec seulement une maison, une fermette et un potager! Je ne connais que peu Montréal en plus... Je me rends à l'ascenseur. Je remarque un «SS» en dessous de l'étage du rez-de-chaussée. Comme nous sommes au dernier étage de l'immeuble, je dois en descendre plus de vingt pour aboutir dans ce qui doit être le stationnement souterrain.

À l'ouverture de la porte métallique, je constate qu'il s'agit bel et bien d'un stationnement. Bingo! Mon casse-tête n'est par contre pas terminé... Trouvons une Mercedes maintenant. «Hum… Mercedes… Mercedes…» Inculte totale en matière de design automobile, je ne sais pas trop à quoi ressemble ce véhicule. Je ne me souviens pas non plus du logo de cette marque de voiture. Fine renarde que je suis, je décide de déverrouiller les portières à distance pour identifier la voiture qui clignotera ou émettra un bruit. En appuyant sur le bouton, les phares de l'une d'entre elles s'illuminent en même temps qu'elle produit un son. Voilà! Brillante Claire!

Je prends donc place à bord de la rutilante voiture noire. Mon Dieu! Une grande excitation m'envahit. Quand même, je suis psychologiquement troublée et malheureuse dans cette vie, mais je conduis tout un bolide. J'ai toujours dit à Alexandre que je ferais une très bonne riche! J'inspecte l'intérieur de l'habitacle qui s'avère très luxueux. Les sièges sont en cuir noir. Naturellement, Alexandre et moi n'avons jamais ajouté cette option dispendieuse dans nos véhicules.

En démarrant le moteur, la grande porte du garage s'ouvre automatiquement devant moi. Mon euphorie redescend d'un cran au moment où je vois apparaître à travers l'ouverture le trafic turbulent de Montréal. Je ne sais même pas où je m'en vais et je pense partir comme ça en Mercedes affronter le trafic urbain le plus fou de tout l'est du Canada? Mauvaise idée. En mon for intérieur, je songe que Steve est si chiant que je pourrais par contre lui bousiller sa bagnole sans éprouver le moindre remords.

Je fouille dans mon sac à main afin de voir ce que je possède comme liquidités. Mes doigts s'enfoncent dans une liasse impressionnante de billets de vingt dollars soigneusement insérés dans un portefeuille doré Dolce & Gabbana. Mais qu'est-ce ? Mon argent de poche pour les dix ans à venir ? Wow ! Ainsi à l'aise financièrement, je me résigne donc sagement à prendre un taxi. En quittant l'immeuble, je mémorise mon adresse civique pour être en mesure de revenir plus tard. Je remarque un clochard assis par terre près de la porte du garage. Il baisse les yeux sous mon passage. Pauvre homme...

Plusieurs taxis se trouvent déjà dans l'artère urbaine achalandée.

— Spa détente Zen, s'il vous plaît, que je demande à un chauffeur choisi par hasard en m'approchant.

— Avec plaisir, madame Aubry !

Ah bon ! Tout le monde me connaît personnellement en plus !

Durant le trajet, je pianote sur mon portable à la recherche des coordonnées de cette Joanie. Comme un seul de mes contacts porte ce prénom, j'envoie un message texte à ce numéro afin de confirmer notre rendez-vous pour le lunch. Elle me répond instantanément :

« Oui, ma chérie ! Chez Zaro Bistro à midi. J'en ai une bonne à te raconter ! xxx »

La course terminée, je paie généreusement le chauffeur. Oh que oui ! Je vais sans conteste dilapider la fortune de ce pauvre con !

De l'extérieur, le spa semble très chic. Tout comme l'ensemble de cette vie, d'ailleurs. Un portier m'ouvre même la porte avec galanterie en m'appelant à son tour par mon nom. Une consigne sur un carton plastifié accroché au mur nous demande de laisser nos chaussures à l'entrée et de revêtir des pantoufles de peluche. En m'exécutant, j'entends deux employées qui discutent de l'autre côté d'un paravent opaque en papier de riz.

— Qui as-tu à ton horaire ce matin ?

— La chiante de Claire-la-pas-fine-qui-donne-des-pourboires-*cheap* !

— Ark, pas elle… pauvre toi ! Bonne journée quand même !

Quoi ? « Claire-la-pas-fine » ? Parlait-elle vraiment de moi ? Non, moi, je suis plutôt Claire la dévouée et l'aimante. Claire qui aide les gens et qui se donne à fond dans tout ce qu'elle fait. Claire qui respecte les autres et qui est empathique. Claire qui sourit presque toujours, même quand ça ne lui tente pas. Claire-la-gentille, pas Claire-la-pas-fine ! Et puis, qu'est-ce que cette histoire de pourboires *cheap* ? Impensable ! Ma coiffeuse n'a jamais eu à se plaindre de ce côté-là, voyons !

Désappointée par le commentaire entendu, je surgis dans la pièce adjacente l'air presque désolé d'exister sur cette terre. Une esthéticienne d'environ vingt-cinq ans, les cheveux très foncés et attachés en chignon, se tourne vers moi. Elle porte des escarpins rouges très hauts et un sarrau blanc comme neige repassé de façon irréprochable.

— Allllo, ma belle Claire ! me fait-elle, les deux bras levés vers le ciel comme si elle accueillait le messie en personne.

Hypocrite. Je refoule mon envie soudaine de lui balancer ses quatre vérités en pleine poire sur-le-champ. Pas vraiment mon genre de le faire, en réalité. En temps normal, je préfère plutôt jouer à celle qui n'a rien entendu que de confronter quelqu'un de la sorte. Je songe plutôt : « Non, Claire, prouve-lui le contraire, à la place… »

— Allo ! Comment vas-tu aujourd'hui ma belle, euh… ma belle… Chloé ? que je devine grâce à son *badge*, tout en exploitant au maximum mon peu de talent de comédienne afin d'avoir l'air sincère.

— Bien ! Merci beaucoup. Toujours une excellente journée quand je m'occupe de vous !

Ne beurre pas trop épais, ma chouette. Matante chiante-*cheap* t'a entendue, de l'autre côté tout à l'heure…

```
9 H 38
```

Une fois nue et étendue sur la table sous une mince douillette moelleuse, Chloé m'enduit la totalité du visage d'un produit qui sent franchement bon. Elle descend ensuite la couverture qui me recouvre jusqu'à ma taille. Une odeur d'avocat et de menthe m'enveloppe. La sensation sur mon visage est très fraîche. Elle badigeonne ensuite ses mains d'un autre produit, à l'odeur sucrée cette fois, et elle commence à masser avec douceur mon ventre.

— Ça guérit vraiment bien, se réjouit-elle en inspectant mon abdomen.

— Quoi ? Mes vergetures ?

— Non, les cicatrices de votre liposuccion.

— QUOI ? que je gueule en redressant mon visage crémé de l'oreiller de ratine pour la dévisager avec horreur.

— Vous ne trouvez pas ? Ah moi, oui. J'en vois beaucoup passer ici et, croyez-moi, ça va bien pour vous. En vous recommandant le chirurgien, je savais qu'il ferait un travail exemplaire !

Désabusée, je repose avec lourdeur mon crâne sur l'appuie-tête. Doux Jésus. Je me suis fait « liposucer » par un aspirateur ? Juste d'y penser, je vais m'évanouir…

D'une petite voix chancelante, je lui demande :

— Pourquoi?

Cette Chloé, qui m'écoute à peine, continue son évaluation positive de ma décision d'«aspirage» de graisse.

— Déjà que vous avez mené votre grossesse à terme, c'est beaucoup. Les femmes modernes se font souvent provoquer quelques semaines avant pour minimiser les ravages. Ce serait-tu le *fun*, hein, si on pouvait avoir des bébés de nous, mais sans être enceinte?

Mon rêve est rempli de gens tous plus cons les uns que les autres ou quoi? Qui peut bien souhaiter délibérément d'avoir un bébé de façon prématurée pour ainsi éviter les vergetures?

Presque au bord de la commotion, je lui réponds du tac au tac:

— Avoir un enfant, c'est dans la nature, ma chère, il ne faut pas aller contre ça!

Mon esthéticienne arrête son massage, stupéfaite, puis elle éclate d'un rire tonitruant:

— Ha! ha! ha! Vous êtes drôle aujourd'hui, Claire! Respecter la nature... ouais... Ha! ha! ha! Au moins, une chance que vous avez Rosa à la maison. Comme vous le dites si bien, les bébés ne se rendent pas vraiment compte de qui s'occupe d'eux quand ils sont petits...

Le **Gazon**

Ai-je déjà affirmé haut et fort cette horreur ? Je présume que je pense de la sorte dans cette vie remplie de débiles mentaux ! Mais quel genre de femme suis-je devenue, ma foi ? Un monstre ? Ma fille peut bien me craindre comme la peste, je ne m'en occupe tout simplement pas, croyant à tort que ce n'est pas important compte tenu de son jeune âge. Je serais curieuse de comprendre comment quelqu'un peut en arriver à penser et à agir de la sorte. Tellement pas moi, tout ça.

Chloé retire mon masque et elle entame ensuite un massage facial très relaxant. Résignée face au fait que je suis officiellement la femme la plus inhumaine que la terre ait jamais portée, je décide de profiter du moment et je me tais. De toute façon, je ne peux encaisser davantage d'informations minables à mon sujet pour le moment. Chaque fois que cette jeune fille ouvre la bouche, j'ai le goût de me lancer devant un dix roues tellement je suis honteuse de qui je suis... Silence, s'il vous plaît.

Après avoir donné un pourboire plus que généreux à mon esthéticienne, je quitte en me disant qu'elle n'osera plus à l'avenir médire sur mon compte en me traitant de gratte-sou. De plus, je continue ainsi à dilapider la richesse de Steve au grand vent et cela me procure une grande satisfaction intérieure.

Lorsque le taxi me dépose devant le bistro où je dois rejoindre cette Joanie, je me demande bien ce que j'apprendrai de plus sur mon cas. Je tue des bébés chats à mains nues comme loisir le dimanche matin? Au point où j'en suis, plus rien ne pourrait me surprendre…

En pénétrant dans l'établissement, je réalise que je ne reconnaîtrai même pas cette femme. Je piétine donc un moment dans l'entrée en espérant qu'elle me fasse un signe évident. Il y a beaucoup de gens, mais seulement deux clientes seules, chacune à une table différente. Laquelle des deux est-ce? Je souris à la première à ma droite, mais celle-ci me renvoie un visage froid et neutre. Sûrement pas elle. J'enligne alors la deuxième, qui ne me fait pas plus de façon.

— Allo! m'aborde alors une autre femme qui vient d'entrer dans le restaurant derrière moi, les bras chargés de sacs de vêtements.

— Allo, Joanie, que je devine en lui faisant la bise, étant donné son statut probant de bonne copine.

J'ignore l'âge de cette femme, mais elle resplendit de jeunesse. Sa mise en plis et sa coloration sans faille, ainsi que ses ongles manucurés témoignent du fait qu'elle ne fait probablement rien d'autre dans la vie que prendre soin de son apparence et magasiner.

— Tu ne croiras pas ce qui m'arrive, fait-elle en posant tous ses paquets au sol près d'une table. La nouille qui baise mon mari est tellement innocente. Elle lui laisse des messages textes de détresse le soir sur son téléphone. Hier soir, elle lui écrivait: «Ah, mon chéri, quand vas-tu parler à ta femme? Je ne peux plus attendre pour vivre enfin notre amour au grand jour, blablabla...» Belle tarte! Non, mais il faut vraiment être naïve pour croire qu'il va me quitter! Ha! ha! ha!

«Ah! wow! Ça commence fort...»

— Ton mari te trompe? que je compatis, désolée pour elle.

— Ha! ha! ha! T'es drôle, Claire! Et toi, elle lui écrit des messages le soir ou pas?

— Qui ça?

— Laurie, voyons, la maîtresse de Steve...

Ah bon, il ne manquait plus rien que ça! Je suis cocue et je le sais, de même que tout mon entourage. Une «Laurie» en plus, comme ma fille. Elle doit être jeune. Cette Joanie parle si vite et bouge tant que la tête me tourne. Ses dents blanchies à la chaux m'aveuglent littéralement.

— Je sais pas, je sais plus...

— Non mais, elles nous prennent pour qui? Hé, les petites jeunesses, on a marié des hommes riches à craquer, pensez-vous vraiment qu'on s'est pas manigancé des contrats de mariage béton? S'il me quitte, Jacques me doit la moitié de la compagnie et une pension à vie de deux cent cinquante mille dollars par année. Ha! ha! ha!

Démunie, mais tout de même un peu impressionnée par l'aplomb de cette femme, je la contemple sans commenter. J'ai l'impression d'errer dans un monde parallèle, comme si j'étais simplement spectatrice de la scène. Elle saute du coq à l'âne :

— Au fait, j'y pense, ton rendez-vous est dans deux semaines, non? T'es excitée?

— Mon rendez-vous?

— Pour tes implants mammaires, ma vieille!

Ah bon, naturellement... Bientôt, plus rien ne me surprendra!

— Ouais, j'ai hâte, que j'improvise, en haussant les épaules comme si cette intervention chirurgicale majeure n'était en fait qu'une simple prise de sang dans une clinique au coin de la rue pour vérifier mon taux de fer.

— Ton beau Ricardo ne s'en plaindra pas!

Qui est-ce encore? Non mais, avant de me catapulter dans un rêve cinglé de ce genre, il faudrait me fournir une fiche de présentation des personnages impliqués. Un bref synopsis qui me permettrait de suivre l'action qui s'y déroule.

En quittant le bistro, je suis étourdie et les oreilles me sifflent d'avoir écouté cette fille jacasser pendant plus d'une heure et demie. Je pense que j'ai réussi à placer trois phrases dans la conversation, et ce, de façon non consécutive. Je n'aime pas du tout la personnalité ignoble et hautaine de Joanie. Elle est à des années-lumière de me ressembler dans la vie. Je m'ennuie de ma douce Nathalie…

Sur le trottoir, au moment des adieux, elle m'envoie un clin d'œil avant de se diriger vers la façade de l'édifice dont nous sortons. Du bout des doigts et avec dédain, elle saisit un gobelet de café vide abandonné sur le trottoir près du bistro. Je la suis des yeux en ne comprenant pas trop le but de sa démarche. Elle approche ensuite d'un clochard d'une cinquantaine d'années, assis par terre à quelques mètres de là, et elle lui tend le verre. Heureux comme un prince, il lui sourit avant de rapidement constater que le récipient est vide. Il le balance donc au sol en la dévisageant avec mépris.

— Tu veux un café ? Bien trouve-toi une *job* et paie-t'en un, pauvre con ! lui balance-t-elle avant de revenir vers moi, beaucoup trop fière de son coup pendable.

Horrifiée par son geste abominable, je la toise, la bouche ouverte, les yeux à demi sortis des orbites.

— Comme tu le dis si bien : on devrait leur faire un enclos dans un coin sombre de la ville pour ne plus les voir. C'est de la pollution visuelle, ces parasites !

Saturée d'informations désastreuses à mon égard, je m'avance pour embrasser cette horrible femme, supposément mon amie.

— Repose-toi bien, Claire. Tu n'as pas l'air dans ton assiette, ma vieille !

J'acquiesce vaguement à son conseil avant de héler un taxi telle une automate. Je songe pendant un instant à la possibilité de me lancer en courant devant le véhicule en question à la place de monter dedans. Peut-on s'enlever la vie de la sorte dans un rêve ?

Déconfite, je prends finalement place à bord. Le psy, maintenant.

13 H 55

Après avoir tenté de peine et de misère de dénicher le bureau du docteur Smith – dont l'adresse m'était inconnue – le chauffeur me dépose enfin devant une tour à bureaux. J'ai dû fouiller dans mes archives de courriels pour finalement tomber sur un message de ce fameux docteur avec une adresse inscrite dans sa signature automatique.

En patientant dans une petite salle adjacente à la réception, je crains la suite. Que va-t-il m'apprendre de plus concernant le monstre que je suis devenue ? Je veux que ce cauchemar se termine au plus vite. Je préférerais de loin retourner sur la ferme pour accoucher des centaines de brebis, tout en allaitant une horde d'enfants d'âge scolaire !

Un psychiatre aux petites lunettes rondes et à l'air sévère m'accueille dans son bureau. Si son prénom est Ricardo, je me lance par la fenêtre...

«Docteur S. Smith», m'indique une vignette posée sur son grand'bureau de merisier. Ouf! Il m'invite de la main à m'allonger dans une grande chaise inclinée, mais je choisis plutôt de prendre place de biais à celle-ci sur un fauteuil de cuir noir. Je scrute le plafond. Son chic bureau sent le frais. Je reconnais l'odeur d'un parfum d'ambiance que l'on branche dans une prise électrique murale. «Lessive fraîche», si ma mémoire est bonne. Je tourne la tête et plonge mes yeux frileux dans les siens. Probablement qu'il me déteste, comme tout le monde sur cette planète d'ailleurs...

Tenant en main un cahier de notes, il débute sans plus attendre :

— Donc, lundi, lorsque nous nous sommes quittés, vous me parliez des insatisfactions généralisées de votre vie...

Ah bon! Est-ce que je vais enfin découvrir que je peux faire preuve d'un peu de morale? Vais-je voir émerger ne serait-ce qu'un tantinet d'humanité à l'intérieur de la femme exécrable que je semble être devenue?

— Oui, TRÈS, TRÈS, TRÈS insatisfaite, docteur!

— Vous me disiez être en réflexion face à plusieurs aspects décevants de votre vie…

Ainsi, je me pose les mêmes questions dans cette vie fictive que dans ma vie actuelle? Autant bien profiter de son expertise au maximum, alors!

— Je me demande, docteur, si dans la vie nous faisons des choix ou si la vie est simplement tracée comme un seul chemin que nous devons suivre sans broncher…

— Très bon questionnement, Claire! Vous faites du progrès, vraiment! Je suis heureux d'entendre ce genre de réflexion. Qu'en pensez-vous?

Bien évidemment, il emploie la tactique classique du psy qui renvoie la question…

— Je ne sais pas…

— Vous croyez que c'est à cause de ce genre d'inter-rogations que vous n'êtes pas en mesure de créer un lien affectif significatif avec votre fille?

Incapable de créer un lien affectif avec mon propre enfant…? Tabarnouche! Que c'est triste! Sans aucun avertissement, mes yeux s'emplissent de larmes et j'explose tel un volcan. Quelle mère indigne je suis! Quelle femme sans fierté je suis.

En guise de réponse à mes pleurs plutôt bruyants, il s'enthousiasme :

— C'est excellent ! Je vous sens très près de vos émotions aujourd'hui, Claire. Allez-y, pleurez, pleurez… Après six ans de thérapie, c'est exactement le point crucial où je désirais en arriver avec vous !

Dr Smith semble très satisfait de me voir ainsi en décomposition affective sur son fauteuil. Je sens qu'il jubile de plaisir en me détaillant, tout sourire. Pauvre con, lui aussi ! Il ne se doute pas une minute que je ne suis pas cette femme. CETTE Claire n'est tout simplement pas moi. Je suis quelqu'un d'autre.

Confondant la réalité avec mon rêve, je lui crie :

— Je ne suis pas elle ! Je suis quelqu'un d'autre !

Il change alors d'air d'un coup, semblant désormais s'inquiéter davantage que se réjouir.

— Claire, prenez-vous toujours votre médication de façon régulière ?

Craignant qu'il me passe une camisole de force au corps, je reprends mes esprits un peu en tentant de me recentrer sur la réalité de la Claire « Bérubé » que je suis censée être ici.

— Docteur, ce que j'essayais de dire, c'est que je ne veux plus être cette femme. Il est temps pour moi de changer…

15 H 05

Après avoir pleuré pendant une heure sur ma triste existence, je quitte son bureau en me disant que je prends désormais le contrôle de la suite de ce rêve dingue. Je vais faire du ménage. Juste pour me faire du bien. C'est MON rêve, après tout, j'ai donc carte blanche, non?

En atterrissant devant l'immeuble où j'habite, j'aperçois le même clochard que ce matin, fidèle au poste. L'air apeuré, il baisse de nouveau des yeux repentants sur mon passage. Pauvre homme. Si je lui ai fait part de mon espoir de voir un jour les clochards de tout Montréal jetés en réclusion dans un enclos à l'orée de la ville, je comprends un peu sa réaction. À voir la manière dont agit Joanie, je dois moi aussi le mépriser chaque jour où je passe ici.

J'agrippe la poignée de porte pour l'ouvrir. Je m'immobilise finalement, à moitié entrée dans l'embrasure. Je change d'idée et je me dirige vers lui d'un pas décidé. En me voyant ainsi surgir à ses côtés, il incline la tête comme un chien apeuré qui sait qu'il recevra une mornifle. Je fouille dans ma bourse. En lui souriant avec toute la tendresse que la vraie Claire porte au cœur, je lui tends la totalité des billets de vingt dollars que contenait mon grassouillet portefeuille doré. Il doit bien y avoir plus de quatre cents dollars. Le sans-abri lève sa tête poivre et sel vers moi, toujours sous l'emprise d'une appréhension négative. À travers les mèches de cheveux ondulées qui obscurcissent son visage, ses yeux gris pénètrent les miens. Des yeux doux, mais craintifs, qui semblent redouter que la main qui tente de le nourrir le frappe ensuite sauvagement.

Comme il ne prend toujours pas les billets, je les secoue dans sa direction pour l'inciter à le faire. Non, mais je dois clairement me racheter pour tous ces pauvres gens dans le besoin que j'ai dû humilier par le passé. Un enclos à itinérants, franchement… Est-ce que cette idée a vraiment traversé ma tête de linotte pour vrai?

Le regard bien accroché au mien, il ne bouge pas d'un poil de barbe. Il n'ose pas. Je me penche donc et je dépose la liasse de billets sur la boîte de carton éventrée sur laquelle il est assis en tailleur. Je lui souris avec douceur à nouveau avant de tourner les talons. En ouvrant la porte de l'immeuble, je me retourne. Il embrasse son butin, les yeux levés vers le ciel.

Me sentant déjà franchement mieux après ce don généreux, j'entre dans mon palace animée par la vive intention d'aimer mon bébé au plus vite. Seigneur! Urgence il y a! En me voyant, Rosa s'approche de moi, un doigt posé sur sa bouche. Ma petite fille dort à poings fermés dans un berceau au milieu du salon. Je m'approche tout de même et je touche ses petits cheveux du bout des doigts. Pourtant, rien qu'en la regardant dormir, je suis remplie d'un sentiment d'amour inconditionnel à son égard et je ne la connais que depuis ce matin. Comment une mère peut-elle en arriver à ne pas ressentir cette tendresse absolue ?

Rosa, toujours l'air si attendri de me voir enfin « aimer » mon enfant, me fait un signe de la main en me montrant une porte-fenêtre au fond du salon.

Elle me chuchote en souriant :

— *La piscina…*

Hein ? La piscine ? Avons-nous une piscine ?

Comme elle me pousse un peu dans le dos en m'adressant un clin d'œil complice, je collabore et me dirige vers la porte. En sortant, je découvre une terrasse incroyable. À la droite d'une piscine creusée ovale trône une grande pergola entourée de rideaux blancs vaporeux. On dirait un décor paradisiaque de Club Med, comme dans les magazines. Il ne manque que les palmiers ! Un coin barbecue spectaculaire met en vedette une plaque de cuisson digne d'une émission télévisée de cuisine estivale à gros budget. Tout près de là s'étend une grande table et un espace salon garni de meubles de jardin luxueux. C'est sublime ! J'adore. Je ferais vraiment une bonne riche…

Un homme affairé à nettoyer la piscine lâche aussitôt le grand manche qu'il tient pour m'envoyer un grand signe de la main. Je lui renvoie la pareille. Émerveillée par ce décor enchanteur, je me dirige vers la tonnelle pour m'y asseoir. Je songe à ce que Steve m'a dit ce matin à propos du gazon. « Ce doit être ici que je souhaite qu'il en installe… » C'est vrai que ce serait beau, mais du gazon sur un toit de béton au dernier étage d'un immeuble du centre-ville de Montréal, c'est effectivement un peu fou comme idée, je l'avoue.

Le type pose finalement son accessoire sur le ciment et s'approche. Il doit sûrement vouloir me demander quelque chose. Erreur… En arrivant près de moi, il me balance littéralement à la renverse sur le lit extérieur pour ensuite tenter de m'embrasser avec conviction. Que se passe-t-il? Ah non, j'espère que ce n'est pas…

— Ricardo? que je m'inquiète en tentant de me libérer de ses fougueux baisers.

— *Si, mi amor!* fait l'homme en grognant comme un animal, les dents bien exposées.

Dans une détermination à faire frémir de peur une nymphomane chronique, il entreprend d'enlever mon chandail. Oh! oh! oh! Misère, on s'en sortira pas!

— Tut, tut, tut! que je m'oppose en redescendant mon chandail tout en maintenant du mieux que je peux mon amant à distance avec un bras.

— Moi té faire l'amour très fort…

— Non, non, non, pas le temps, pas le temps, que je refuse, les yeux ronds comme des billes devant sa motivation quasi bestiale.

— Moi té faire la gâterie avec la bouche comme toi aimes…

— Pas de gâterie non plus. Toi, nettoyer la piscine ! que je le supplie en levant l'autre main, la première étant toujours bien à plat sur son torse hispanique afin de le repousser.

— Faire l'amour très fort à toi dans la piscine, alors…

Avec l'agilité d'une petite souris se faufilant sous la craque d'une porte, je glisse entre son corps et le matelas de la pergola.

— Moi avoir un rendez-vous… bye-bye ! que je lui crie tout en galopant les genoux bien haut jusqu'à l'intérieur.

Comme il s'élance à mes trousses, je lui glisse la porte-fenêtre au nez avant de la verrouiller. Les crocs bien en évidence tel un loup assoiffé de sang, il semble s'amuser de ma réticence et il me reluque avec convoitise de l'autre côté de la vitre. Il croit bien entendu que je joue le jeu pour attiser le désir. Il sort ensuite la langue et se met à lécher la vitre devant lui, les yeux fermés, comme s'il croyait ainsi m'exciter. Voyons donc ! Ce type est un malade ? C'est lui qui devrait voir un psy, pas moi ! Comme il bave toujours sur la porte avec passion, je tire le rideau pour lui signifier que je ne joue pas du tout. Rosa, qui a assisté à la fin de cette scène burlesque du salon, me regarde avec étonnement, les sourcils en accents circonflexes, la main sur la bouche. J'esquisse un demi-sourire en guise d'explication, ne sachant pas du tout comment justifier autrement une scène d'un tel ridicule.

J'approche du berceau. Même si ma fille dort toujours, je la soulève avec délicatesse pour ensuite m'asseoir sur le divan avec elle. J'ai besoin de sentir cette enfant près de moi. Je recherche désespérément un peu de normalité dans ce rêve insensé. Elle bouge un peu, mais ne se réveille pas. Son petit nez, sa petite bouche… elle ressemble tant à ma grande Laurie que c'en est presque troublant.

Près d'une demi-heure plus tard, la petite puce se réveille. Rosa, qui approche avec un biberon de lait bien tiède, me tend les bras pour me la réquisitionner. J'étire plutôt ma main pour lui prendre le biberon. Elle sourit. Je compte bien nourrir moi-même mon enfant, pour une fois.

Après son boire, je me rends à sa chambre pour la changer de couche. Rosa me suit au pas, estomaquée que je m'occupe de ma fille de la sorte. J'installe ensuite la petite dans une chaise portable que je traîne avec moi dans ma chambre. Rosa nous suit et me refile mon téléphone portable. Un message texte est entré. C'est Steve qui m'écrit: «Attache tes cheveux en chignon.» C'est tout, aucune gentillesse. Je remarque que Rosa a déposé sur le lit une robe cocktail rouge. Je me souviens alors que j'ai un souper très important avec mon cher mari au programme ce soir… «Ah! je vais lui en faire tout un souper, oui!», que je songe mesquinement.

En pénétrant dans le restaurant où je suis attendue, je repère tout de suite Steve qui lève un bras motivé dans ma direction. J'ai respecté ses consignes à la lettre : robe rouge, chignon, seins pas encore refaits remontés au maximum et beaucoup de maquillage – parce que mon visage fait peur, à ce qu'il paraît. Je serai sûrement une potiche bien à son goût ! Une potiche pauvre, par contre, car j'ai dû emprunter quarante dollars à notre bonne afin de prendre un taxi. J'ai peut-être été un peu trop généreuse avec l'itinérant, finalement !

Steve m'embrasse avec tendresse comme si nous en étions à nos tous premiers jours ensemble et il me prend le bout des doigts de sa main droite pour me parader avec fierté devant sa table d'invités. Il joue bien l'hypocrite, lui aussi. Il me présente ensuite à la troupe : quatre hommes d'affaires à la cravate bien serrée autour du cou. Je comprends entre les branches que ce sont les clients d'une grosse transaction immobilière que Steve veut conclure avec son jeune associé, Éric, qui est aussi présent avec sa splendide femme… Laurie. Ah, tiens donc ! la voilà donc, la belle Laurie ! Il couche avec la femme de son associé ? Pathétique ! Elle semble si jeune en plus.

Ce repas débute en s'enfargeant dans les mondanités les plus lourdes. Les hommes discutent de l'important dossier pendant que ma rivale et moi jouons les belles de service. Nous ne disons pas un mot, nous rions à gorge déployée quand les hommes rient, sinon nous écoutons leurs intelligents propos. Je me sens tout à fait ridicule. Personne ne daigne nous adresser la parole, mais tout le monde nous reluque allégrement le décolleté, ah ça, oui ! On sert à ça ; les hommes discutent « affaires », leurs cerveaux surchauffent et hop ! ils se tournent pour nous convoiter la craque des seins afin de se calmer les neurones un peu avant de reprendre la discussion de plus belle.

Comme l'homme en face de moi me mire les seins sans aucune gêne depuis maintenant plus d'une minute, je ne peux me retenir et j'explose :

— Non, mais t'as pas fini de me regarder comme un obsédé ?

— Claire ? me balance Steve dans la plus grande stupéfaction en recrachant de façon accidentelle un morceau de pain croûté sur la nappe.

Tabarnouche ! Je ne peux pas croire que je viens de dire ça. De nature politiquement correcte, ce n'est pas du tout mon genre. Après cette journée d'humiliations en rafales, je me sens prise d'une rage au cœur difficile à contenir.

— Excusez-la, elle ne va pas très bien depuis la venue du bébé…, m'excuse publiquement mon charmant mari.

— Ah ! Le bébé ! Et toi, l'as-tu même déjà pris dans tes bras, notre fille ? C'est drôle, j'ai plutôt l'impression que tu souhaites rester à plus de trois mètres de distance d'elle en tout temps !

— Claire ? répète-t-il, blanc comme un pet de laitier.

Il se tourne alors vers les clients devant lui et il explique :

— Désolé, vraiment. Comme je vous disais, ma très chère épouse est en *post-mortem* sévère depuis l'accouchement et…

— En quoi ? En *post-partum*, peut-être ?! Non mais, regardez qui se permet de poser des diagnostics bidon, ici. Le type qui semble n'avoir souri à personne depuis sa première communion ? Celui qui me traite comme une moins que rien à longueur de journée ? T'es un personnage ignoble, Steve ! Tu as vu ce que tu as fait de moi ? Ta poupée de service, oui ! Et en plus, c'est même pas avec moi que tu couches, mais bien avec Laurie, que je m'indigne en la désignant impoliment du doigt.

— QUOI? crie Éric en regardant sa femme, qui a d'instinct mis la main devant sa bouche aussitôt que mes mots ont roulé sur la table.

Il se tourne ensuite vers Steve. En un clin d'œil, celui-ci passe du blanc lait au rouge tomate. Laurie soulève sa serviette de table pour s'essuyer un peu la commissure des lèvres, comme si elle préférait affronter la suite des choses la bouche propre.

— Éric, c'est que…, tente mon infidèle mari en ne trouvant pas le courage de poursuivre sa phrase.

— Laurie? répète le pauvre associé cocu, ses bras écartés et maintenus bien hauts de chaque côté du corps.

Toujours alimentée par le mépris cumulé tout au long de cette journée décevante, je poursuis ma lancée injurieuse :

— Et tu sais quoi, Steve? En réalité, je m'en contre-fous, parce que je m'envoie en l'air avec le gars de la piscine depuis belle lurette sans que tu remarques quoi que ce soit, pauvre toi. Et laisse-moi te dire que, de toute façon, à côté de lui, tu n'es pas de taille, mon vieux!

Bon, ici, j'extrapole bien au-delà de mes connais-sances, mais bon Dieu que ça fait du bien! Les quatre clients continuent de manger comme s'ils prenaient part à un banal souper-spectacle devant une excellente comédie burlesque au théâtre d'été. L'un d'eux a même laissé s'échapper une petite interjection d'amusement au moment du dévoilement de mon adultère avec le type de la piscine. Laurie se met finalement à pleurer à chaudes larmes dans sa serviette de table. Comme je saisis que je viens solidement de foutre la merde, je me lève pour mettre le grappin sur la bourse de mon cher mari qui reposait devant lui. Ayant généreusement distribué toutes mes richesses aux gens dans le besoin, je n'ai plus rien pour soutenir ma fuite. Fait comme un rat, Steve ne tente même pas de rattraper son bien et il me laisse fouiller dedans en balayant du regard moi, qui lui vole de l'argent, sa maîtresse, qui pleure comme une gamine, et son associé, les bras toujours dressés dans les airs. Je lui chope deux billets de vingt avant de m'éloigner de la table, en prenant la peine de m'excuser de mon impolitesse aux spectateurs du théâtre d'été :

— Veuillez bien m'excuser, messieurs !

Toujours sous le choc, Steve me dévisage, l'air presque apeuré par la suite des choses.

— Ah oui ! Et en passant, mon chéri, j'ai donné la Mercedes à un itinérant ! que j'invente à brûle-pourpoint avant d'ajouter : Et je voulais te dire aussi, même si ce soir j'étais probablement arrangée bien à ton goût, va te faire voir avec ton maudit gazon !

Puis, je tourne les talons et quitte le restaurant avec dignité, la craque de seins, le menton et le chignon bien hauts.

En fugitive, je saute dans un taxi, le sourire aux lèvres et la fierté au cœur.

En arrivant à la maison, comme je crains tout de même qu'il me suive de près et qu'il m'assassine impunément pour ainsi pouvoir réclamer mon assurance vie, je cours à la chambre de ma fille pour l'embrasser sur la tête. Je galope ensuite jusqu'à la mienne et je ferme le loquet pour verrouiller la porte. Je me précipite à la salle de bain et j'ouvre la pharmacie à la recherche de comprimés. La pharmacie regorgeant de pots de médicaments de toutes sortes, je devrais bien trouver des calmants ou des somnifères pour m'endormir comme un sabot. Bingo! Je trouve des somnifères. Je lis la posologie, puis j'en avale deux comprimés en buvant de l'eau dans le creux de ma main pour faire passer le tout. C'est plus ou moins éthique, mais assurément nécessaire étant donné la gravité de la situation. « S'il me tue dans mon sommeil, vais-je mourir pour vrai ? Non, Claire, ce n'est qu'un rêve… ou un cauchemar plutôt ! »

Je descends de mes talons trop hauts et je m'étends sur le lit, tout habillée. Je songe : « Qu'est-ce que je devais comprendre dans ce rêve ? Que j'avais le potentiel de devenir une folle à lier ? » Par contre, en repensant à ma performance à la fin du souper, je suis assez fière de moi, merci. Je ne me croyais pas capable de provoquer un tel désordre. Pas moi ! Au moment où mes pensées commencent à s'embrouiller, j'entends des pas dans le *condo*. Je sens que je m'assoupis… Je perçois au loin quelqu'un qui essaie d'ouvrir la porte de la chambre. Comme elle est verrouillée, j'entends la voix sirupeuse de Steve qui veut m'amadouer :

— Chérie, ouvre-moi s'il te plaît… Claire…

Sa voix est mielleuse et repentante, mais cela ne m'empêche pas de m'endormir…

Entre ciel et terre

De retour dans mon lit nuageux, je reprends mes esprits illico presto. Je reconnais maintenant bien cet endroit; la blancheur qui m'enveloppe et l'état d'apesanteur faisant en sorte que la structure de mon lit semble toujours flotter dans le vide. Vais-je revenir ici encore plusieurs fois? Je pense au rêve que je viens de faire, du moins à la portion de rêve. Cette Claire vilaine et détestée de tous... Mais où est donc ce Dieu-gourou de malheur qui contrôle malgré moi mes rêves cette nuit?

— Allo? Êtes-vous là? Quelqu'un?

— Ah bon! Vous revoilà, Claire! fait la voix volante, avec désinvolture.

Sans trop savoir pourquoi, je l'imagine vraiment avec une grosse barbe et de longs cheveux rêches, assis en tailleur, flottant dans le vide et méditant entre chacune de mes visites. «Mais c'est peu probable, car il m'a affirmé s'occuper d'autres gens en même temps que moi... Font-ils tous la même expérimentation?» Je délaisse toutefois mes réflexions à propos de son emploi du temps pour lui balancer:

— Auriez-vous la gentillesse de me dire qu'est-ce que c'était que ce rêve de fous?

Il ne répond pas.

— Allo?

— Une autre perspective, tout simplement… Ou une potentialité, si vous préférez.

— Perspective de quoi, misère? Une droguée aux pilules, malheureuse et inhumaine par-dessus le marché? Potentialité mon œil! Parce que ce n'était pas moi, ça! Euh, non désolée! Jamais je n'aurais pu me retrouver dans une situation familiale problématique semblable. Pas moi. Un mari infidèle et méchant, un enfant dont je ne m'occupe pas, des liposuccions, un mépris des gens dans le besoin, une meilleure amie ignoble, un projet de seins en silicone… JAMAIS!

— Parfois, Claire, découvrir ou entrevoir une facette de notre existence possible peut faire aussi mal que de vivre cette situation pour vrai…

— Quoi? Je n'aurais jamais pu être comme cette femme, un point c'est tout, que je statue en croisant les bras sous la poitrine, offusquée qu'il sous-entende sans gêne le contraire.

— Claire… l'expérimentation sert à vous faire prendre conscience de certains éléments de votre passé, à vous ouvrir à la somme des possibilités et à en apprendre davantage sur vous-même.

— Quelles possibilités?

— Les possibilités de la vie, autant passées que futures! clame-t-il, l'air bienheureux.

— Je ne comprends pas et ça ne sert à rien. Je regrette d'avoir proclamé être insatisfaite de ma vie, bon ! C'est ce que vous voulez entendre ? Je suis très bien dans ma vie actuelle et je n'ai pas besoin de me faire catapulter dans des situations complètement absurdes pour en prendre conscience.

— Absurdes, peut-être, mais appartenant toutefois à votre passé potentiel. Des pages qui furent tournées ou qui ne furent jamais écrites.

— Je ne comprends strictement rien à votre histoire de pages...

— Souvenez-vous de la manière dont la relation avec Steve s'est terminée.

Malgré mon irritation, j'y songe tout de même. Ça fait déjà bien longtemps, mais il me semble que je ne l'avais tout simplement pas recontacté. Mais qu'est-ce que ça change, à la fin ? Comme s'il lisait mot pour mot dans mes pensées, le gourou omniscient ajoute :

— Vous ne voyez pas... Nous y reviendrons plus tard.

— Plus tard ? Je veux me réveiller chez moi, voilà tout !

— Nous allons poursuivre l'expérimentation, Claire. Vous n'avez pas le choix de toute façon, le processus est enclenché, semble s'amuser à mes dépens ce dieu de pacotille.

— Et si je refuse ? Je passerai le reste de ma vie sur ce lit suspendu dans les nuages ?

— Allez, ne faites pas l'enfant, Claire, et allongez-vous.

Docile de nature et comprenant que la seule issue est de filer droit devant, je m'exécute en réfléchissant : « Si j'ai d'abord vécu la relation hypothétique avec Manuel et ensuite celle avec Steve, le déroulement suit donc un ordre chronologique… Qui sera le suivant ?… » Ah zut ! Je me souviens…

Craignant à présent pour la suite des choses, je m'allonge et ferme les yeux…

Quelque part avec...

En reprenant conscience, j'ouvre un œil rapidement, sur le qui-vive. J'ai l'impression que je ne dormais pas très profondément cette fois. La chambre dans laquelle je me trouve est assez modeste, voire très rudimentaire. Nous sommes loin de ma suite royale partagée avec Steve. Une couverture en laine polaire épaisse avec des motifs de dauphins me recouvre. Une forte odeur de mégots de cigarette me monte au nez. En pivotant la tête, j'aperçois un cendrier plein à ras bord qui repose sur une table de chevet en mélamine blanche dépareillée du reste du mobilier, majoritairement en bois peint bleu clair. Tout près se trouvent un briquet et un paquet de Du Maurier *king size*. Je fume? Bon, ça commence bien. À l'inverse des rêves précédents, je suis seule dans le lit. Une chance, car il n'est pas très grand. Peut-être que je vis seule dans cette vie? Des vêtements traînent un peu partout sur le plancher ainsi que sur les meubles et la porte un peu ouverte de la petite garde-robe laisse entrevoir un bordel impressionnant. Moi qui suis habituellement très ordonnée... Un pan de rideau orangé à moitié décroché de la tringle permet à la lumière du jour d'entrer dans la pièce. Le carrelage de la petite fenestration semble encrassé par un dépôt huileux.

À première vue, deux choses me paraissent bien évidentes: je ne suis clairement pas mariée à un riche homme d'affaires et je ne semble pas très assidue pour le ménage. Le silence règne. En me redressant dans le lit, je ressens une étrange sensation de lourdeur dans le haut du torse. Comme si je me sentais coincée dans un chandail trop étroit pour moi...

Après avoir baissé les yeux, je m'écrie:

— AH MON DIEU! en me regardant avec horreur.

Je suis vêtue d'une nuisette une pièce rouge, moulante et assortie à un porte-jarretelle, toujours en place bien que je ne porte pas de bas collant. Le plus terrible n'est toutefois pas mon accoutrement coquin... Une immense poitrine déborde littéralement de l'armature du soutien-gorge pigeonnant. Est-ce à moi, ça? Sans plus attendre, j'agrippe mes seins à deux mains afin de valider s'ils m'appartiennent réellement. Mes doigts écartés au maximum ont peine à recouvrir la moitié des obus qui m'oppressent. En palpant l'un d'eux avec attention, je sens bien la poche de silicone qui se déplace de façon peu naturelle sous ma peau. Mais qu'est-ce que ce délire ? Le projet de fausse poitrine de ma vie précédente avec Steve a été mis à exécution ou quoi ? Les rêves sont donc reliés entre eux ? Sommes-nous simplement plus tard dans le temps ? À la suite de mes déclarations au restaurant, peut-être que Steve a perdu son entreprise, que je suis restée en couple avec lui et que nous avons loué cet appartement miteux ? Et, quelque part durant cette saga, j'ai réalisé mon grand rêve de ressembler à Dolly Parton ? Seigneur, au secours…

Sans plus attendre, je me lâche un peu les seins et je saute en bas du lit pour sortir de la chambre afin de découvrir de quoi il s'agit. Je revêts en vitesse une robe de chambre de ratine noire qui traînait par terre. Précédée de mes deux ballons de football, je passe la porte dans l'espoir d'en apprendre davantage. J'aboutis directement dans un minuscule salon qui s'avère encore plus sens dessus dessous que la chambre. À l'évidence, une tornade est passée par ici hier soir. La cuisinette adjacente, prise entre deux murs, n'est pas dans un meilleur état que l'ensemble de cet appartement ; bouteilles de bière vides, cendriers débordants et restants de pizza garnissent le comptoir. Quelque chose me laisse présager que j'ai peut-être quelques ados qui n'ont pas encore compris le sens propre du mot « rangement ».

Outre celle de l'entrée du logement, deux autres portes se présentent à moi. Elles sont fermées. Je me dirige vers l'une d'elles et constate que ce n'est pas une chambre d'ado, mais bien une salle de bain. En explorant les lieux, je pivote sur moi-même et j'aperçois mon reflet dans la glace qui surplombe un évier tout aussi crasseux que le reste. De concert avec mon accoutrement, je suis maquillée de façon un peu vulgaire. Un épais trait de crayon khôl noir a coulé sous mes yeux et on peut en déduire qu'une ombre à paupières charbon accentuait mes yeux hier soir. Du rouge à lèvres écarlate séché marque l'intérieur de ma lèvre inférieure et les commissures de ma bouche. J'en ai même un peu sur le menton. Mes cheveux, très longs et noirs, sont en bataille sur ma tête. Curieusement, j'ai peine à me reconnaître. De plus, une repousse manquant de teinture se dessine bien en évidence sur le dessus de mon crâne, laissant deviner ma couleur naturelle plutôt brun pâle. Mais qu'est-ce que ce *look* délabré? Suis-je une prostituée, ma foi? J'ai l'air si fatigué. Cela ne fait pas tellement changement de ma vraie vie, mais ces restes de maquillage me confèrent une mine vraiment épouvantable.

Je jette de nouveau un œil à cette poitrine démesurée. J'écarte un peu les rebords de ma robe de chambre pour m'inspecter dans le miroir. Décidée à en avoir le cœur net, j'entreprends de descendre les bretelles de mon déshabillé afin d'observer le tout de plus près. Tabarnouche… Sans blague, si je devais me soumettre à une mammographie attifée comme ça, c'est clair que ces deux missiles exploseraient au visage de la pauvre technicienne en radiologie et que celle-ci ne s'en sortirait pas indemne. Y a-t-il une fermeture éclair quelque part, question de les enlever pour pouvoir respirer? Tout à coup, un bruit dérange ma séance d'auscultation mammaire. Quelqu'un pénètre dans l'appartement. Comme la porte de la salle d'eau est ouverte, je remonte mes bretelles en cinquième vitesse et je referme chastement ma robe de chambre.

Un homme plutôt nerveux referme doucement la porte et verrouille la serrure derrière lui. Comme s'il voulait s'assurer de ne pas avoir été suivi, il regarde un instant dans l'œil magique.

Cette fois, je le reconnais très bien. C'est bel et bien celui que je croyais… que je craignais, plutôt…

Assise sur le bout du banc de l'autobus, je regarde dehors. Je suis nerveuse. Heureusement, je suis seule dans mon siège. De cette façon, personne ne peut remarquer que je bouge le genou dans tous les sens depuis le début du trajet. Ce matin, j'ai mis le nouveau chandail rayé bleu et blanc que maman m'a acheté même s'il est à manches longues et qu'il fera sûrement chaud. Premier jour de ma vie au secondaire. Je dois rejoindre Nathalie à la case que nous partagerons. En venant visiter l'école à la fin de juin dernier, nous avions choisi une case tout en faisant un tour guidé de la polyvalente pour nous permettre de nous orienter adéquatement à la rentrée des classes. J'ai l'impression que je ne me souviendrai plus de rien. La bâtisse est si grande. Ça m'angoisse. J'espère tant que Nathalie sera déjà arrivée.

En voyant l'autobus tourner dans la grande cour où se trouvent déjà quatre autres véhicules jaunes, mon cœur se serre comme dans un étau. J'ai entendu telle-ment d'histoires horribles à propos du secondaire : la drogue qu'on nous offre pour nous rendre dépendant, les bagarres qu'il y a parfois, les vols d'objets et de vêtements dans les vestiaires, et il paraît aussi que, dans un cours de biologie, on va décapiter une grenouille...

L'autobus s'immobilise. Ayant pris place dans les derniers bancs du fond, je me lève, mais je laisse les autres devant moi sortir. Un paquet d'étudiants fument dehors. Je ne fume pas. Je n'ai jamais essayé, en fait. En visualisant mentalement l'itinéraire que je dois emprunter, je me souviens que ma case est près de la troisième porte à partir de la droite. Six grandes portes doubles ornent la façade du bâtiment. À moins que ce soit la deuxième ? Non, il me semble que c'est bien la troisième. Au moment de sortir, je tente d'adopter l'air désinvolte de la fille qui fréquente la polyvalente depuis déjà trois ans. Sans regarder personne dans les yeux, je me dirige vers la troisième porte en espérant très fort que ce soit la bonne. Lorsque je viens pour poser ma main sur la poignée de celle-ci, quelqu'un l'ouvre à ma place... Je tourne la tête vers la droite. Un garçon, un peu plus vieux, tiens la porte pour moi en prenant une bouffée de sa cigarette qu'il tient entre son pouce et son index. Ses yeux verts perçants pénètrent les miens comme jamais un garçon n'a réussi à le faire avant. Mon Dieu! Ce qu'il est beau avec sa veste de cuirette noire et son chandail de Iron Maiden. Mon galant portier se retourne alors vers son copain pour lui dire:

— Y a du beau monde en criss icitte, à matin...

Rougissant jusqu'à la racine des cheveux, je souris à demi avant de m'engouffrer à l'intérieur, à la fois pour me sauver et pour reprendre mon souffle, car je n'ai pas respiré depuis que j'ai aperçu ce garçon. Wow! Je pense que c'est ça « être amoureuse ». J'avais rencontré un gars cet été, et ce que j'avais ressenti pour lui n'équivalait pas à ça du tout. Là, je sais ce qu'est l'amour, j'en suis convaincue.

En rejoignant ma case, j'entends Careless Whisper, ma chanson préférée, jouer à la radio étudiante. Je souris aux anges.

Nom de l'ex-conjoint : Michel Lafontaine
Date de la rencontre : 29 août 1985
Lieu : École secondaire Leber
Durée de la relation : 13 mois

Voici le gars dont j'étais tombée raide dingue amoureuse en mettant le pied à la polyvalente. Je me rappelle comme si c'était hier de la première fois où j'ai aperçu Michel. Mon cœur d'adolescente encore innocent avait fait un salto arrière sur lui-même. Le champ magnétique terrestre s'était inversé. Le ciel était descendu sur nous… ou non, plutôt, il avait monté très haut au-dessus de nos têtes. Bref, je me souviens de la puissance de ce tourbillon d'émotions dans mon jeune cœur. Ce n'était pas du tout comparable aux sentiments superficiels que j'avais vécus avec Steve près des poubelles du camping…

À la récréation de l'après-midi, Michel était passé dans ma rangée de casiers et il avait accoté son bras sur la porte de la case voisine en me regardant avec insistance. Il s'était présenté avec un air sérieux et sûr de lui. J'avais fondu au sol telle une sculpture de glace dans un four crématoire. Après deux ou trois « t'es belle, toé… » balancés à qui mieux mieux dans les corridors de la polyvalente, j'avais craqué en mille morceaux, et environ une semaine plus tard, nous sortions ensemble officiellement. Le dur à cuire de l'école qui me voulait, moi… Aucune jeune mère Teresa en manque de confiance, d'attention et d'amour n'aurait refusé cette opportunité! Je crois que la plupart des femmes sont génétiquement programmées pour expérimenter au moins une fois dans leur vie une relation périlleuse avec un rebelle téméraire pas toujours gentil, mais diablement *sexy*[8]. Relation amoureuse à enfouir bien loin dans notre psyché par la suite...

J'avais dès lors amorcé avec lui la relation la plus malsaine qui soit pour une jeune adolescente de mon âge. Il ne m'a pas battue ni violée. Ah ça, non! Mais, hélas, il a bien tordu mon petit cœur dans tous les sens. Michel était contrôlant et possessif. Mes parents ne savaient pas que je sortais avec lui à l'époque, et compte tenu de mon jeune âge, nous ne nous voyions en cachette que lors des soirées entre amis et à l'école. J'avais même menti quelques fois à mes parents en leur faisant croire que je dormais chez des copines... et je me rendais chez lui. Il vivait avec son père, sa mère étant décédée très jeune d'une maladie incurable, et comme son paternel n'exerçait que peu de contrôle parental sur son fils, je dormais là, parfois. C'est le premier homme avec qui j'ai fait l'amour, plusieurs mois après le début de notre relation. J'avais seulement treize ans quand ça s'est passé[9]. Je l'aimais démesurément, comme c'est souvent le cas à l'adolescence. J'étais si jeune...

Le premier amour; celui qui grafigne, qui fait mal, celui pour qui on abandonnerait tout. La première fois où l'on croit enfin saisir le vrai sens du mot «amour». On marche en pensant à lui, on dort en rêvant à lui, on

---

8. Effectivement... euh, malheureusement...
9. Je sens que les parents d'ados de cet âge viennent de faire un grand saut ici!

respire uniquement pour lui. Il était révolté et désinvolte ; j'admirais son indépendance face au reste du monde ainsi que sa force de caractère. Il se foutait royalement de tout. À mes yeux, il n'avait qu'à lever un bras pour gouverner le monde entier. Une tête de président avec un manteau de cuir aux manches un peu trop courtes. Cependant, il n'était pas toujours gentil avec moi, me laissant parfois en plan durant les fêtes pour aller badiner avec ses amis plus vieux qui possédaient tous une voiture. Parfois, il ne m'appelait pas durant plusieurs jours[10]. Je me souviens avoir éprouvé beaucoup de chagrin à cause de lui. Il avait même couché avec une autre fille pendant notre relation, et je l'avais su. En fait, toute la polyvalente au grand complet avait eu vent de l'histoire. Il avait pleuré pour que je lui redonne une chance en feignant que l'alcool lui avait fait perdre les pédales... et son pantalon. Naïve, j'avais accepté ses excuses. Peu de temps après, il avait été arrêté pour un vol de voiture pour ensuite disparaître dans un centre de réforme durant plusieurs mois. Même si la situation était très grave, je voulais rester avec lui coûte que coûte, toujours en secret de mes parents, bien sûr. L'amour est si aveugle à cet âge.

À mon grand malheur, il m'avait quittée de façon dramatique quelques semaines plus tard en m'écrivant une lettre dans laquelle il précisait qu'il fréquentait une

---

10. Vous vous souvenez de l'époque préhistorique sans cellulaire, sans réseaux sociaux, juste le bon vieux téléphone...

nouvelle fille au centre. J'avais été dévastée pendant des semaines. Par la suite, il avait voulu revenir avec moi lorsque sa blonde l'avait à son tour laissé tomber pour un autre. L'effronté ! C'était un peu après ma rentrée scolaire en deuxième secondaire…

Ma vie avec Michel, le 10 juin

— Salut, *babe* ! J'suis brûlé en câlice, fait-il en se laissant choir avec lourdeur sur le canapé.

Il allume la télévision et sélectionne la chaîne des nouvelles en continu. Je m'avance un peu en le regardant avec stupéfaction. Son visage a bien changé. Il a vieilli comme tout le monde, même qu'il paraît beaucoup plus vieux que son âge. Comme il remarque que je reste silencieuse au beau milieu du salon à le dévisager comme un étranger, il analyse à tort :

— Fais-moi pas une crise, là, ça me tente pas pantoute.

Muette comme une tombe, je ne réponds pas. Je ne sais même pas pourquoi je devrais lui faire une scène, en vérité. J'ignore d'où il arrive, ce à quoi notre vie ressemble, ce qu'il fait comme travail. Je pivote la tête vers le téléviseur. La barre déroulante d'informations qui défile la météo dans le bas de l'écran annonce du beau soleil en ce 10 juin.

Quelques réponses à mes questions précédentes se précisent lorsqu'il se redresse un peu pour vider le contenu de ses poches, qui semble gêner son confort. De celle de droite, il sort une liasse de billets de banque attachés avec un élastique rouge qu'il balance sur la table. Il extirpe ensuite de la seconde un bon nombre de petits sachets transparents qui contiennent une poudre blanche...

— Qu'est-ce que c'est que ça? que j'aboie comme un chien berger, les yeux tournés vers la fenêtre, craignant tout à coup une descente de police imminente.

— *Babe*, ça me tente pas, je t'ai dit... Le gros Landry m'a encore crossé sur un coup, je suis à boute en esti...

Perplexe quant à l'information fragmentaire reçue, je ne me prononce pas et je scrute toujours ce qui repose sur la table. Je remarque également un petit sac d'herbe, ouvert, tout près d'une pipette colorée en verre soufflé. Michel referme le téléviseur sans même avoir regardé les informations. Il se repositionne confortablement sur le dos. Les yeux clos comme s'il allait s'endormir, il me demande:

— Tu diras aux enfants que je les aime, tantôt? C'est à quelle heure, ta rencontre, au juste?

— Les enfants?

C'est maintenant à son tour de m'enligner, l'air stoïque.

— Coudonc ? Grosse soirée hier, toi ?

Comme je ne sais strictement rien à propos de ma soirée d'hier – tout comme à propos de l'ensemble de cette vie, d'ailleurs, sauf peut-être le fait que j'ai d'immenses boulets de canon à la place des seins –, j'invente :

— C'était correct, en espérant bien obtenir davantage de détails de sa part.

— Toujours tranquille, les mardis soir au bar hein…

Bon, je travaille dans un bar. Tant que je ne danse pas aux tables, ça peut aller ! Mon accoutrement me laisse toutefois croire que ça pourrait en effet être le cas. Non, pas moi. Pas Claire Aubry. Jamais…

Je songe alors : « Les enfants ! Nous avons des enfants. Où sont-ils ? » En me dirigeant de ce pas vers la dernière porte non explorée de ce petit appartement, je découvre en effet un lit superposé, vide. L'étroite chambre possède des meubles dépareillés, mais les lits sont faits proprement. Des photos sont épinglées sur un petit babillard de liège au mur… J'approche. Nous semblons avoir deux garçons. Si les photos sont récentes, elles indiqueraient que nos deux fils ont autour de dix ou douze ans. Ils sont beaux, ils sourient.

9н35

BANG! BANG! BANG! Un bulldozer frappe à la porte. En moins de deux secondes, Michel, les bras chargés de drogue et d'argent, se rue sur moi tandis que je fouinais toujours dans la chambre des enfants. Il soulève l'oreiller du lit du bas et en sort un sac de papier brun qu'il colle contre son torse. Il s'approche très près de mon visage et me chuchote:

— Je me cache là-dedans. Dis-leur que je suis pas rentré hier.

Il insère alors le pognon et les petits sachets dans le sac de papier et il ouvre la porte de la garde-robe pour se dissimuler dedans. Il place une grosse boîte semblant renfermer un jeu de piste de course devant ses pieds avant de se cacher derrière les vêtements qui pendent, de sorte qu'on ne le voit plus du tout.

Une fois de plus paralysée par l'absurdité de la situation que je suis en train de vivre, je reste là, plantée comme un oignon en plein milieu de la chambre de mes supposés fils.

BANG! BANG! BANG! Seigneur! Qui est-ce? La police? Compte tenu de la vigueur des coups mitraillés sur la porte, c'est assurément une équipe tactique du FBI armée de bazookas.

Le **Gazon**

— Criss! Vas-y, Claire, ils vont défoncer la porte…, m'ordonne Michel, dont le visage apparaît entre deux chemises d'enfants qu'il a fait glisser sur la tringle pour que je puisse le voir pendant une fraction de seconde.

Il disparaît aussitôt. J'ai à nouveau l'impression d'avoir été catapultée sur la scène de bois rustique d'une pièce de théâtre d'été bouffonne.

Je me dirige à pas de loup vers la porte d'entrée en me disant que je devrais tout de même me munir d'une arme. J'attrape donc un parapluie qui traînait, accoté sur le mur près du cadre de porte. Pas l'arme du siècle contre un bazooka, mais un bon coup vigoureux dans un œil, ça peut vous ralentir un commando. «Quoiqu'il me reste toujours mes deux obus, si jamais je dois me défendre. Rigides à ce point, je suis certaine que je peux assommer raide quelqu'un avec en faisant des moulinets bien calculés», que je considère avec dérision tout en avançant à tâtons.

D'une voix chancelante dépourvue de toute assurance, je m'informe à travers la porte;

— C'est quiii?

— Ouvre, Claire, je veux voir Michel.

— Il n'est pas là, que je mens en espérant ainsi le voir tout bonnement rebrousser chemin.

— Ouvre, Claire! réitère le type, assurément pas très sympa, qui me cause à travers la porte.

Toujours armée de mon parapluie et de mes deux bombes de silicone, je déverrouille le loquet. De toute façon, si on m'abat brutalement au début de ce rêve, il se terminera, non? Pas grand-chose à perdre dans cette vie-ci, selon moi. Tout de même inquiète des conséquences possibles sur ma vraie vie en cas de mort subite durant cette expérimentation, je tourne très doucement la poignée...

Sans se faire prier, un orang-outan géant à veste de cuir noire avance de trois grands pas dans ma demeure en désordre. Le grand mastodonte au crâne rasé qui l'accompagne m'accroche au passage sans ménagement en franchissant la porte à son tour. Tellement que j'effectue un demi-tourniquet sur moi-même. Par chance, je n'assomme personne. Je ne veux quand même pas être celle qui amorce le combat.

— Il est où? me demande le chef de l'intervention, alias le gorille-qui-parle.

— Qui?

Ouin... Ma technique de jouer l'innocente n'est probablement pas la meilleure qui soit. Le grand singe m'adresse des yeux chargés de reproches me signifiant clairement : « Tu essaies un autre truc stupide de ce genre et je te saigne au beau milieu du salon. » J'applique donc à la lettre le brillant plan de mon conjoint, trafiquant de drogues.

— Il n'est pas rentré hier soir...

— Ah non? réagit le macaque tueur en amorçant un rapide tour du propriétaire.

En le voyant s'infiltrer dans la chambre d'enfants, mon cœur se serre. Je n'éprouve pas particulièrement d'affection à l'égard de mon mari actuel, mais certaines choses valent mieux ne pas être vues. Bredouille, il revient sur ses pas, arrête près de la table et prend le petit sachet d'herbe entre ses doigts. Il le relance avec désintérêt et il se plante devant moi, à deux centimètres de mon visage. Le primate regarde le parapluie que je tiens toujours fermement contre ma jambe et il rigole avec candeur en me rassurant :

— Ma belle Claire, tu sais que je te ferais jamais aucun mal. Mais ton con de mari m'en doit beaucoup… Dis-lui que je reviendrai à quatre heures tapant. S'il n'a pas mon blé, je lui casse les deux jambes.

Il marque une pause et il lève sa patte poilue – de la largeur d'un gant de baseball – vers mon visage. Il déplace alors avec délicatesse une couette de mes longs cheveux rêches derrière mon oreille. Je me sens si petite à côté de lui.

— Ma belle Claire, je comprends toujours pas ce que tu glandes avec ce *loser*. Je serais bon pour toi, moi… je prendrais soin de toi et de tes fils, moi…

Ah bon, changement de plan. Le chimpanzé ne souhaite pas m'égorger au beau milieu du salon, mais il désire plutôt que nous formions une famille reconstituée heureuse et épanouie, tout simplement! Mieux ou pas? Pas certaine.

Sans plus de fraternité, il tourne les talons et passe la porte en disant:

— Quatre heures...

Son bulldog de service muet, qui le suit au pas, sort sans refermer derrière lui. En claquant la porte, je repose mon arme à sa place et je verrouille à double tour.

— Esti de Landry à marde, s'insurge mon valeureux mari en venant me rejoindre dans le salon, les bras chargés de son butin illicite.

Comme je suis à présent un peu plus le déroulement de la comédie policière enlevante dans laquelle j'ai été catapultée, je lui demande en bonne enquêteuse:

— Tu m'avais pourtant dit que c'était lui qui t'avait eu sur un coup.

— Il est allé jouer dans les plates-bandes d'un autre territoire, pis là, il a besoin de les payer au plus sacrant. C'est pour ça qu'il me fait suer...

Ne comprenant pas trop les modalités et responsabilités d'un emploi au sein du crime organisé, je ne commente pas.

— Au fait, Claire, ses insinuations et tout... Est-ce que tu vas finir par me l'avouer un jour que t'as déjà couché avec lui?

— Quoi ?! Jamais !

Je suis outrée, même si rien ne m'indique si j'ai déjà oui ou non « fraternisé » avec le gros singe par le passé. Je suis possiblement une danseuse aux gros seins, mais j'ai tout de même une fierté ! Du moins, je l'espère…

— Bon… Qu'est-ce que t'as comme liquidités sur toi ?

— Euh…, que j'hésite, ignorant tout de ma situation financière actuelle.

Il se dirige vers la chambre et prend l'initiative de fouiller lui-même dans mes affaires. Il revient au salon avec une bourse horrible ornée de franges en fausse cuirette rouge. Si on se fie à la tangente de mon apparence douteuse depuis le début de ce foutu rêve, aucun doute que cette bourse m'appartient. Il en sort une bonne liasse de billets de banque. Il compte vite fait trois cent soixante dollars. Ah bon, j'ai au moins le mérite de bien gagner ma vie. Il me laisse un maigre soixante dollars et s'accapare tout le reste.

— Je vais tenter de trouver ce qui manque pour avoir la criss de paix, une fois pour toutes.

Il me tend ensuite le sac de papier brun et me demande tout bonnement :

— Peux-tu faire comme l'autre fois et l'enterrer ? À la même place, OK ? C'est très important.

— Quoi?

— Fais attention de bien replacer le carré de gazon pour éviter que les voisins se rendent compte de quoi que ce soit. Malgré que, le gazon du terrain vacant est tellement laid, un trou de plus ou de moins...

Misère, on s'en sortira pas! Comme ma mission à titre de complice semble plutôt élémentaire, je ne pose pas de question supplémentaire à ce sujet, mais je reviens plutôt sur un truc qui me chicote:

— Les enfants?

— Quoi, «les enfants»?

— Où sont-ils?

— À l'école, j'espère! L'intervenante de la DPJ passe te prendre à quelle heure?

— LA QUOI?

— T'as oublié? Pour aller chez ta mère.

«Ma mère? Elle s'occupe de mes enfants? Pourquoi la DPJ?» Me voyant ainsi m'enfoncer dans une marre de confusion, il vient à mon secours et m'explique:

— Claire, je sais que c'est difficile pour toi, mais mon avocat jure que, aussitôt le procès terminé, je serai blanchi des crimes contre la personne et les enfants pourront revenir à la maison. Une question de semaines seulement.

Le Gazon

Les jambes molles et le regard absent, je me laisse tomber à ses pieds sur le divan. Je fixe le vide. Le vide qui m'entoure. Le vide qui vient tout juste de remplir à ras bord chaque pièce de cet appartement minable. Que j'aie un *look* de danseuse, voilà une chose. Que deux singes débarquent chez moi pour casser les jambes de mon mari, ça aussi, c'en est une autre. Mais apprendre que mes enfants potentiels ont été pris en charge par les services sociaux à cause d'une connerie de Michel… Et que je suis restée avec lui, ici, au lieu de prendre soin de mes gars? C'est impensable!

— Mais qu'est-ce que t'as fait, bon sang?

— Ah, Claire, on reviendra pas là-dessus. Depuis le temps, tu sais que les comptes se règlent parfois avec des coups de poing. J'ai seulement frappé un peu trop fort cette fois-là et… peut-être pas sur la bonne personne non plus, mais bon…

Il a battu quelqu'un… Un innocent en plus! Je ne veux même pas en entendre davantage. Si Alexandre faisait une grave bêtise de ce genre, jamais je ne resterais avec lui au risque de perdre la garde de mes enfants.

Mielleux, il approche de moi.

— Bébé, j'ai besoin de toi. Tu sais que je t'aime plus que tout au monde.

Une fois de plus déçue de moi-même, je résiste à son accolade et je m'enfuis dans la chambre pour m'habiller.

À mon grand désarroi, je ne déniche rien de très décent à mettre, sauf un jeans noir trop serré et un chandail un peu court. Michel quitte les lieux en me saluant à voix haute du salon. En me dirigeant vers la cuisine pour ranger un peu, je songe à ma pauvre mère. «Elle garde mes enfants chez elle à la suite d'un jugement légal de la cour. Elle doit être folle d'inquiétude pour moi.» Je décide de l'appeler sur-le-champ en espérant que mes parents aient toujours le même numéro de téléphone.

En entendant sa voix au bout du fil, je la salue avec douceur :

— Allo maman, c'est Claire.

— Je sais. Je l'avais vu sur l'afficheur, fait-elle, d'un ton aussi glacial qu'une banquise de l'Antarctique.

Comme je ne trouve pas les mots pour amorcer la conversation, je m'en tiens au silence. Maman, qui a toujours eu le don de très bien faire sentir aux gens lorsqu'elle est en colère, enchaîne donc :

— Bon. Tu viens toujours à quinze heures trente ?

— Oui, oui, certain. Comment vont les gars ?

— Bien.

Silence froid. Le lobe d'oreille me gèle.

Le Gazon

— Maman… qu'est-ce qui s'est passé, bon sang? que je demande sans détour, comme si elle allait pouvoir me récapituler ma vie des vingt-neuf dernières années en un appel téléphonique.

— Il s'est passé que j'ai échoué, ma petite fille. J'ai échoué avec toi et je me rattrape avec les garçons. Voilà!

— …

— Quand ce con de Michel est entré au centre lorsque tu avais treize ans, on aurait dû te changer d'école, déménager et t'interdire de le voir à tout jamais. On s'en doutait que tu entretenais une relation avec ce petit gars-là et on n'a rien dit ni rien fait pour t'en empêcher. On faisait confiance à ton bon jugement. L'erreur…

«J'ai donc continué à fréquenter Michel après sa sortie du centre…» Je commence clairement à comprendre le fonctionnement de cette expérimentation.

Comme je ne réponds pas, ma mère iceberg rouspète:

— Je ne veux pas le voir ici cet après-midi, ton Michel, hein?!

— Non, non. Promis. À plus tard.

En raccrochant, je suis sidérée par ce que je viens enfin de piger. Le premier rêve représentait ma vie si j'étais restée avec Manuel et que j'avais été l'embrasser sur la bouche au parc. Le deuxième rêve illustrait ce qui serait arrivé si j'avais choisi Steve au détriment de Michel. Et dans le cas de Michel, je connais maintenant la suite...

Un téléphone portable vibre dans la chambre en émettant un sifflement d'oiseau. Je m'y rends. C'est Michel. Il m'envoie un message texte :

« N'oublie pas le "gazon". Je t'aime, mon bébé. Xxxxxx »

Ah oui, avec tout ça, j'oubliais que je dois officiellement m'incriminer comme complice de trafic de drogues et enterrer de la cocaïne dans la cour, et ce, en plein jour. Génial !

Je dissimule le paquet sous mon chandail trop court et je sors par l'arrière du bâtiment. Un vieux hangar de planches, qui semble tenir debout par la peur, se dresse dans le fond de la cour derrière l'immeuble de six logements où nous habitons. En ouvrant la porte aux gonds qui grincent, je remarque une pelle ronde appuyée sur le mur de bois. Étant donné que je dois enfouir des trucs prohibés ici de façon régulière, j'avais pris soin de laisser l'outil à la portée de la main. Je reconnais très bien mon sens pratico-pratique. Peut-être que, de temps à autre, j'enterre des cadavres aussi, un coup parti ! Va savoir !

Il m'a demandé de planquer le tout « à la même place que d'habitude »... Comment réussirai-je à repérer l'endroit en question? J'arpente alors le petit terrain vague tout autour à la recherche d'un espace vert ayant déjà été creusé.

À la fin de ma tournée rapide, je suis bien embêtée: deux espaces semblent propices. Un derrière le cabanon et un autre près de la clôture. La terre et le gazon de ces deux endroits semblent avoir été remués par le passé. J'en déduis que je n'avais sûrement pas sélectionné l'emplacement le plus évident et accessible, donc je tente le coup pour celui près de la clôture, qui me semble plus discret. J'effectue une première brèche dans la terre travaillée pour ne soulever que la calotte supérieure du gazon. J'y dépose le sac et je replace la motte avant de tapoter le tout du pied avec vigueur. Et voilà! Columbo Claire a rempli sa mission de caïd avec brio! Facile…

15 H 15

Je n'ai rien fait d'autre de l'après-midi que du ménage. Cet appartement en avait bien besoin! On cogne à la porte. Sachant que ce doit être l'intervenante qui vient me chercher, j'ouvre en accueillant chaleureusement la femme qui se tient devant moi d'un «bonjour» très motivé. Sans même daigner me sourire en retour, elle entre sans gêne chez moi. Elle fait un peu le même circuit que le gros singe a effectué tantôt. Elle semble chercher quelque chose.

— Michel n'est pas là?

— Non…

Coudonc, lui doit-il de l'argent à elle aussi ou quoi? Peut-être que si je lui refile en douce deux ou trois petits sachets de sucre enterrés dans la cour, elle me rendra mes enfants? Sûrement pas. Heureusement, j'ai pris soin de faire disparaître l'herbe magique et la pipe de verre sous un coussin du canapé avant son arrivée. Je me suis aussi changée de vêtements. J'ai trouvé un vieux *pull* de lainage beige faisant un peu grand-mère, mais bon, c'est toujours mieux que mon chandail bedaine de tout à l'heure. J'aime vraiment mieux avoir l'air d'une mémé décatie et un peu trop endimanchée que d'une prostituée pour aller rendre visite à mes enfants. Quoique même dissimulés dans ce chandail trop large et démodé, mes seins explosent néanmoins au grand jour telles les deux bosses sur le dos d'un chameau.

— Claire, ça fait peu de temps que l'on se connaît, mais je trouve que tu es une femme bien. Je sens aussi que tu aimes profondément tes garçons. La solution la plus simple serait que tu quittes Michel pour ravoir la garde de tes enfants et...

— Pas de problème! que je la coupe en souriant, ravie d'en arriver si facilement à une entente louable pour tous.

— Claire? C'est pourtant exactement ce que le juge t'a proposé au tribunal... Tes parents aussi te l'avaient suggéré, et tu as toujours refusé en disant que...

— Maintenant, je veux! Voilà! C'est réglé! Je vais lui annoncer à mon retour tantôt. Il doit revenir ici pour seize heures.

Le Gazon

— Eh bien ! Je suis surprise, mais heureuse de te sentir à ce point déterminée. Allons à la visite, alors ?

Arborant l'air serein d'une fille qui vient tout bonnement de quitter un homme qu'elle connaissait depuis à peine quelques heures, je lui emboîte le pas.

En arrivant chez mes parents, je constate qu'ils habitent à la même place. Notre maison familiale. Le camion de mon père n'est pas là. Dommage. Un amalgame d'odeurs bien familières remplissent mes narines aussitôt que la porte s'ouvre. Je capte d'emblée le parfum des fleurs séchées que ma mère aime tant et qu'elle garde depuis si longtemps. Je détecte aussi l'effluve sucré provenant des meubles antiques en bois qui vieillissent tranquillement un peu partout dans la demeure de mes parents. À ma grande surprise, tout semble à la même place, exactement comme dans la vraie vie. Seule exception : les photos de Laurie et Mathis sur le dessus du foyer ont été remplacées par celles de mes deux fils actuels. Les photos de moi sont aussi différentes.

— Bonjour ! que je fais, beaucoup trop enthousiaste compte tenu de la situation délicate.

Personne ne me répond. Ma mère hoche à peine la tête. Assis bien droit sur le canapé, mes fils fixent le vieux tapis usé du salon que ma mère aime tant. Je diminue mon enchantement d'un cran pour m'adapter davantage à la froideur de l'ambiance. Le plus vieux de mes garçons lève des yeux sévères vers moi pour me mitrailler du regard. Des plombs gorgés d'amertume transpercent mon cœur de maman. Ma mère, les bras soudés sous la poitrine, pince les lèvres pour contenir sa rancœur évidente à mon égard. Il faut se rendre à l'évidence, je ne suis manifestement pas la vedette de ce rassemblement familial.

Mes garçons sont si beaux. Grands et forts comme Michel, mais avec un peu de ma douceur dans leurs beaux yeux verts. Je m'assois près d'eux avec hésitation, comme si je craignais ne pas y être invitée. Le plus jeune craque et vient se blottir avec force dans mes bras en pleurnichant un « mamaaan » venant droit du cœur. Je réalise alors l'ampleur de la situation et le drame horrible que ces enfants traversent. Résignés à devoir habiter avec leurs grands-parents parce que leur mère a fait de mauvais choix. Je trouve tout à coup l'ensemble du portrait vraiment pénible.

L'intervenante entraîne avec discrétion ma mère vers la cuisine. Je reste un instant avec les garçons. À mon grand bonheur, le plus vieux délaisse finalement son air colérique pour se pelotonner à son tour contre moi.

— Qu'est-ce qu'on fait, les gars ?

Le plus jeune hausse les épaules pour me signaler son ambivalence. Me doutant que l'on discute à propos de moi dans la cuisine, je décide de me joindre à la conversation. En me voyant surgir, ma mère, les bras toujours cousus ensemble, m'accueille en me mettant d'emblée au défi :

Le **Gazon**

— Je ne te crois pas que tu vas le quitter, Claire.

Je songe : « Oui et, de toute façon, maman, peut-être que le gros babouin me débarrassera tout bonnement de lui autour de seize heures ce soir, donc… »

— Oui maman, crois-moi, c'est vrai cette fois.

Je retourne me rasseoir avec mes garçons en songeant à une façon toute simple d'avoir du plaisir avec eux.

Je remarque un jeu de Monopoly qui traîne près du foyer.

— Ça vous tente de jouer ?

Mon fils le plus jeune tourne alors vers moi le visage du petit garçon le plus heureux du monde. Mon plus grand bondit aussi de joie sur le divan avant de courir chercher le jeu.

— OUI !

Peut-être que je ne joue jamais avec eux ? Ma mère me confirme cette hypothèse en souriant à son tour très largement, comme pour m'encourager dans cette voie. Elle libère ses pauvres bras, qui devaient d'ailleurs commencer à être très engourdis.

— Je prends le chien ! crie mon plus jeune.

— Moi, le cheval, s'enthousiasme son aîné.

Je regarde le jeu de société ouvert et prononce :

— Moi, je vais prendre la botte…, en songeant que c'est, sans conteste, tout ce que je mérite.

En me reconduisant devant mon immeuble, l'intervenante de la DPJ propose de monter chez moi prendre un café pour discuter. Ouf… comme il y a de fortes chances qu'elle trouve dans le salon les cadavres de Michel et du gros singe gisant tranquillement l'un sur l'autre, je refuse en spécifiant que je désire être seule avec Michel pour lui annoncer notre imminent divorce. Je termine mon explication en lui faisant un grand sourire. Malgré sa perplexité face à ma motivation soudaine, elle me tapote le bras avec compassion et me souhaite bonne chance.

En franchissant le seuil de l'entrée de l'édifice, une anxiété aigre-douce face à la scène qui m'attend envahit mon intérieur, centimètre par centimètre.

Cette angoisse bien accrochée au cœur, je gravis l'escalier menant à notre appartement, de côté, en me tenant dos à la rampe telle une policière en mission tactique de haute importance. Je ne figure plus dans une pièce de théâtre d'été, mais bien dans une scène finale de film d'horreur, dont il ne manque que la musique lugubre de contrebasse. J'ai le sentiment de jouer le rôle d'une de ces sottes à la grosse poitrine qui s'embourbent toujours dans la merde jusqu'au cou pour se faire assurément tuer dans les dix dernières minutes du film. Cela risque fort bien de m'arriver, d'ailleurs…

La scène de long métrage d'épouvante se concrétise davantage au moment où je remarque la porte entrouverte de notre logement. La gorge nouée, je ferme les yeux un instant, question de me préparer mentalement à y apercevoir des corps décapités. Ayant déjà vu quelques fois des morts à l'hôpital, j'essaie de me convaincre que ça ne devrait pas être si pire. Quoique si Michel a été éventré au beau milieu du salon et que ses boyaux traînent un peu partout, ce sera tout de même un peu pire. Résignée à côtoyer l'horreur et prête à mourir à mon tour, advenant la possibilité que le gros singe soit encore vivant, je glisse ma tête par l'entrebâillement de la porte sans oser lui toucher. Comme je constate l'absence de cadavre aux entrailles répandues dans le salon, je pousse la porte et j'entre, toujours à pas feutrés. Contre toute attente, je réalise qu'il n'y a personne. « Bon, ils l'ont simplement kidnappé. Très belle initiative ! » J'éviterai ainsi les symptômes récurrents et douloureux du choc post-traumatique en me réveillant.

Mon cellulaire, qui claironne une ballade latino rythmée tout en vibrant, me fait sursauter.

— Ouiiii, que je réponds, craintive et convaincue que je me ferai demander une rançon de trois cent mille dollars sur-le-champ.

À moins qu'on me fasse plutôt parvenir un message secret avec des lettres découpées dans divers journaux ? Une voix inconnue rugit plutôt :

— Qu'est-ce que tu fous, viarge ?

— Quoi ?

— T'es encore en retard ! Sharon te remplace pour dix minutes, maximum. Emmène ton petit cul icitte au plus sacrant !

Le type raccroche. Tabarnouche... Mon patron au bar, je présume. Je travaille si tôt ? Je ne sais même pas où c'est ! Je cherche donc des indices dans ma bourse à franges. Bingo ! J'y repère un carton d'allumettes à l'effigie de Chez Élisabeth. Ce doit être l'endroit. Un texto de Michel entre au même moment :

« Où as-tu foutu le sac ? J'ai tenté de le déterrer tantôt et j'ai rien trouvé ! Apporte-le au bar avec toi... »

Donc, Michel n'est ni mort, ni ligoté dans un sous-sol... C'est pas très gentil, mais je suis presque déçue. En fait, ça m'aurait arrangée un peu que le gros singe le liquide, ni vu ni connu. Ceci dit, nous sommes-nous fait voler le butin ?

Je me change de nouveau en vitesse. En réalité, je conserve mon jeans noir trop serré et je choisis une camisole noire assez échancrée au niveau du col. *Sexy*, mais pas trop. En quittant, je décide de passer par l'arrière-cour pour valider qu'il a bien cherché à la bonne place. Sans aucune subtilité, une motte de gazon brunâtre est relevée derrière le hangar. «Ah, je m'étais donc trompée de cachette...» En me précipitant vers la clôture, je soulève le gazon et je m'empare du sac de papier brun qui gisait toujours au fond du trou.

J'utilise les soixante dollars que mon généreux mari m'a laissés en poche pour payer le chauffeur de taxi. En arrivant devant Chez Élisabeth, je constate avec grand regret que l'endroit ne semble pas très élégant. Dehors, près de la porte, une affiche déglinguée avec une flèche clignotante annonce : « Danseuses à partir de 15 h ». Mon pressentiment était bon. Si je suis une danseuse, je me suicide sans plus de cérémonies. J'irai tranquillement ingérer le contenu du sac de papier brun dans les loges afin de sombrer dans le sommeil profond de l'*overdose*. Une fin dignement tragique pour une danseuse esseulée aux gros seins qui a perdu la garde de ses enfants. J'espère très fort n'être qu'une simple serveuse…

L'escalier au tapis bourgogne crasseux qui mène à une grande porte de métal au sous-sol ne semble pas avoir été dépoussiéré depuis des siècles. Passant outre mon souci de propreté, je pénètre dans l'établissement sombre. La fenestration absente et les plafonds bas me donnent l'impression d'être prise au piège dans une vieille malle. Une forte odeur de renfermé et d'alcool embaume la vaste pièce. Des dizaines d'hommes sont accoudés sur un comptoir devant une scène rudimentaire sans décor où une fille portant une perruque blonde défraîchie se déhanche autour d'un poteau, en souliers à talons hauts, mais nue comme un ver. Doux Jésus! N'ayant jamais mis les pieds dans ce genre d'établissement de ma vie, je m'immobilise d'étonnement dans l'entrée. Nous sommes bien loin des chics clubs de stripteaseuses présentés à l'occasion dans les films américains. Je me demande si Alexandre a déjà fréquenté ce genre d'endroit...

Un culturiste au cou presque aussi large que ses épaules et mesurant plus de six pieds me dévisage avec l'air de quelqu'un arrachant des têtes comme loisir le samedi matin.

Un homme chauve et grassouillet, très en colère, fonce droit sur moi.

— Claire, viarge, fais-moé pu jamais ça!

Il me lance un tablier de taille en cuir souple.

— Ah! Je ne danse pas!

Le dodu employeur me dévisage avec rancœur.

— Je le sais ben... Mais je sais ben pas pourquoi je t'endure depuis deux ans, avec toutes les niaiseries que tu fais!

J'ai donc un minimum de fierté. Bravo, Claire! Mais quelles niaiseries, au juste?

— Allez! me presse le chauve personnage en me tapotant impoliment une fesse.

— OH! que je m'oppose en le mitraillant avec des yeux de guenon n'ayant pas l'échine si souple.

— Bon, bon, bon! Fais pas ta sainte-nitouche, là.

Il gronde quelques sons de gorge à peine audibles avant de décamper au trot.

En rejoignant ma collègue déjà en poste, je lui souris, pour être sympathique. Sans trop de façon, elle lève le menton vers moi tout en mâchouillant une imposante gomme rose avec beaucoup d'ardeur. Elle m'analyse de la tête aux pieds.

— S'lut! m'envoie-t-elle finalement, sans cesser de mordre à pleines dents dans sa gomme telle une affamée du tiers-monde qui vient tout juste d'être nourrie.

Au son des bruits de succion qu'elle effectue avec sa langue, je range ma sacoche laide sous le comptoir en songeant que j'ai tout de même une impressionnante cargaison de cocaïne à bord. Selon moi, la totalité des gens présents ici n'hésiterait pas une seconde à me liquider à mains nues afin d'en hériter.

J'ai à peine le temps de servir deux bières à des clients qui me reluquent avec perversion, tout en bavant comme des saint-bernards sur le comptoir, que mon patron potelé réapparaît pour m'annoncer avec discrétion:

— Va tout de suite dans l'isoloir 4, ton client veut te voir...

Il relève ensuite la tête pour regarder vers la scène, l'air nerveux.

Horrifiée, je le dévisage comme une coiffeuse qui voit apparaître un chauve dans son salon. Un client? Et pas n'importe lequel à ce qu'il paraît: rien de moins que «le mien». Je ne danse pas, mais je me farcis des clients dans les isoloirs? Qu'est-ce que je leur fais au juste? Moi qui commençais tout juste à regagner un peu d'estime de moi-même...

— Et il n'a pas l'air très content. Viarge, fais ça propre, Claire. Si tu me mets dans la marde, je te fous dehors...

Euh... Faire quoi «propre»? Et MON client n'a pas l'air content, en plus? Je suis terrorisée, voilà tout. Je songe sérieusement à m'éclipser en douce en me faufilant entre les jambes du mastodonte au gros cou qui guette la porte.

— Tu le connais depuis si longtemps, me semble tu dois savoir comment le prendre..., susurre-t-il en me décochant le clin d'œil le moins subtil de l'histoire.

Ah! Je pense comprendre. Ce doit être Michel qui se cache dans un isoloir afin que je lui remette le sac de façon subtile. Depuis que je collabore étroitement à ce réseau de trafic de stupéfiants, je raisonne comme une criminelle! J'agrippe donc ma sacoche comme si de rien n'était. La serveuse à la gomme lève une fois de plus le menton vers moi, comprenant que je m'en vais «faire un client». Je me dirige vers la rangée d'isoloirs rudimentaires qui se trouve au fond de la pièce. Le quatrième? Il y en a dix. Ne sachant pas de quel côté je dois commencer à compter, je choisis aléatoirement le quatrième à partir de la gauche. En tassant du revers de la main l'épais rideau marron faisant office de porte, j'aperçois aussitôt une femme accroupie et de dos qui exécute une fellation à un homme d'âge mûr. En voyant les yeux pétrifiés du pauvre client surpris, je referme aussitôt l'épaisse draperie d'étoffe. «Misère, on s'en sortira pas! Inscrivez des numéros quelque part, question qu'on puisse s'y retrouver plus facilement!» Je compte donc en sens inverse et j'ouvre avec crainte le rideau de l'isoloir où je suis supposément attendue. Lorsque je constate que ce n'est pas Michel qui s'y trouve, mais bien le gros singe qui envisage de lui casser les deux jambes, j'esquisse un mouvement pour battre en retraite. Il m'accroche alors le bras pour m'attirer très près de lui.

— Ma belle Claire, fais pas ta farouche…, grogne-t-il en m'empoignant la taille de ses deux immenses gants de baseball poilus.

— Oupelaïe! que je grommelle d'hésitation, incertaine de ce qu'il me veut.

La réponse arrive assez vite, merci. Il me lâche un peu pour dénouer sa ceinture et il descend avec urgence la braguette de son pantalon. Comprenant donc que les soupçons de mon cher mari concernant ma relation extra-conjugale avec le gorille s'avéraient justes, je recule un peu vers le rideau en tenant mon sac à main très près de moi, comme pour me protéger. L'exposition imminente de son énorme phallus de babouin me terrifiant au plus haut point, je lève une main en disant :

— Attends !

« Je ne tiens pas du tout à voir ça... » L'air diverti, il m'écoute et interrompt sa manœuvre en me souriant en coin. Je pense vite comme l'éclair. « Mon mari lui doit de l'argent. Je n'en ai pas, mais j'ai autre chose... »

— Tiens ! que je fais en sortant le sac de stupéfiants de ma bourse. Michel m'a donné ça pour toi !

Les sourcils arqués, il ouvre le sac et jubile de bonheur :

— *Oh yes! Oh yes!*

Profitant du fait que son attention est maintenant focalisée sur son cadeau en poudre, je me faufile à l'extérieur avant de lui annoncer :

— Bon ! Je retourne travailler. Bye !

— Claire ! crie-t-il au moment où je sors en esquissant dans le vide un mouvement pour m'agripper.

En trottant vers le bar avec l'objectif d'aller me blottir dans les bras de la mâcheuse de gomme compulsive afin de recevoir un peu de réconfort, je fonce dans Michel qui me retient alors par les coudes pour m'empêcher de trébucher.

— Bon, t'es là ! Le sac ?

— Euh… je ne l'ai plus. Euh… Je l'ai donné à lui !

Au même moment, je lui montre du doigt le gros singe, qui sort de l'isoloir en remontant sa fermeture éclair, l'air bienheureux du service reçu.

— QUOI ?

En beau fusil, Michel se lance à la poursuite du macaque. Sa cible se met alors à zigzaguer entre les tables du bar pour se ménager une fuite. La danseuse sur scène, rendue visiblement à l'étape cruciale d'enlever sa petite culotte, poursuit sa manœuvre en faisant fi de la chasse à l'homme qui se déroule devant elle. Michel réussit à agripper le manteau de cuir du babouin, le faisant ainsi tomber à la renverse sur une table. Importuné par le chahut, un client tout près de là se lève rapidement pour éviter d'être mêlé au conflit. Il remonte à la hâte son pantalon en criant :

— Non, s'il vous plaît. J'ai rien fait ! J'ai rien fait ! Je le jure !

Misère !? Qu'est-ce qu'il fricotait, lui ? Des coups de poing sont portés de part et d'autre. Devant la féroce bagarre en cours, le bonhomme chauve s'approche de moi en me rugissant par la tête :

— Qu'est-ce qui se passe ? Qu'est-ce que t'as encore fait ?

Je le mire sans m'expliquer en arborant le regard repentant de la jeune fille qui s'est fait prendre à copier lors d'un test en mathématique. Il jette alors un œil perplexe vers le client qui clame toujours son innocence les deux bras bien hauts, les pantalons relevés, mais pas encore attachés. Je précise pour que ce soit bien clair :

— Ah non, pour lui, je n'ai rien à voir là-dedans. Je pense qu'il se masturbait tranquille sous la table…

Dans la confusion la plus totale face au chaos sévissant dans son établissement, le pauvre propriétaire me crie par la tête :

— Dehors, Claire ! T'es renvoyée !

— Parfait ! Merci ! que je me réjouis en filant à l'anglaise vers les escaliers menant à l'extérieur.

Le portier géant me fusille une fois de plus d'un regard funeste tandis qu'il accourt vers le lieu du combat pour tenter de prendre le contrôle de la situation. C'est trop ! Tout ça est juste trop ! Je saute dans un taxi.

Au milieu de la course, je réalise avec grand regret qu'il me reste à peine quelques dollars de l'argent que Michel m'a laissé ce matin. Comment vais-je payer le chauffeur ? Certainement pas en nature ! Quoique je semble avoir développé une certaine expertise dans le domaine…

Je réalise à cet instant précis que j'ai encore en ma possession mon tablier de serveuse, bien accroché à ma taille. Je glisse mes doigts à travers la liasse de billets qu'il contient. Bon sang ! Sans m'en rendre compte, je viens de voler le tenancier dégarni. Si le karma existe, j'espère que la non-conscience des actes est prise en considération lors du compte final…

Ravie d'écarter la troublante possibilité de devoir exécuter un truc sexuel au chauffeur en guise de paiement, je réfléchis à une façon simple de m'endormir pour que ce cauchemar prenne fin. «Si je me fie aux scénarios précédents, le rêve se termine toujours au moment où je m'endors. Comme il n'est pas très tard, j'aurais besoin de forts calmants comme la dernière fois…»

Je barricade stratégiquement la porte du petit appartement en déplaçant devant le secrétaire de l'entrée. Malgré le fait que n'importe quel gros primate de ce monde pourrait faire voler en éclats ce meuble d'un seul coup de patte, je me sens tout de même plus en sécurité. Je cherche partout de quoi m'aider à m'endormir. Zut! Je ne trouve rien. Pas de pilules nulle part.

En m'échouant de découragement sur le divan, j'envisage une possibilité… Une option illégale, certes, mais bon, au point où j'en suis. L'herbe… Oui, excellente idée! L'unique fois que j'ai fumé de la marijuana dans ma vie, c'était à treize ans et avec Michel, justement. Je me souviens avoir plané un moment avant de m'endormir comme une bûche sur l'accoudoir d'un fauteuil en plein milieu d'une fête bruyante.

Je sors donc le petit sac et la pipe cristalline que j'avais dissimulés sous le coussin. Avec la maladresse d'une toxicomane débutant sa carrière, je remplis le récipient et je sors un briquet de ma bourse laide. Avant d'embraser le tout, j'entrevois la scène actuelle, mais de l'extérieur, comme si j'en étais spectatrice. «Tabarnouche! Je ne voudrais jamais que mes enfants ou Alexandre me voient...» J'enflamme la verdure illicite avant d'en tirer une grande bouffée. D'un coup, des aiguillons me transpercent la gorge et je m'étouffe raide. Le goût est franchement mauvais. Tout de même motivée à la tâche, j'inspire avec détermination trois bouffées supplémentaires avant de basculer lourdement mon corps contre le dossier du canapé. Comme submergée d'une nappe de brume, ma vision se trouble presque instantanément. Je sens les parois de mon corps s'épaissir. Mes membres ne semblent plus ressentir aucune sensation, comme si ma tête était une entité distincte de ma masse corporelle. Je suis complètement givrée. Je prends alors mes énormes seins à deux mains et je m'écroule de rire. «Hi! hi! hi! Mes grosses boules, ça n'a aucun maudit bon sens... Hi! hi! hi...»

Dingo, au beau milieu du salon, je rigole sottement un bon moment jusqu'à ce que la tête me tourne.

— Ooooh...

Craignant presque de vomir, je m'allonge au complet. Une fois à l'horizontale, mes nausées cessent et je ressens alors un très grand calme. Mes yeux détaillent quelques craques de peinture au plafond. Je ne pense à rien. La toile de fond dépeignant mes pensées se vide. Le néant. Mes paupières s'alourdissent. Je plane un instant ainsi, les yeux clos, en sentant tout mon être faire des mouvements légers comme si je me trouvais dans une barque portée au large par de douces vagues. La barque de ma vie, que je dois mener, probablement. Le corps lourd et apaisé, je laisse mon esprit s'envoler tout doucement vers d'autres cieux…

Entre ciel et terre

Sans aucune surprise cette fois, je reviens à moi sur le nuage blanc, toujours emmitouflée dans ma couverture. Je savoure pendant un bref instant le confort de mon lit.

Une fois de plus dépassée par ce que je viens de vivre, j'expire par la bouche de façon audible pour signifier mon désarroi à ce dieu-machin-chouette, qui doit encore m'épier de son trône perché dans l'au-delà.

— Fffff…

— Décidément, vous vous éclatez, Claire ! Ha ! ha ! ha ! rigole la voix, s'amusant toujours gaiement à mes dépens.

— C'est votre faute, avec vos histoires à dormir debout ! C'est quoi l'idée ? Jamais de ma vie je n'aurais pu devenir cette femme! Voyons? Abandonner mes enfants pour rester avec un vendeur de drogues! Franchement, vous êtes allé beaucoup trop loin cette fois!

— Mais si vous aviez fait des choix différents au tout départ, Claire?

— Jamais!

— Qu'avez-vous remarqué de particulier dans ce rêve?

— Que le trafic de drogues, ce n'est pas pour moi! Les gros seins de silicone non plus, d'ailleurs! Justement, parlant de ça, on ne pourrait pas laisser ma poitrine tranquille un peu?!

— Sérieusement... Réfléchissez bien, Claire...

Je me tais pour songer à la question. «Ce que j'ai remarqué de particulier...» Ne sachant pas du tout quoi répondre, je hausse les épaules.

— Vos parents? m'oriente-t-il.

— Mes parents, quoi? Ils auraient été là pour moi si j'avais eu des difficultés? Je le savais déjà, mon cher.

— Non, autre chose, pensez-y...

Je me remémore mon sentiment en entrant dans la chaumière de mon enfance. Les odeurs. Les meubles. Ma mère. Je crois alors comprendre où il veut en venir.

— Leur vie était exactement pareille...

— Voilà.

— C'est donc dire que ceux-ci avaient fait les mêmes choix? Leur vie était identique. Seuls les éléments provenant de la mienne, comme les photos, différaient…

— Vous cheminez, Claire…

Je réfléchis. C'est exactement ça. Mes parents avaient emprunté les mêmes chemins, les mêmes cours d'eau. Tandis que moi, j'avais bifurqué.

— C'était peut-être leur destin, justement.

— C'est ce que vous croyez?

— Je ne sais pas trop, mais dans le cas contraire, ça signifie que j'aurais vraiment pu être cette pauvre femme?

Il ne répond pas. Cela indiquerait que la personnalité d'une personne peut changer, ses valeurs aussi, en lien avec les choix qu'elle fait… Cela me semble toujours aussi invraisemblable.

— On peut mettre un terme à l'exercice, s'il vous plaît? que je supplie avec douceur, en désirant du fond du cœur tout simplement réintégrer ma vie.

— Pas encore, Claire. Par contre, je tiens à vous rassurer: la suite sera moins pénible! Naturellement, en vieillissant, vos choix s'avèrent moins lourds de conséquences.

La suite… Qui sera le suivant? Ah oui! Je me doute bien dans la vie de quel homme je débarquerai à présent. C'est vrai que ce ne devrait pas être si mal. Quoique, sait-on jamais? Comme je désire terminer cette aventure au plus vite, je m'allonge et je ferme les yeux.

— À plus tard, que je fais, résignée à devoir poursuivre cette expérimentation jusqu'au bout.

— À tout de suite, plutôt…

Quelque part, probablement le 10 juin

En m'étirant les bras sur le côté des flancs, je bâille un bon coup. Même si je rêve depuis tout ce temps, on dirait que je me sens un peu fatiguée. Les aventures que je vis m'ont assurément drainé beaucoup d'énergie. Je me love un peu dans une couette de duvet qui ressemble drôlement à la mienne. La literie sent bon et frais. J'ouvre les yeux peu à peu en clignant des paupières.

Ah bien, dit donc… Pour la première fois depuis le début de cette expérimentation, mon environnement me ressemble enfin. Des rideaux blanc cassé avec de petites fleurs bleues discrètes dans le bas sont tirés devant les fenêtres. Le mobilier en noyer brun foncé est bien assorti à la peinture beige clair des murs et au tableau représentant un grand lis bleu royal surplombant le lit dans lequel je me trouve. Ravie de faire preuve pour une fois d'un peu de goût en matière de décoration, je m'étire de nouveau en admirant avec joie ma chambre, comme si le fait que le couvre-lit soit agencé au reste s'avérait quasi exceptionnel. «Ce sera une perspective de vie paisible, je le sens.» En vérité, je dois vite reprendre un peu de confiance personnelle concernant les racines profondes de mon équilibre mental.

Presque emballée à l'idée de rencontrer mes nouveaux enfants et mon mari, je m'élance d'un pas motivé à la recherche de ma famille. Nous ne vivons pas dans une maison, mais bien un appartement, possiblement un *condo*. La décoration des pièces adjacentes demeure aussi coquette que celle de la chambre des maîtres, et surtout, tout est impeccable. Voilà, c'est bien moi, ça! Cependant, les lieux semblent déserts…

En ouvrant les portes une à une, je découvre une première chambre d'enfant. Une fillette assurément, car tout est rose bonbon et une montagne de peluches garnissent le lit. Je remarque près de la fenêtre des photos d'elle avec un autre garçon, sûrement son frère. Un homme se trouve sur la photo derrière les enfants. Il me tient par la taille tandis que je souris de toutes mes dents. J'agrippe la photo qui tenait au mur à l'aide d'une petite boule de gomme adhésive bleue. Si le cliché s'avère récent, mes enfants semblent encore jeunes. Nous avons donc décidé de procréer sur le tard! La fillette aurait tout au plus cinq ou six ans, et le jeune garçon, environ huit ans. Les yeux toujours rivés sur le portrait familial, je reconnais bien évidemment l'homme en question, comme je le présageais. Mon deuxième vrai amoureux…

En rassemblant nos effets personnels devant notre case, Nathalie m'informe de la nouvelle de l'heure qui circule dans tous les couloirs de la polyvalente.

— Il paraît que le nouveau a une moto…

Peu intéressée par les garçons depuis la fin tragique de ma relation avec Michel il y a plusieurs années déjà, je réponds avec peu d'enthousiasme :

— Ah ouin…

— Claire? Est-ce que tu vas regretter toute ta vie d'avoir cassé avec Michel, il y a mille ans, et bouder les gars pour le reste de tes jours? En plus, tu sais quoi? Je l'ai vu te regarder pendant le cours de math tantôt…

— Pfft! Non…

— En tout cas, il n'a pas de blonde, à ce qu'il paraît. Si tu ne veux pas aller au bal toute seule, il faut t'y mettre…

En secret, la perspective que le nouveau gars de notre école s'intéresse peut être à moi me réjouissait. Mais je me disais aussi que des filles beaucoup plus jolies que moi n'avaient pas de chum, elles non plus.

Le Gazon

Depuis Michel, je m'étais rapprochée seulement d'un autre garçon. L'été entre mon secondaire trois et quatre, mes amies et moi avions pris des bières en cachette dans le parc avant de se rendre sur le site d'un festival. Un peu soûle, j'avais embrassé un gars que je connaissais à peine pendant une heure, derrière les toilettes publiques de la côte du parc Jacques-Cartier. Je ne me souviens même pas de son nom. Mathieu ou Mathias ? Bof, il n'embrassait pas très bien de toute façon.

Le nouveau est un beau gars, mais il ne parle à personne depuis le début de l'année scolaire. Il ne se rend jamais à la salle publique durant les récréations et il semble toujours manger ailleurs le midi, car je ne le vois pas à la cafétéria non plus.

— Bon ben, bye ! À demain ! me dit Nathalie qui s'éloigne vers les grandes portes pour aller prendre son autobus.

— Bye !

Dehors, en me dirigeant à mon tour vers mon transport, un bruit de moto attire mon attention. Le véhicule jaune qui me ramène chaque soir à la maison est situé au bout de la grande file, tout près du stationnement des élèves. J'aperçois alors une moto qui recule d'un espace de stationnement. Curieuse, je ralentis un peu le pas, en me demandant s'il s'agit bel et bien du nouveau.

Une fois positionné de face pour sortir de la cour, le gars, qui n'a pas encore rabaissé sa visière, lève les yeux vers moi qui suis à quelques mètres des escaliers de mon autobus. Je dois sembler un peu bizarre, car je le regarde sans bouger. Réalisant que j'ai effectivement l'air stupide, je me tourne pour poursuivre ma route, mais je l'aperçois alors qui lève un bras pour me faire signe d'attendre. Ce que je fais.

Il avance sans effort sa motocyclette en laissant ses pieds voler au-dessus du sol de chaque côté. Pour s'immobiliser près de moi, il pose avec fermeté ses deux bottes d'armée noires bien à plat sur l'asphalte. Sans me saluer, il me demande :

— T'es dans mon cours de math, toi, hein?

— Euh... Oui, pourquoi?

— Aujourd'hui, j'ai rien compris à l'algèbre... toi?

— Ben...

— Faut absolument que je passe mes maths pour que mon père me laisse m'inscrire en mécanique. T'es-tu bonne?

— Pas la meilleure, mais je me débrouille.

— *J'ai besoin que quelqu'un m'aide... On pourrait peut-être se voir demain après l'école ?*

— *OK, que je fais, un peu nerveuse.*

— *Moi, c'est Pierre.*

— *Claire !*

— *Super ! À demain ! confirme-t-il en me souriant.*

Il baisse alors sa visière et il repart en douce sur son cheval de métal qui ronronne en tournant le coin de la cour d'école. En le regardant disparaître au loin, je songe : « Il a l'air gentil... et il a une moto. C'est top ! » Je monte dans l'autobus, le cœur un peu plus léger que lorsque je suis arrivée ce matin...

Nom de l'ex-conjoint : Pierre Desrosiers
Date de rencontre : 12 septembre 1989
Lieu : École secondaire Leber
Durée de la relation : 6 mois

Pierre était déménagé à Sherbrooke juste avant la rentrée des classes de mon secondaire cinq. J'avais aussitôt craqué pour ce rebelle atypique, qui ne faisait pas dans le crime ou la vente de drogues, mais qui était plutôt un maniaque de motocyclette. Au départ, je l'avais vu, tel que convenu, pour l'aider avec ses mathématiques. Son père exigeait ferme que celui-ci passe son cinquième secondaire même si ce n'était pas nécessaire pour s'inscrire en mécanique. Il venait d'une bonne famille.

Au fil de nos rencontres, il avait commencé à me draguer et à peine quelques semaines plus tard, c'était officiellement mon *chum*. Comme mes parents refusaient catégoriquement que je monte sur sa moto, nous faisions des balades en cachette, durant la pause du midi ou, parfois, le soir après l'école. Je me souviens que j'avais toujours un peu peur lorsque nous faisions de la moto, mais je le dissimulais bien pour ne pas lui déplaire. J'ai passé des heures, dans le garage de la maison de ses parents, à l'écouter parler de moteur et de transmission, la bouche grande ouverte pour boire ses paroles, en amour par-dessus la tête avec lui ainsi qu'avec tout ce qui le passionnait.

Même si Pierre avait beaucoup de caractère et en imposait, notre relation avait somme toute été fort agréable et sans problème. J'ai vécu une effroyable peine d'amour lorsque ses parents, tous les deux avocats, avaient dû déménager dans la ville de Québec vers la fin du mois de février. Nous étions restés en contact. Comme c'était le temps des inscriptions pour le cégep, il tentait de me convaincre de faire une demande au cégep de Limoilou dans sa ville d'accueil pour que nous soyons à nouveau réunis. En partageant l'idée à mes parents, ceux-ci avaient bien évidemment refusé. Il y a un cégep directement à

Le **Gazon**

Sherbrooke à dix minutes de leur maison, donc à quoi bon déménager ailleurs et payer un appartement pour rien. Dévastée, mais tout de même raisonnable, j'avais renoncé à mon aspiration illogique. Mon manque de motivation face à notre projet d'avenir commun l'avait offusqué et déçu, donc il m'avait quittée. Triste fin. J'avais choisi d'être plus prudente que passionnée, fidèle à moi-même en prenant cette décision déchirante. Tout compte fait, il était bien ce garçon, ça ne me surprend pas du tout que notre vie ensemble ait l'air bien et respectable.

Ma vie avec Pierre, le 10 juin

Je repose la photo à sa place et j'en prends une autre. Elle présente Pierre et moi dans un décor désertique, près d'une moto. Il doit s'agir du Grand Canyon, quelque part aux États-Unis. Je parais si jeune et belle. À cet instant, je prends conscience de mon corps un peu en touchant mon ventre et mes hanches à travers mon pyjama de coton léger. Étrangement, je me sens exactement la même. J'ai les mêmes petites rondeurs, je ne suis pas plus grosse, pas plus mince et, surtout, je ne suis pas l'heureuse proprié-taire de faux seins démesurés ! Je tâte un peu ma poitrine menue et un peu molle avec la plus grande joie du monde. Mon regard retourne aux clichés sur le mur. Ma fille est jolie, blondinette comme Pierre. Mon fils est un peu plus foncé par contre, donc plutôt comme moi. Il a le regard espiègle de mon Mathis.

En me rendant ensuite à la chambre de mon fils fictif, j'en déduis en y mettant un pied qu'il est un grand sportif. Des ballons traînent un peu partout au pied de son lit et une tapisserie imitant une patinoire de hockey recouvre la partie supérieure des murs de sa chambre à partir de la moitié. Deux gros oreillers de corps en forme de gardien de but reposent sur sa douillette. Un casse-tête inachevé sur un grand carton est glissé aux trois quarts sous le lit. Je réalise de plein fouet, à ce moment précis, à quel point mon Mathis est rendu grand. Tabarnouche! Il ne voudrait plus d'une chambre de bébé comme ça, préférant de loin vivre la majorité des moments de sa vie la tête enfouie dans le frigo!

Je me déplace au salon dans une sérénité à faire pâlir de jalousie le Dalaï-Lama en personne. J'inspecte notre bibliothèque: des livres d'enfants, des romans, des livres de cuisine[11]... Je me demande si je suis infirmière. Probablement. C'est ce que j'envisageais comme choix de carrière à l'époque. Peut-être sommes-nous restés ensemble malgré la distance qui nous séparait. Ceci dit, où est tout le monde à cette heure hâtive? Étrange.

---

11. Des romans d'Amélie Dubois...

Le Gazon

Je commence à me faire un café, à l'aise comme si je me trouvais à la maison. Je souris. Un bruit dérange ma quiétude du moment. La chasse d'eau des toilettes. Ah bon, il y a quelqu'un ici, finalement. C'est alors qu'une porte s'ouvre au fond du salon. Une femme inconnue en sort. Je fige.

— Bon, je me sauve ! À tantôt, ma chérie !

Elle avance vers moi et m'embrasse à l'arraché sur la bouche avant de se diriger en coup de vent vers la porte pour sortir[12]. Je reste en position statue, incapable de bouger un seul de mes membres. La porte claque en se refermant. Le regard toujours bien accroché au mur devant moi, je cligne quelques fois des yeux. Bon sang... Qu'est-ce qui vient juste de se passer ? Une femme m'a embrassée sur la bouche ? Ce ne peut donc être ni la femme de ménage ni ma belle-sœur, on s'entend. Qu'est-ce que c'est que cette histoire, encore ? Suis-je lesbienne ? Impossible, les photos partout, avec Pierre et les enfants... Je trompe donc mon mari avec une femme ? C'est le comble ! Franchement !

— C'est du gros n'importe quoi ! que je crie avec désespoir au mur du salon devant moi.

À dire vrai, je suis quasi insultée. Je n'ai rien contre les homosexuels, mais je n'en suis pas une ! Je sais très bien

----

12. Re-bruit de criquet.

que je ne suis pas «aux femmes». Ici, ce Dieu du rêve pousse le bouchon un peu trop loin, je pense...

J'attrape le cellulaire qui traîne sur le comptoir de la cuisine. Le mercredi 10 juin. Aucune surprise ici, quoique nous sommes en pleine semaine... Où sont donc mes enfants et mon mari? Le cellulaire vibre dans mes mains au même moment. Le surnom de l'inter-locuteur qui m'envoie le texto me laisse perplexe: «L'enculé». Mon Dieu! Qui est-ce que je surnomme impoliment de la sorte? Pas tellement mon genre de farce...

«Pour ta demande d'hier, à minuit le soir (??) je te réponds: "Va chier". J'ai besoin de toi au garage à 8 h 30.»

Qui ose s'adresser à moi de façon aussi irrévéren-cieuse? Pierre? Sûrement pas. À moins que nous fassions des blagues... Je trouve ça très inadéquat comme ton de conversation. Au garage? Ce doit vraiment être Pierre. Il a un garage? Je trouve alors une sacoche qui doit sans doute m'appartenir. Je fouille le contenu du portefeuille qui se trouve à l'intérieur pour tenter d'en apprendre davantage. Je tombe sur quelques cartes d'affaires, toutes identiques – avec l'adresse, le courriel et un numéro de téléphone.

Garage Pierre et Claire Desrosiers
La paix d'esprit pour une conduite sans soucis

Le Gazon

J'habite la ville de Québec... Voilà qui explique certaines choses. Le « passé potentiel », comme dit si bien le gourou dans le ciel. Mais... je ne suis pas lesbienne, bon ! Impensable ! « Peut-être est-ce seulement une grande amie très affectueuse », que je tente de me convaincre en faisant une grimace dans le vide, qui même lui, ne me croit pas.

Ceci dit, si j'ai fait mes études en soins infirmiers à Sherbrooke comme prévu, pourquoi suis-je propriétaire du garage avec lui ? Peut-être que je suis allée étudier à Québec, en fin de compte, possiblement même dans un autre programme...

Toujours prisonnière d'un abîme rempli à ras bord d'incertitudes, je m'habille en vitesse. Tant pis pour le café. Des vêtements sobres et modes qui me ressemblent encore beaucoup garnissent ma garde-robe. Une fois habillée, je me dirige vers la salle d'eau pour y faire un brin de toilette. Je réfléchis... Je retourne finalement vérifier quelque chose dans la seule garde-robe présente dans la chambre. Un détail m'a frappée... Curieusement, il ne contient pas de vêtements d'homme. J'ouvre alors un à un les tiroirs de la grande commode qui trône au milieu de la pièce face au lit. Aucun effet personnel appartenant à Pierre ici non plus... N'habite-t-il pas avec nous ? Ne me dites pas que je cohabite avec cette femme de façon officielle, comme dans le mot « couple » ? Je commence à en avoir ras le pompon, de toutes ces idioties !

Tendue comme une corde à linge, je saisis mon trousseau de clés et je remarque celle d'une voiture Toyota qui pendouille. Voilà le véhicule à dénicher dans le stationnement. Je préférais de loin la Mercedes, mais bon.

Je repère aussitôt la seule voiture de cette marque bien garée dans la cour extérieure de notre immeuble à *condos*. Une voiture assez récente, d'ailleurs. Une fois à l'intérieur, j'y trouve diverses traîneries de mes enfants : une gourde de sport, des petits souliers de ballet, une couverture rose, une figurine de Transformers et quelques biscuits Ritz bien écrabouillés sur la banquette arrière[13]. « Peu importe la vie, les enfants ne se ramassent jamais ! », que je conclus en inscrivant l'adresse du commerce sur l'écran du GPS, qui reposait sur le siège du passager.

En me garant dans le stationnement de l'impressionnant garage à quatre portes, j'oublie momentanément les événements troublants de ce matin et je me sens tout à coup très fière de notre réussite conjugale. Quand même ! Je ne sais toujours pas si je ne fais que ça dans la vie où si je travaille également comme infirmière, mais nous possédons là une belle entreprise familiale. Voir mon nom en gros sur l'affiche devant l'édifice me fait même un petit

---

13. Peu de parents doivent se reconnaître ici... Pfft ! ☺

velours à l'ego. Je constate que des travaux extérieurs récents ont été effectués. Une partie de l'asphalte de la grande cour est neuve et une grande bande de terre noire longe le stationnement.

Dès que je passe la porte, la secrétaire en poste me paraît familière. Elle relève la tête. Doux Jésus! C'est la femme qui était chez moi ce matin...

— Bonjour, madame Aubry.

Madame Aubry? Elle me dévore maintenant du regard, la bouche en cœur. Ayant désormais viscéralement peur d'elle, je la salue et je m'enfonce à vive allure dans le corridor devant moi sans même savoir où je vais. Mais qu'est-ce que c'est que cette galère? La secrétaire de notre entreprise familiale vient chez moi et m'embrasse sur la bouche? Adoptant l'air de la femme qui connaît l'endroit comme le fond de sa poche, j'avance, dans l'espoir d'y croiser Pierre. La secrétaire me rappelle:

— Madame Aubry?

Je m'immobilise, craintive.

— Est-ce que vous savez si c'est aujourd'hui qu'ils viennent installer le gazon dehors? Comme ça a changé de date trois fois, je ne suis plus certaine...

— Je ne sais plus...

L'air de marcher sur des charbons ardents, je poursuis ma route jusqu'à ce que j'aboutisse devant un premier espace de bureau. J'entre. C'est le mien assurément, car des photos de moi et des enfants s'y trouvent ainsi qu'un cardigan de femme de couleur corail. Par curiosité, je me dirige vers la seconde pièce pour explorer davantage les lieux. Je croise tout de suite après ce que je crois être le bureau de Pierre. Des photos similaires de nos enfants reposent dans deux petits cadres près d'un ordinateur. Des outils et des vis sur le bureau, ainsi qu'une boîte ouverte au sol renfermant des pièces usagées de moteur automobile, s'y trouvent. Je reviens vers le premier bureau et je m'installe avec hésitation dans le grand fauteuil. Tout est bien rangé, chaque chose à sa place. Tout à fait moi, encore une fois.

Sans crier gare, Pierre surgit de nulle part et il pénètre en trombe dans la pièce sans me saluer. Il referme avec fracas la porte derrière lui. Ambivalente quant à l'attitude adéquate à adopter, je lui souris. Il a changé un peu, mais il semble tout de même très en forme pour son âge. Il porte naturellement une chemise de garagiste longue et bleu marine.

Il ne répond pas une miette à mon sourire et il me considère un instant sans rien dire. À première vue, et ce, même sans bien le connaître, je dirais qu'il est furieux.

— Claire, esti, tes messages textes à minuit le soir, c'est assez ! Et ta criss de pension de débile aussi.

Le **Gazon**

Quoi? Sommes-nous divorcés? Ah, voilà qui explique bien des choses... Pas toutes[14], mais certaines.

En me pointant du doigt avec impolitesse, il poursuit en tentant de contenir sa rage, les dents serrées et à mi-voix.

— Je te jure que tant que tu ne signeras pas les maudits papiers de divorce, ta vie va être un enfer. J'atteins ma limite, là, Claire. On n'est plus capables. Maintenant, va rencontrer les nouveaux clients et commence à entrer dans ta petite tête d'arrêter de nous faire chier une fois pour toutes! Et, ah oui, j'oubliais, après, occupe-toi des gars de terrassement qui viennent pour le gazon, j'ai d'autres chats à fouetter!

Tel un coup de vent, il ressort aussi vite qu'il était entré, et ce, sans me fournir plus de détails. Après réflexion, son surnom de «L'enculé» dans mon téléphone portable me semble tout à fait justifié. Non, mais, les hommes s'adressent à moi d'une drôle de façon dans ces rêves déments! Franchement! Pas très courtois. L'histoire qu'il vient de me défiler à la vitesse de l'éclair n'est pas vraiment limpide. Je pivote mon fauteuil vers mon bureau en me creusant la cervelle. Une pension, des papiers de divorce... notre séparation est récente, donc? Pourquoi je ne veux pas signer? J'ouvre le grand tiroir de mon bureau en tentant de chercher de l'information. Je soulève une petite pile

---

14. La secrétaire, elle?!

de factures qui s'y trouve. Sous celle-ci, j'aperçois le coin d'une photo. Je la ramasse aussitôt. Elle présente Pierre et moi, dans un camping près de la mer, devant une tente verte à deux places, toujours avec une moto pas très loin… Pourquoi ai-je une photo de lui cachée de la sorte dans le fond de mon tiroir si nous sommes actuellement en instance de divorce? Hum… Est-ce que ce serait que je l'aime encore? Je ne veux pas signer les papiers parce que je l'aime encore… Je caresse l'espoir de réparer les pots cassés? Honorable, pour une mère de famille, non? Pourquoi me traite-t-il comme une moins que rien, alors? Et cette femme, ce matin… Je dois absolument savoir pourquoi nous divorçons. J'espère que ce n'est pas à cause d'elle, justement. Le mari qui surprend sa femme au lit avec une autre, voilà un scénario digne d'une mauvaise série télévisée américaine!

Je suis dérangée dans ma réflexion par ladite secrétaire qui apparaît comme un cheveu sur la soupe pour m'annoncer que les clients sont arrivés en me désignant de la main une porte tout au fond du couloir. Elle tend vers moi une chemise contenant des documents. Craintive qu'elle en profite pour m'embrasser de nouveau, je me lève d'un bond, en fuyant son regard, et je lui arrache presque le porte-document des mains avant de quitter mon bureau. Par-dessus mon épaule, je surveille mes arrières au cas où elle tenterait une attaque saugrenue par-derrière.

En pénétrant d'un pas hésitant dans la petite salle, je salue les deux hommes déjà assis à une table de conférence. «Les enfants habitent avec lui ou avec moi? Je possède des chambres pour eux et tout, donc nous avons sûrement organisé une garde partagée. Triste…» Je songe alors à la possibilité d'un éventuel divorce avec Alexandre, et un frisson d'effroi parcourt mon dos.

J'écoute d'une oreille plus ou moins attentive les hommes qui me relatent leurs besoins annuels en entretien mécanique pour les dix véhicules de leur compagnie de représentation en vente d'aspirateurs. Je ne prête pas trop d'attention à la conversation en cours, distraite par la fatalité de ma situation familiale et affective actuelle. Au moment où je perçois un vide dans la rencontre, je leur remets la pile de feuilles imprimées en espérant ne pas avoir à leur expliquer de fond en comble notre proposition. Heureusement, en prenant connaissance des documents, ils semblent emballés par notre soumission. «S'il vous plaît, ne me posez pas de questions de mécanique…» Ils me demandent alors de réduire le prix des changements d'huile. Euh… j'accepte, toujours sans trop savoir si ce que je fais est bien ou pas. Après avoir discuté de modalités de paiement mensuel, tout le monde semble ravi de l'entente. «Je négocie des contrats de mécanique, maintenant…», que je songe en serrant la main des hommes qui se sont déjà levés pour quitter la pièce.

De retour dans mon bureau, je suis surprise de trouver une inconnue assise dans ma chaise face au mur, donc dos à moi. La grande femme, jolie et blonde, se tourne alors dans ma direction en faisant pivoter le siège rotatif avec lenteur. Elle porte une veste de cuir lui donnant un air de princesse rebelle. Elle est vraiment plus jeune que moi. La fille de Pierre, peut-être? A-t-il eu un enfant avec une autre femme avant moi? Par contre, si cette femme tente aussi de m'embrasser, j'appelle la police immédiatement!

Muette, elle me fixe un instant et se lève avant de m'avouer:

— J'ai tellement hâte que ce soit MON bureau..., puis elle sort par la porte en me faisant un clin d'œil que j'analyse plutôt comme mesquin que complice.

Mais qui est-ce? Sa fille veut usurper ma place au sein de la compagnie? Pour en avoir le cœur net, je la suis à pas de loup dans le corridor. Elle entre par une grande porte vitrée donnant sur le garage où travaillent six hommes, dont Pierre. Entre deux machines distributrices de *peanuts BBQ*, je reste postée derrière la vitre et j'observe la scène de loin. Penché sur le moteur d'une berline au capot ouvert, Pierre semble très concentré. Il ne voit pas la fille blonde qui avance vers lui. En arrivant par-derrière à pas feutrés, elle lui plante les doigts dans les flancs pour le surprendre. Il sursaute légèrement avant de se retourner. Heureuse du succès de sa blague, elle lui saute au cou. En retour, il s'essuie grossièrement les mains sur un chiffon avant de l'agripper par la taille pour... l'embrasser à pleine bouche avec appétit. Ce n'est visiblement pas sa fille, mais bien sa nouvelle conjointe. Une femme si jeune ? Il ne badine pas, le garagiste ! Quoique, dans mon cas, j'embrasse notre secrétaire… Je peux ainsi difficilement émettre quelque jugement moral que ce soit concernant sa situation amoureuse.

Espionnant toujours la scène en secret, je comprends certaines choses. Il m'a larguée pour une fraîche jeunesse des îles et je m'oppose au divorce. Avec raison, tabarnouche ! Que c'est triste… Si Alexandre me faisait un coup pareil, je serais anéantie à tout jamais. Bien que ce soit irrationnel étant donné que je rêve, une rage monte doucement en moi telle la sève des érables au printemps. Ma vision se trouble. J'imagine alors Alexandre, MON mari, au cou de cette jeune femme. Un sentiment d'impuissance s'amalgame à cette rage toujours foisonnante dans mon cœur. Ils se caressent du regard en continuant de s'embrasser. MON Alexandre… Je me sens réellement comme si la scène vécue sous mes yeux était issue de ma vraie vie. Quelle conne, cette fille ! Briser un mariage de la sorte. Et lui, quel enculé, vraiment ! De plus, en les voyant tournoyer dans tous les sens en se bécotant au beau milieu du garage, aucun doute que l'amour semble bel et bien au rendez-vous. Selon moi, c'est encore pire. Cela ne fait qu'amplifier mon sentiment négatif. À moins qu'il la connaisse depuis peu ? Comme si elle savait que j'épiais la scène de loin, ladite fille, toujours pendue au cou de mon mari, se tourne vers moi sans que celui-ci s'en rende compte. Elle m'envoie un signe de la main accompagné du sourire le plus méchant qui puisse exister. Quelle effrontée ! Même si, en réalité, je me fous de Pierre comme de ma première chemise, je suis verte de jalousie et je la déteste ! Je commence à piger pourquoi je les fais suer avec des messages textes envoyés au beau milieu de la nuit.

Humiliée et démasquée, je remets mes yeux curieux dans ma poche et je retourne à mon bureau, la tête basse jusqu'au plancher. Je ressors la photo cachée dans mon tiroir. Je l'aime encore, je n'accepte pas le divorce et cette chipie m'en fait baver en plus. Qu'est-ce qu'une femme et mère de famille peut espérer faire dans un cas pareil ? La solution que j'utilise dans cette vie-ci est de ne pas signer les papiers de divorce. Voilà probablement mon seul pouvoir de résistance. Je me comprends. Mais cette femme, ce matin… ? Toujours pas claire, cette histoire.

Mon portable sonne. Le prénom « Mélodie » apparaît sur celui-ci.

— Oui, allo ?

— Allo, poulette ! Comment vas-tu ? Es-tu déjà au bureau ?

N'ayant aucune idée de qui ce peut être, j'entreprends une conversation d'usage.

— Oui, toi, ça va bien ? Qu'est-ce que tu fais ?

— Je suis à la maison, je travaille juste ce soir. Et puis, tu lui as envoyé tes conditions pour le divorce et la compagnie ?

Ce doit être une bonne amie… « Pourquoi Nathalie ne se retrouve jamais dans mes vies potentielles ? »

— Oui, hier soir à minuit… Il m'a répondu : « Va chier »…

— Sale connard. On va donc passer au plan B. Mon ami avocat soutient que, tant que tu ne signeras pas, tu restes actionnaire majoritaire avec lui, donc il ne peut rien faire.

— Ah, d'accord…

— On peut toujours mettre en action notre plan C, et renverser cette pétasse avec ta voiture, si tu veux ?

— QUOI ?

— Je déconne. On va la faire assassiner par un tueur à gages à la place, c'est plus propre…

« Ai-je réellement planifié un truc aussi horrible ? »

— Ha ! ha ! ha !

Le fait qu'elle rigole me rassure. Elle doit blaguer.

— Tu as vu ce qu'elle a « posté » sur Facebook ce matin ?

— Non…

— Va voir tout de suite…

Sur la page d'accueil de mon ordinateur, je clique sur l'icône du réseau social qui me dirige instantanément vers mon compte. Comme je ne connais pas le nom de cette fille, j'ignore ce que je dois taper dans le moteur de recherche. J'utilise la ruse pour soutirer de l'information à cette Mélodie.

— Comment elle épelle son nom de famille, donc ?

— B-r-o-o-k, Karine Brook. Ta mémoire flanche, ma pauvre vieille !

— Ouais, je suis un peu fatiguée...

Je tape son nom complet dans l'espace de recherche et elle apparaît. Une photo de profil touchante la présente en train d'embrasser la joue de mon mari. Mes enfants figurent aussi sur la photo, assis avec eux sur un divan. Sa publication matinale va comme suit :

«Envoyez-moi de l'amour, tout le monde, car l'ex-femme de mon chum est la plus méchante du monde entier avec moi. Je ne mérite pas ça. J'ai peine à croire que des monstres comme ça peuvent exister ailleurs que dans les films... ☹ ☹ ☹ Heureusement, notre week-end en famille agira comme un baume sur les difficultés que nous vivons présentement. Il faut faire confiance à la vie... »

Quelle conne ! Elle tente de faire pitié sur Facebook. J'ai horreur de ça. Plus bas dans son fil de nouvelles, je remarque deux autres photos publiées la veille, la présentant qui enlace affectueusement mes deux enfants. Elle a commenté : «Soirée film et popcorn avec mes deux amours !» La rage dans mon cœur fait place à une soudaine envie de tuer. Pourrais-je utiliser les services du gros singe de ma vie potentielle précédente pour faire disparaître cette tache, ni vu ni connu ?

Les gens ont commenté sous son message touchant du jour des trucs du genre :

«Vous formez tellement une belle petite famille !» «Soyez heureux, vous êtes beaux !» «Tu mérites tout ce bonheur, Karine !» «Oui, en effet, la vie la punira, fais-lui confiance…» «Je vous souhaite tellement d'obtenir la garde des enfants à temps plein[15] !»

EILLE ? Ce n'est pas sa famille, mais bien la mienne dont on parle ici. La vie me punira, mon œil ! Et ils veulent m'enlever mes enfants ? Je la déteste. Tous ses contacts Facebook m'horripilent, et je hais Pierre plus que tout. En proie à une énergie quasi meurtrière, je commente à mon amie :

— On devrait l'éliminer, pour de vrai. Pourquoi veulent-ils m'enlever la garde de mes enfants ?!

— Elle est tellement folle ! Je ne comprends pas que Pierre ne s'en rende pas compte… Non, mais, sans blague, tant que tu tiens ton bout, ils ne peuvent rien faire, ni se marier légalement non plus…

Ah ! parce qu'ils songent à se marier en plus ? De toutes les vies que j'ai vues défiler jusqu'à présent, celle-ci

---

15. Oooh que je sens toutes mes mamans-lectrices bouillir, ici…

me touche droit au cœur. Je crois que c'est la pire. Aider des brebis à mettre bas, jouer la poupée de service pour un homme d'affaires indifférent ou encore faire du trafic de drogues, tout ça était de la petite bière comparé à cette réalité de femme impuissante devant l'explosion tragique de sa famille. J'ai l'impression de vivre l'enfer sur terre.

Comme si elle savait que nous parlions d'elle, la Brook apparaît dans la porte de mon bureau. J'éteins mon écran d'ordinateur en un clin d'œil pour ne pas qu'elle voit que je furetais sur sa page Facebook. Je la défie d'un regard funeste. Elle me sourit en retour avec satisfaction. Toujours aimable comme une porte de prison, elle ose me dire :

— Pauvre Claire, tu fais tellement pitié.

Ne pouvant retenir la colère que je rumine depuis trente minutes, j'abaisse un peu le combiné du téléphone et je lui vocifère :

— T'es une belle conne, toi !

Mon commentaire spontané me surprend tout de même. « Pourquoi je me laisse atteindre ? Elle n'est rien pour moi, cette garce ! »

— Ha ! ha ! ha ! Tes manigances ne fonctionneront pas, enchaîne Karine. J'ai des contacts juridiques et je te ferai anéantir… Sinon, je me chargerai de toi moi-même. En passant, maudit que t'as l'air fatigué…

Elle grimace de dégoût et quitte mon bureau. Elle rebrousse finalement chemin pour rajouter :

— Ah oui, j'oubliais… Tu te souviens que tu ne viens pas chercher les enfants demain ? Nous partons en vacances en famille dans les Laurentides ce soir. Tu devais sûrement t'en souvenir… J'ai si hâte ! Bonne journée !

Elle tourne les talons. Mes grands yeux enragés remarquent une paire de ciseaux sur mon bureau et une image troublante me passe par la tête : je cours à sa poursuite pour les lui planter dans le dos, question d'en finir avec elle une fois pour toutes. Dans ma scène fantasmagorique, je vois même le sang jaillir… N'ayant en temps normal pas une once de méchanceté au cœur, mon agressivité potentielle me surprend. Ce n'est qu'un rêve après tout…

Pour ne pas être en reste, je lui balance néanmoins un « maudite folle ! » tandis qu'elle s'éloigne.

— Bien dit ! me félicite Mélodie au bout du fil.

— Bon, je te laisse.

— Et pour ton coup de ce soir, ferme ton téléphone pour être certaine de tenir bon.

Même si je ne sais pas trop de quoi elle parle, j'approuve :

— Oui, oui.

Après avoir gouverné comme une reine l'installation du gazon à l'extérieur, j'ai passé le profil Facebook de Karine

Brook au peigne fin, comme une vraie obsessive, et ce, pendant plus d'une heure.

Une belle surprise me fait alors relever la tête de mon écran. Mes deux enfants apparaissent sur le bord de la porte de mon bureau munis de leur boîte à lunch. Leur école doit se trouver tout près, je suppose.

— Bonjour, mes amours, que je fais, désireuse de leur donner et de recevoir un peu de chaleur en tant que mère rejetée par tous.

Mignons comme tout, ils s'installent docilement sur les deux chaises devant moi et commencent à manger leur repas. Ils sont si beaux, mais si jeunes.

Pierre, qui entre en vitesse dans la pièce, embrasse ses enfants à tour de rôle sur le dessus de la tête. Il se tourne ensuite vers eux et déclare :

— Vous savez, les enfants, tout ce qui arrive est la faute de votre mère. Maman ne veut pas signer les papiers importants de papa, donc nous devons vivre dans la chicane et...

— EILLE ? que je beugle comme une malade, traumatisée qu'il aborde ainsi nos difficultés familiales devant les enfants.

Il ne peut pas faire ça. C'est absolument immoral.

— Quel genre d'homme es-tu, bon sens ? Laisse les enfants en dehors de ça !

Triste comme la pluie, ma fille déclare d'une petite voix :

— Karine dit que tu es très méchante avec elle…

— QUOI ?

Je me tourne alors vers Pierre :

— Ta pétasse parle de moi comme ça à NOS enfants ? Ça va de pair avec le fait qu'elle vient me narguer ici sans arrêt… Et sache que je sais très bien que vous manigancez de m'enlever la garde !

Les deux petits ne bronchent pas et ils continuent de manger leur sandwich en regardant avec attention la scène de querelle, telle une émission pour enfants passionnante sur Yoopa. Je me lève pour lui faire face. Il poursuit :

— T'es folle, Claire ! Tu délires grave. Ça fait deux ans… j'ai atteint ma limite, je te l'ai dit !

— Et vous deux ? Vous n'êtes pas fous, vous autres ?!

Nous entamons alors une chicane peu mélodieuse durant laquelle il me livre enfin certains détails. À ce qu'il paraît, cette Karine, qui détient un certificat en psychologie, me diagnostique comme « affectivement troublée et néfaste pour le développement de mes enfants ». Eille, j'aurais le goût de lui enfoncer bien profond, son supposé certificat, oui ! Je comprends aussi, selon ses dires, que Karine et lui sont ensemble depuis deux ans et que leur relation a débuté au moment où nous étions bel et bien encore un couple. Il m'a donc trompée, le salaud! Il ne dit par contre pas un mot à propos de la secrétaire ni de mon possible lesbianisme. Je suis si enragée que j'en oublie les enfants, qui nous regardent toujours comme deux spectateurs. Pierre décide alors de filer sans demander son reste en claquant la porte de mon bureau. Quel con!

12 н 45

Au moment où les enfants me quittent pour retourner à l'école, je les embrasse sur la tête, désolée qu'ils aient assisté à cette scène de ménage consternante. En les voyant s'éloigner dans le corridor, je suis anéantie. Une idée subite me traverse l'esprit.

— Les enfants? que je les rappelle avec douceur.

Mes deux petits se tournent vers moi.

— Vous savez quoi? Vous n'irez pas à l'école cet après-midi… Vous venez avec maman à la place!

Contents, ils trottinent alors vers moi, l'air un peu surpris.

N'ayant pas eu le temps d'étoffer mon plan improvisé, je pense vite.

— Allons nous amuser aux Galeries de la Capitale!

— YÉÉÉÉ! crie mon fils, trop heureux de manquer l'école pour une raison aussi inusitée.

Je dois renouer avec mes enfants au plus vite en leur donnant un minimum de chaleur humaine. Tout à l'heure, Mélodie me laissait sous-entendre que je ruminais un plan diabolique… peut-être était-ce de ne pas les rendre à leur père pour ce week-end ? Si ce n'était pas le cas, eh bien, ça le devient à l'instant ! Pierre et Karine auront une belle surprise en arrivant au service de garde ce soir. Ils réaliseront que j'ai plus d'un tour dans mon sac…

Avec la vive impression de littéralement kidnapper les enfants des voisins, je sors en douce par la porte de côté du garage, accompagnée des deux petits.

Mes deux rejetons, qui rient aux éclats dans le manège de montgolfières, me procurent le sentiment que je fais la bonne chose. Mon portable sonne. Je lis : « L'enculé ». Je ne réponds pas. Il laisse toutefois un message.

En allant aux toilettes avec les enfants, j'écoute le message de mon cher ex-mari :

« Claire ! Je sais pas à quoi tu joues, mais l'école vient juste de m'appeler parce que les enfants sont absents. Ça fait cinq fois que tu nous fais le coup ! Je te jure sur la tête de mon père que, s'ils ne sont pas là à seize heures, je mets la police après toi. »

Peut-on se faire arrêter pour le kidnapping de ses propres enfants ? Je ne sais pas trop. Sûrement pas, étant donné que j'ai encore la garde partagée de façon légale. Ça fait cinq fois que je fais ça ? Je me demande bien pour quelle raison j'ai posé ce geste dans le passé. Je considère sûrement que la nouvelle flamme de mon mari est dérangée, et je ne souhaite donc pas que mes enfants la côtoient. Ai-je raison ? Ce n'est pas clair...

— Qui veut une barbe à papa ? que je demande en sortant de la salle de bain.

En patientant dans la file d'attente devant une confiserie, mon téléphone vibre de nouveau. Si c'est encore Pierre, je le balance dans une poubelle[16]. L'écran affiche que Mélodie m'appelle. Je réponds :

— Allo !

— Claire, je pense que ça ne se passe pas très bien, ton plan...

— Comment ça ?

---

16. Le cellulaire, pas Pierre, évidemment ! Quoique...

— L'autre conne de Karine Brook vient de «poster» sur son mur Facebook que tu as encore kidnappé les enfants!

— Franchement! Elle est folle à ce point?

— Ça a bien l'air! Elle t'a quand même fait des menaces graves à plusieurs reprises... Et là, tu devrais voir tous ses amis qui paniquent en disant que «c'est donc terrible»!

— Non, non, pas de souci, tout roule à merveille. Que je voie un agent de police tenter de m'arrêter parce que je profite d'un après-midi de congé avec mes propres enfants...

— En tout cas, si je vois ta photo passer sur le fil de nouvelles de la Sureté du Québec, je te fais signe!

— Ha! ha! ha! Merci!

En raccrochant, je songe tout de même à cette possibilité avec nervosité. Me faire arrêter par la police... La honte. Me retrouver dans une cellule de détention comme dans l'émission *Unité 9*... Non, c'est impossible!

Au moment où je range mon téléphone dans ma bourse, un agent de sécurité avance vers moi d'un pas décidé. Je plisse les yeux vers lui.

— Est-ce votre fils? me demande celui-ci avec autorité.

— Certainement! Où est le problème? fais-je avec aplomb en enlaçant les épaules de mon cher garçon par-derrière.

Tout va vite dans ma tête. Je le défie du regard telle une femelle féroce protégeant sa progéniture. S'il fait mine de m'éloigner de mes enfants, je les prends chacun sous le bras et je cours en direction de la porte qui se trouve à notre droite. En sortant par là, nous pourrons atteindre la voiture qui est garée de ce côté, mais beaucoup plus loin. En nous déplaçant à pied, nous risquons toutefois d'être interceptés par des voitures de police faisant le guet à la sortie…

L'agent de sécurité, qui tient bien fermement son *walkie-talkie* d'une main, tel Lucky Luke lors d'un duel, m'enligne toujours avec sévérité avant de m'indiquer:

— Son lacet est détaché. Il pourrait tomber…

Je vérifie le soulier droit de mon fils, qui est en effet détaché. Tout en masquant mon soulagement quasi jouissif, je me penche pour rattacher au plus vite le cordon fuyant.

— Merci!

— De rien, fait le type avant de s'éloigner.

Je dois me calmer les nerfs un peu. Je me sens comme si j'étais en cavale illégale à la frontière Mexique – État-Unis, et cela, sans raison. Mes enfants ne partiront pas en week-end avec cette folle à lier, un point c'est tout!

Une sonnerie différente m'annonce que quelque chose vient d'atterrir dans mon portable. Possiblement un courriel… Je regarde. Un message privé de Facebook. C'est Karine Brook.

« Je vais te tuer, salope… »

Tabarnouche! La voilà qui m'adresse des menaces de mort, maintenant?! Et c'est moi qui suis « affectivement troublée »? Cette fille a vraiment des araignées au plafond! Mi-amusée, mi-enragée, je lui réponds sans hésiter:

« T'es vraiment dérangée… »

Elle réécrit:

« Rends-nous nos enfants! »

Je ferme mon téléphone sans donner suite. Voilà! Je m'en lave les mains! Par contre, si cette vie se poursuivait, je pourrais facilement utiliser cette menace contre elle devant un tribunal civil…

Batifolant toujours avec les enfants dans une aire de jeux libres, je les observe. Heureux comme des poissons dans l'eau, ils profitent à fond de l'ambiance festive de cette « journée-surprise avec maman » en plein milieu de semaine. Je consulte de nouveau mon portable et je remarque six appels manqués. Trois de Pierre, un provenant d'un numéro inconnu et deux de ma chère mère. Ma boîte vocale contient aussi deux messages.

Le premier met en vedette Pierre, qui crie comme un putois. Le deuxième est de ma mère. Son attitude en général s'avère plus calme. D'une voix très affectueuse, elle me supplie :

« Claire… qu'est-ce que tu fais encore, pour l'amour du bon Dieu? Pierre m'a appelée… Ma belle grande fille, tu ne vas pas bien. Je m'inquiète beaucoup. Je crois qu'il est temps pour toi de demander de l'aide. Ton père et moi sommes derrière toi pour t'aider à passer à travers cette dure épreuve. Pense aux enfants, Claire, à tes enfants, qui sont malheureux. Je sais que tu souffres beaucoup, depuis longtemps, mais là, tu dépasses une grosse limite. Appelle-moi, s'il te plaît. Je t'aime. »

Embrouillée, j'éteins mon portable. Suis-je si en détresse? Ma mère semble croire que oui. Je ne sais malheureusement pas ce que j'ai pu faire par le passé. Elle croit que j'ai besoin d'aide à ce point? En levant mes yeux vers mes enfants qui jouent dans le Château magnifique devant moi, je songe à eux. Qu'est-ce que je leur fais vivre? Trop obnubilée par ma colère depuis deux ans, peut-être que leur vie s'est transformée en un enfer à cause de moi? Ai-je perdu les pédales? J'ai déjà lu un article sur l'aliénation parentale, et celui-ci dépeignait le portrait peu reluisant de parents, sévèrement troublés par un divorce, qui hypothéquaient la qualité de vie de leurs enfants au profit de la vengeance envers leur ex-conjoint.

Je m'étais fait la réflexion à l'époque que jamais, au grand jamais, je ne pourrais perdre la raison au point de ruiner la vie de mes enfants.

Ceci dit, c'est peut-être ce que je suis en train de faire en ce moment même. Que je trouve cette vie pathétique! Je *me* trouve pathétique. Je me sens épuisée de m'être disputée et sauvée toute la journée. Et il paraît que je vis cette situation malsaine depuis deux ans? Comment ai-je fait? Qu'est-ce qui me motive à poursuivre dans cette voie? Est-ce la rage de voir ma famille dissoute? La réaction de survie face à l'échec? L'impuissance? Tout ça à la fois…?

J'ai peine à croire que deux individus s'étant aimés au point de faire des enfants ensemble peuvent en arriver à se détester autant. Suis-je l'instigatrice de toute cette animosité? Je comprends qu'on puisse se sentir tassée et esseulée et qu'on puisse avoir la rage au cœur en voyant sa famille éclater tandis que l'amour greffe une nouvelle femme à sa vie familiale, mais il faut se relever. Refaire sa vie, tenter de bien s'entendre, même si ça fait mal.

Peut-être que ma mère a raison? Je ne peux pas agir comme ça. Pas moi, pas Claire Aubry… Honteuse et repentante, j'écoute ma raison et je me dirige vers mes enfants pour les rappeler vers moi.

— Mes chéris, nous devons partir. Votre père viendra vous chercher pour aller en vacances ce week-end…

— Oui! crie de joie ma fille.

De retour dans la voiture, je suis submergée de remords. Même si Alexandre me faisait un pareil affront, je ne crois pas que je pourrais atteindre cette limite de délire, et ce, même si sa nouvelle flamme était aussi mesquine que cette Karine Brook.

Sans trop savoir rationnellement pourquoi, je sens que je dois effectuer les premiers pas. Je songe alors : « C'est juste un rêve, mais peut-être que je peux tout réparer en signant les papiers de divorce, pour enfin mettre un terme à ce cirque... En préconisant la bonne entente, peut-être que Pierre et Karine abandonneront l'idée de m'enlever la garde de mes enfants. »

Oui ! De ce pas, je vais me rendre chez moi et appeler Pierre pour lui dire de venir chercher les enfants. Je lui annoncerai aussi que je signerai les papiers de divorce à leur retour de vacances, mais ce, qu'à condition qu'il ne tente rien contre moi ensuite. Nous devons bien être capables de gérer tout ça en adultes, bon sang !

Fière de ma décision, je commente aux enfants, le cœur un peu serré :

— Vous allez avoir du plaisir en fin de semaine !

— Oui, Karine a promis de m'acheter une glace à la fraise !

«Karine...», que je pense, tout de même encore très irritée par l'existence sur terre de cette horrible femme.

En me garant dans l'espace de stationnement de mon immeuble à logements, qui se trouve à être le premier près de la rue, je sors pour aider les enfants à descendre de la voiture. J'entends alors un véhicule qui tourne à toute vitesse dans la cour. Je pivote la tête pour voir qui arrive. L'auto rouge, qui avance très vite, fonce droit sur moi. Je fige. N'ayant pas le temps de faire quoi que ce soit, je me dis : «Mais ralentis, tu vas me frapper!» Sans que j'aie le temps de bouger, le véhicule me happe de plein fouet par-devant. BANG! Je suis soulevée de terre par la force de l'impact. Propulsée dans les airs, j'ai à peine le temps d'apercevoir qui conduit... C'est Karine Brook... Tout devient noir.

Entre ciel et terre

De retour sur le nuage, je suis si abasourdie que je suis incapable de prononcer un traître mot. J'ai l'impression de manquer d'air. En vérité, je ne suis pas trop certaine de comprendre ce qui vient tout juste de se produire.

— Voilà un dénouement plus qu'inattendu! Wow! dit la voix de l'homme invisible avec une pointe d'amusement.

— Elle m'a TUÉE! Je suis MORTE! que je vocifère complètement hors de moi.

— Mais non, mais non, vous êtes bien là. Ne vous en faites pas.

— Ne vous en faites pas ? Êtes-vous malade ? Dérangé, peut-être ? Faire vivre des choses horribles de ce genre aux gens… Elle m'a tuée…, que je pleurniche, comme si j'étais réellement devant l'apôtre saint Pierre pour le Jugement dernier à la suite de ma réelle mort.

Moi qui me questionnais à propos de ce qu'il adviendrait si je mourais tragiquement dans une séquence de cette expérimentation, j'ai ma réponse ! Dire que je kidnappais régulièrement mes enfants pour les empêcher de voir cette meurtrière ! Tabarnouche ! J'avais bien raison ! Elle m'a fauchée devant leurs yeux !

Je perçois alors une odeur de fumée. Un fumet âcre et vif qui me prend la gorge en étau.

— Claire… on s'amuse…

— On ne s'amuse pas du tout, non ! Mais bon sang, qu'est-ce que vous fumez ?

— Rien, rien, fait le type en exhalant de façon audible une fumée quelconque.

Ayant tout récemment fumé de la marijuana, je devine juste à l'odeur qu'il ne s'agit pas du même produit.

— Coudonc, m'avez-vous fait fumer la même chose ? Ça expliquerait pourquoi ces rêves de fous sont tous plus abracadabrants les uns que les autres.

— Allez, ne soyez pas si chatouilleuse, Claire. C'était une finale digne d'un bon film d'action, non? apprécie le gourou, toujours en pâmoison devant la scène de meurtre spectaculaire dont j'ai été la pauvre victime.

— Mais je ne suis pas Angelina Jolie, moi! Juste une simple petite infirmière, tranquille, qui veut retourner chez elle…

Bouleversée par ce long rêve qui n'en finit plus autant que par l'image de moi me faisant heurter par une voiture, je secoue la tête avant de me mettre à sangloter.

— Oh, oh, oh, Claire. Ne soyez pas si émotive. Je désirais juste mettre fin à cette vie potentielle au plus vite, car je considérais que vous aviez suffisamment cheminé. Rien de plus. Désolé de vous avoir ébranlée à ce point.

— Je suis une pauvre folle à lier… et je me suis fait A-SSA-SSI-NER, que je pleure comme une hystérique.

— Claire, calmez-vous, respirez…

Cessant de crier grâce à qui mieux mieux, je l'écoute et je tente de reprendre mon sang froid.

— Outre la fin, qui ne vous a visiblement pas plu, qu'avez-vous appris dans cette séquence?

L'odeur de fumée s'estompe peu à peu. En reniflant un bon coup, je réfléchis.

— Dites-moi donc… vous savez sûrement le fin fond de l'histoire avec cette femme qui m'a embrassée au petit matin ?

— Pour une mère se sentant bien seule au monde, c'était une façon comme une autre d'aller chercher un peu de chaleur humaine…

— Ah, donc vous me confirmez que j'étais bel et bien homosexuelle ? Seigneur, je vais me lancer en bas de ce lit si ça continue !

— Ne faites pas ça, vous tomberiez beaucoup trop longtemps… Ha ! ha ! ha ! Vous étiez lesbienne de façon opportune et situationnelle, seulement, explique le gourou avant de pouffer de rire à nouveau telle une bécasse.

— Aaaahh ! Vous m'énervez, à la fin !

— Claire, relaxez.

Cette expérimentation me présente des côtés de moi dont j'ignorais même l'existence. L'ensemble de l'œuvre ne fait pas tellement de bien à l'âme, en réalité.

— C'est difficile ? semble comprendre le gourou, qui doit bien déceler mon air suicidaire au beau milieu de cette couette.

— Particulièrement, cette fois-ci, oui. Les autres rêves étaient tellement loufoques que je me laissais emporter par la folie et l'invraisemblable. Mais avec Pierre, tout semblait si réel, que je suis un peu troublée.

— Je vous répète qu'il s'agit seulement de vies potentielles…

— J'ai donc le potentiel de devenir aliénée à ce point ? J'ai peine à y croire…

— La souffrance provoque chez les gens des réactions hors du commun lorsqu'on focalise sur le négatif. Chaque vie potentielle vient avec tout un bagage auquel vous n'avez pas accès dans votre réalité actuelle. Dans ce cas-ci, vous aviez un historique avec cet homme, un passé dont vous ne connaissiez pas les émotions, les souvenirs ni les antécédents. Je vous catapulte, vous, la Claire que vous êtes devenue, dans ce monde de possibilités en tant qu'actrice principale, oui, mais surtout, en tant que spectatrice…

— Pour que je prenne conscience de ce qu'aurait pu être ma vie si j'avais fait des choix différents. Je comprends depuis déjà un petit moment, merci.

— Ne soyez pas triste, Claire, mais plutôt fière des choix que vous avez faits ! Voyez plutôt à quel point la femme respectable que vous êtes devenue gère magnifiquement bien toutes ces vies. Je vous trouve incroyable !

Sans répondre, je m'allonge sur le dos. Je renifle comme une fillette blessée. Tout va si vite, tout est si abstrait. Techniquement, et selon la logique du déroulement, il ne devrait rester qu'une seule personne sur ma liste de prétendants. Une seule vie potentielle. Une chance, car j'en ai ras le bol et je veux en terminer au plus vite. Je sais très bien qui sera le suivant. Sylvain.

— Poursuivons, annonce sans plus attendre l'homme, fantôme et désormais drogué.

Dépourvue de tout pouvoir de résistance, je hausse les épaules. Je ferme les yeux et le ciel qui m'entoure tourbillonne une fois de plus.

— À plus tard, Claire, fait doucement la voix, déjà loin.

L'odeur de fumée se répand de plus belle...

Avec le suivant, le 10 juin

À mon réveil, je sens que quelque chose me picote le visage. Je touche ma joue avec la main. Ça cesse. Je somnole encore un peu. Mon visage pique de nouveau. Voyons? «Ah! C'est une foutue mouche...» Sans ouvrir les yeux, je me tourne sur le côté, mais mes genoux percutent un obstacle avant que je puisse compléter mon pivot de corps. Mais qu'est-ce que... Ah! Un mur. J'ai la vague impression que je me trouve dans une pièce très exiguë, voire même fermée. Je regarde tout autour. En effet. Un rideau fleuri mauve et brun m'apparaît en plein visage. Face à moi, une petite armoire murale de bois pâle descend du plafond jusqu'au plancher au pied du lit. Je suis dans une minuscule chambre à coucher de roulotte, je pense. En camping? Les doux souvenirs des vacances en famille de mon enfance ressurgissent dans mon esprit. Je suis seule dans le lit et je n'entends aucun bruit à l'exception d'une tondeuse à gazon qui grignote du vert quelque part dans le voisinage. Je suis toute nue. Bon… encore. En me redressant, j'enfile le premier morceau de vêtement que je trouve au sol. Un chandail d'homme à manches longues.

Un relent d'urine me monte au nez. Possiblement un problème de fosse septique. J'associe aussi cette odeur aux vacances de mon enfance. Papa pestait à chaque fois…

Je me demande bien où est Sylvain. Le dernier homme que j'ai eu dans ma vie avant Alexandre, c'était lui. Je m'interroge également à savoir si nous avons eu des enfants ensemble. Je me souviens qu'à l'époque nous en voulions. J'ai en moins de deux ma réponse en pénétrant dans le deuxième petit espace de la caravane. La photo d'un jeune garçon d'environ huit ou neuf ans est accrochée au mur dans un petit cadre près de la table de cuisine. Je m'avance très près pour l'inspecter plus attentivement. Un beau petit garçon, blondinet, qui ne me ressemble pas beaucoup, à vrai dire. Je recule d'un pas pour jeter un œil circulaire tout autour. Aucune autre photo.

En approchant de la petite table de cuisine, j'y trouve une note manuscrite :

« Je suis parti faire des pissenlits chez la famille Dubé, passe nous voir plus tard !
P.-S. Ce soir, ça va être ta fête… On te réserve une soirée spéciale, mon cœur !
Indice : "nos deux amis". xxx »

Pas de mot méchant. Pas d'insulte. Pas de papiers de divorce à signer. Que ça commence bien! Je sens que tout va bien se dérouler cette fois. Je me souviens de Sylvain et il était tout ce qu'il y a de plus normal, du moins à l'époque. En vieillissant, je suis forcément devenue plus responsable dans mes choix amoureux. C'est un peu ce que le gourou dans le ciel me laissait sous-entendre, tout à l'heure. J'étais au cégep quand j'ai rencontré Sylvain, donc à l'aube de la vingtaine.

Je ne sais pas où se trouve notre enfant, par contre. Peut-être avec lui? Mais ne va-t-il pas à l'école? À moins que nous ne soyons pas le 10 juin cette fois? Je consulte un téléphone portable reposant sur la table de cuisine. Non, nous sommes bel et bien le 10 juin. Comment pouvons-nous être en vacances à ce temps-ci de l'année avec un enfant d'âge scolaire? Jamais dans cent ans je ne planifierais des vacances avec les enfants avant la fin des classes. Dans mon livre à moi, les parents s'ajustent à l'horaire des enfants, et non l'inverse. Je ne suis pas du tout le genre de parent qui prend à la légère le parcours scolaire de sa progéniture. Mathis et Laurie doivent être vraiment malades pour manquer l'école...

Passant outre à mes questionnements, je décide de me la couler douce en cette matinée de camping. Tout en préparant du café dans une petite machine à une tasse, je remarque des bouteilles de vin rouge pleines qui trônent sur le comptoir. Des vins rouges de Californie, comme je les aime. Je semble donc avoir les mêmes goûts. En humant l'effluve du café chaud qui coule dans ma tasse, je jette un coup d'œil par la petite fenêtre au-dessus de l'évier de la cuisine. Il fait très beau. Attirée par les rayons de soleil qui réchauffent déjà cette belle matinée d'été, j'attrape ma tasse et je sors. Réalisant que je ne suis qu'en chandail, je referme immédiatement la porte pour retourner dans la chambre afin d'y dénicher un semblant de pantalon de jogging ou un pyjama. Un sac de sport renfermant des vêtements qui doivent sûrement m'appartenir repose sous le petit lit. J'y repère un pantalon en lin blanc léger que j'enfile. Je reprends alors ma tasse et j'ouvre toute grande la petite porte en espérant trouver, devant notre emplacement, une chaise confortable afin d'apprécier ce bon café à l'extérieur.

À ma grande joie, quatre chaises pliantes encerclent une table de plastique verte sous un grand parasol à l'effigie d'une marque de bière populaire. Transportée par le tourbillon de quiétude unique à des vacances en nature, je m'installe. Je remarque assez rapidement la proximité des roulottes voisines de chaque côté de notre caravane. Nous vivons décidément entassés les uns sur les autres dans ce camping. Ça me rappelle une fois de plus les excursions de ma jeunesse avec papa et maman… Selon moi, tous les endroits de ce genre doivent se ressembler.

En continuant d'étudier l'environnement dans lequel je serai cloîtrée pour la journée, je réalise que notre roulotte semble installée ici de façon permanente. Les roues ont été enlevées et remplacées par des blocs de ciment. Nous passons donc nos étés ici au complet ou quoi? Je me demande ce que je fais dans la vie pour pouvoir jouir d'un tel luxe. Il me semble que mon travail d'infirmière à horaires variables ne me permettrait jamais ce genre de mode de vie estival. Peut-être que l'hôpital où je travaille se situe à proximité ? De toute façon, quoi qu'il en soit, je viens de décider que je n'irai pas travailler aujourd'hui. Non ! Je prends congé, voilà tout ! C'est mon rêve, donc je fais ce que je veux. Je souris avec béatitude en admirant le petit regroupement d'arbres feuillus qui se dressent devant moi, lorsque je suis soudainement interpellée par un homme qui arrive à vélo sur le petit chemin asphalté qui longe notre emplacement.

— Bonjour, Claire !

En tournant la tête vers lui, je réponds :

— Bonj..., avant de m'étouffer raide avec ma respiration.

Oh... Doux Jésus... Je reluque le vieux monsieur qui passe devant moi, les yeux chargés d'une stupéfaction facilement détectable à trois cents mètres à la ronde. Concentré à diriger sa bicyclette de façon adéquate, il ne remarque rien de mon attitude terrorisée et poursuit sa balade en sifflotant. Il n'est rien de moins que flambant nu sur sa bécane ! Je jette un regard à droite ainsi qu'à gauche afin de trouver au plus vite du renfort. Pas de doute que ce vieillard a atteint un stade avancé de sénilité, le pauvre. Il faut absolument lui venir en aide ! Sa femme ne doit pas être très loin et doit le chercher, ou ses enfants, peut-être... ? En balayant les environs, je remarque une femme un peu plus loin, accroupie devant ses plates-bandes de fleurs. Je plisse un peu le front pour être certaine de bien voir… Quoi ? C'est absurde. Elle est nue des pieds à la tête elle aussi, la raie des fesses bien relevée vers le haut, s'affairant gaiement à enjoliver son aménagement paysager. Elle sarcle des mauvaises herbes nue, elle ? C'est quoi l'idée ?! Je cligne des paupières quelques fois. J'hallucine grave… Peut-être est-ce moi qui deviens sénile, après tout. Non, pas de doute, ma vision est juste. Elle est bel et bien en costume d'Ève.

Embêtée, je repose les yeux sur le pavé noir du chemin devant moi[17]. «Non… pitié, non. J'espère que ce n'est pas ce que je pense…» Ce serait impensable, justement. Un homme qui sort de la roulotte d'en face confirme alors mon triste sort. En apercevant son pénis ballotter dans tous les sens au rythme de ses pas qui dégringolent le petit escalier de la roulotte, je me rends à l'évidence. Je me trouve dans un camping de nudistes, aucun doute là-dessus. Voyons ? Misère, on s'en sortira pas, et c'est le cas de le dire cette fois ! Pas moyen d'avoir une vie normale, bon sang ! Quelque chose d'ennuyeux à mort, de routinier, ça ferait plutôt mon affaire ! Dire que je m'ennuie presque des chicanes à propos du iPad avec ma fille en crise d'adolescence ou encore de mon garçon pas content de ne pas se faire servir de crêpes aux fruits et crème chantilly un matin de semaine. Pfft ! Après réflexion, je pense que je préférerais me faire tuer de nouveau par une

---

17. Symphonie de bruits de criquet.

folle en voiture. Peut-elle revenir me rentrer dedans en bagnole, là, maintenant, question d'en finir au plus vite avec cette journée?

— Non, mais, une petite vie plate avec deux enfants, du genre, métro, boulot, dodo, ce serait possible?

Comme j'ai proféré ma demande à voix haute, la voisine jardinière relève la tête et approche.

— Ça va, Claire?

— Seigneur! que je ne peux m'empêcher de m'exclamer en la voyant surgir près de moi nue comme un ver.

Non, erreur. Elle porte des protège-genoux orange citrouille en mousse rigide... Je pivote la tête dans la direction opposée.

— Claire? réitère-t-elle, inquiète.

Rationnalisant que j'aurai une fois de plus l'air demeuré, je réponds en prenant mon courage à deux mains pour me retourner vers elle.

— Ça va, ça va!

Elle se tient debout, la chair exposée sous toutes ses coutures, tout près de moi. C'est trop insolite. Je la détaille un peu, avec discrétion. Les énormes seins de la sexagénaire rebondissent dans tous les sens au gré de ses mouvements. Comment peut-on se sentir confortable à déambuler sans soutien-gorge de la sorte? Elle a aussi beaucoup de poil au niveau du pubis. Presque autant que moi à la ferme de brebis, en fait. Je détourne le regard pour ne pas avoir l'air de la scruter à la loupe.

Elle me demande alors :

— Tu as froid aujourd'hui ? Par un temps si chaud ?

Ah, bien évidemment ! Je dois être nue aussi en temps normal. Oh, pas aujourd'hui, les amis ! Oh que non, pas question que je me mette à poil ici !

— Oui, je couve quelque chose… une grosse grippe, la H1N1, je pense.

— Pauvre toi ! Pourtant t'avais l'air en grande forme, tard hier soir ! Ha ! ha ! ha ! fait-elle en m'envoyant une œillade coquine tout en riant comme une baleine.

— Ha ! ha ! haaaa ! que je me force de rire en retour même si je ne comprends rien à rien à son allusion.

— La roulotte « se faisait aller », comme on dit par chez nous !

Quoi ? J'ai fait l'amour avec Sylvain et nous avons été peu discrets ? Pas vraiment mon genre, et ni le sien, d'ailleurs, à ce que je me souvienne. Quoique je n'aurais pas pu m'imaginer non plus que nous aurions pu être le genre de couple qui passe ses étés complets dans un camping nudiste. Car il ne s'agit pas que d'une simple expérience pour mettre du piquant dans notre vie de couple – nous sommes installés ici de façon permanente !

— Tu diras à ton mari que ça fonctionne très bien, son truc à pissenlits. On n'en a plus un seul sur le terrain. Plus personne du voisinage n'en aura d'ici la fin de l'été. Je suis contente, car chaque année, je me disais : « Mautadine que le gazon du voisin est plus beau que le nôtre ! »

— Hum…, que je formule en ponctuant mon onomatopée d'un simple sourire.

À vrai dire, je ne suis pas du tout au courant du passionnant passe-temps de Sylvain concernant les pissenlits.

— À plus tard ! fait la femme en me tournant le dos pour retourner à ses occupations horticoles.

J'observe les matières adipeuses de ses fesses se balader d'un côté et de l'autre en suivant la cadence des mouvements de sa démarche. Je n'en reviens tout simplement pas. Ce n'est pas le fait de voir des gens nus qui me trouble – j'en ai côtoyés des centaines entre deux changements de chemise bleue fendue à l'arrière –, c'est de les voir vivre leur nudité au grand jour comme si de rien n'était qui me perturbe. Je ne peux pas croire qu'ils sont à l'aise. Bon, les premières nations terrestres ont certainement vécu dans leur plus simple appareil à leurs débuts, mais il me semble que, même dans l'histoire la plus ancienne, les peaux d'animaux ont rapidement été utilisées comme vêtements, non ? Quelques hippies égarés sur le LSD dans les années soixante-dix se sont eux aussi déjà adonnés à ce genre de pratique durant les *partys* à Woodstock, mais bon, il me semble que la société moderne est passée à d'autres mœurs depuis, non ? C'est quoi l'idée dans les années deux mille de vouloir revenir à ce genre de liberté corporelle ?

Mon abasourdissement actuel me pousse à me faire un autre café afin de digérer ma pénible découverte. Je crois que j'aurai grand besoin de stimulant pour passer à travers cette journée.

Ma vie avec Sylvain, le 10 juin

Mon deuxième café terminé, je décide de rentrer. Non, mais, depuis trente minutes, les personnes qui sont passées devant ma roulotte m'ont toutes demandé ce que j'avais pour être habillée de la sorte. J'avais juste le goût de leur répondre : «Je suis tout à fait normale, moi ! C'est vous autres, bande de tout nus, qui êtes anormaux !» Mais j'ai plutôt plaidé la fameuse grippe H1N1 à tout le monde en faisant même semblant de toussoter par moments. En toute honnêteté, je ne m'habituerai pas du tout à cette nudité. Un couple âgé est même passé en voiturette de golf, la peau des fesses bien collée à la cuirette beige du véhicule. Je n'ai pas pu m'empêcher de grimacer en songeant à quel point ce doit être inconfortable. Décidément ! Ce sera une fois de plus un rêve très singulier, comme tous les précédents, d'ailleurs ! J'espère seulement que notre pauvre petit garçon n'est pas ici. Selon moi, que des adultes consentants vivent nus entre eux, voilà une chose, mais faire subir cette expérience à un enfant si jeune en l'exposant aux regards d'autrui s'avère scandaleux.

Bien décidée à partir à la recherche de Sylvain, je me rends à la chambre pour changer de vêtements. Je cherche un chandail m'appartenant et un soutien-gorge aussi, s'il vous plaît ! J'ose espérer que je ne suis pas arrivée ici sans le moindre sous-vêtement. En étendant le contenu du sac de voyage sur le lit, je réalise qu'il ne contient pas grand-chose en vérité. À mon grand bonheur, je déniche des sous-vêtements adéquats, tout au fond, que j'enfile. En saisissant mon pantalon de lin pour le remettre, j'accroche le couvre-lit fleuri qui glisse un peu. Un objet de plastique bleu turquoise non identifié percute le sol. Je le vois dépasser un peu sous le lit. Mais qu'est-ce que c'est ? J'agrippe alors le truc avant de pousser un cri d'horreur :

— Ah mon Dieu ! que je gueule en prenant conscience que ce que je tiens dans ma main s'avère rien de moins qu'un vibrateur de caoutchouc géant.

Sous le choc, je lance l'objet sur le lit en me secouant les mains d'écœurement. Je ne sais pas où cette chose fut insérée lors de sa dernière utilisation… Ce n'est assuré-ment pas à moi ! Pas un machin si énorme. Une collègue à moi m'a déjà confié avoir acheté un jouet sexuel de ce genre pour les soirées plus olé olé avec son mari et je n'avais pas été choquée par l'idée, mais le truc qui gît en ce moment sur le couvre-lit doit faire plus de douze pouces de longueur. C'est monstrueux ! Qu'est-ce que je suis devenue, ma foi? Une obsédée sexuelle? Avec Sylvain? J'ai quand même été près de deux ans avec cet homme et nous avions une vie sexuelle tout ce qu'il y a de plus normale. Du moins, il me semble...

Je laisse en plan le phallus de plastique pour enfiler le seul chandail à manches courtes que j'ai trouvé. Il n'y a que des vêtements longs dans ma valise. Je cours à la salle de bain pour laver mes mains. En laissant couler le filet d'eau froide qui devient de plus en plus chaude sur ma peau, je me regarde dans le miroir en m'encourageant mentalement: «Claire, c'est la dernière vie de cette expérimentation de fous, tu vas t'en sortir!» Je retire mes mains de sous le jet qui commençait à brûler mon épiderme. J'ai toléré la chaleur plus longtemps qu'à mon habitude, question de tuer raide les bactéries qui devaient sans aucun doute foisonner gaiement sur ce bidule de caoutchouc malpropre. Je retourne à la chambre pour rabattre la couverture sur le pénis bleu que je ne quitte pas des yeux, craignant presque qu'il me saute au visage à tout moment.

Je dois vraiment trouver Sylvain pour en apprendre davantage sur notre mode de vie détraqué.

En sortant dehors, je présume que ce ne sera sûrement pas trop difficile de trouver mon mari: une randonnée dans les sentiers qui serpentent à travers le camping me permettra sans aucun doute de le repérer, car je sais qu'il s'affaire présentement à enlever des pissenlits sur un terrain.

Je déambule un bon moment sur le petit chemin. Je croise beaucoup de gens. Trop. Certains se trouvent dehors à prendre un café, d'autres travaillent sur leur terrassement ou réparent des trucs sur leur roulotte. La vie semble normale et les activités qui se déroulent ici sont comparables à celles qui ont lieu dans n'importe quel camping traditionnel… hormis le fait que tout le monde est en costume d'Adam et Ève. Les gens me saluent et me demandent à tour de rôle si je vais bien, si je couve quelque chose, étant donné que je suis habillée. Je suis vraiment un extraterrestre de porter des vêtements. Quelle absurdité !

J'aperçois alors plus loin un homme qui semble travailler sur son gazon. Comme il est seul et plus âgé, j'en déduis que Sylvain ne doit pas être ici.

— Allo, Claire ! T'es malade ? s'inquiète-t-il d'emblée.

— Oui, j'ai de la fièvre, des frissons. La H1N1, vous savez…

— Si tu cherches ton homme, il est par là, chez les Dubé. Ça fonctionne vraiment fort, le truc des pissenlits ! Wow !

— Ah, super !

En approchant du campement que l'inconnu m'a désigné de la main, je constate que les deux hommes qui s'y trouvent s'affairent bel et bien à enrayer des mauvaises herbes. Deux types complètement nus, bien sûr. De dos, je ne reconnais pas trop le corps de Sylvain ; l'ayant vu nu il y a de ça plus de vingt ans, il a pu changer amplement.

Arrivée tout près d'eux, je suis très embarrassée lorsqu'un des deux hommes – qui n'est pas Sylvain du tout – se tourne vers moi pour m'accueillir :

— Allo, mon cœur ! Oh ! qu'est-ce qui se passe ? T'as froid ?

Mais qui est-ce ? Je prends quelques secondes pour penser en accéléré. Je tombe dans la lune sur son pénis, ce qui ne m'aide pas du tout à réfléchir de façon rationnelle. Son membre est comme… euh… «Allez, Claire, un peu de concentration…», que je m'encourage en déviant mon regard vers un bouquet de pissenlits arrachés qui gît au sol. Mes yeux reviennent à nouveau vers ses attributs mâles avant de remonter rapidement à son visage. Je reconnais cet homme, mais d'où ? C'est pourtant bien clair dans ma tête : après avoir été avec Pierre, je suis sortie avec Sylvain. Ah non, à moins que… Misère ! Je l'avais oublié, lui…

Assise sur un banc de bois vert forêt, je fixe la grande roue qui tourne devant moi. Nous prenons chacun un bout de la barbe à papa géante que je tiens dans ma main. Patrick me sourit. Comme c'est seulement la deuxième fois que je le rencontre, je suis très gênée. Nathalie, qui fait la file pour le manège avec son chum, nous épie par-dessus son épaule. Pour ma part, je ne suis pas une grande amatrice de manèges qui tournent. J'ai toujours envie d'y aller sur le coup, car ça semble amusant, mais comme chaque fois la tête me tourne et le cœur me lève après quelques tours, je m'abstiens. Je suis à l'aise les deux pieds bien à plat sur terre. Il est donc resté avec moi sur le banc. Je m'enfonce un morceau de la matière rose fibreuse dans la bouche. Au contact de ma salive, la pâte douce et sucrée fond et son jus enveloppe mes papilles.

Il se tourne vers moi.

— Alors? Tu vas te décider à m'inviter ou non…

Ma relation avec Pierre s'est terminée durant l'hiver, Nathalie a donc eu la brillante idée de me présenter son cousin pour que je l'invite à venir au bal des finissants avec moi. « Tu ne peux PAS aller au bal seule! », avait-elle plaidé, presque au bord de la crise d'hystérie. En fait, j'avais déjà rencontré son cousin de Montréal une fois lors d'une fête l'an dernier, mais je ne lui avais pas parlé beaucoup. Je crois qu'il est gentil.

Je rougis un peu à la suite de son commentaire. Inviter ce garçon pour le bal me gêne terriblement. Quoique, comme Nathalie a déjà bien mis la table, il ne devrait pas refuser mon invitation. Le bal est dans quelques semaines. De plus, comme il a dix-huit ans, il possède déjà un habit qu'il a porté à son propre bal des finissants.

Je balbutie finalement:

— *Ouais…, en me remettant une grosse motte de mousse rose dans la bouche pour ainsi éviter de devoir développer davantage ma proposition.*

— *Bon! Enfin! fait le garçon en me poussant un peu avec le coude.*

Comme si mon invitation officielle donnait le coup de départ à une relation plus intime, il pousse un peu le bâton de barbe à papa vers la gauche et il approche de moi pour m'embrasser. Un peu surprise par son geste précoce, je réponds tout de même à son baiser en sortant un peu les lèvres. Il enfonce alors sa langue dans ma bouche tel un serpent cherchant une issue de secours dans une grotte étroite, puis il la fait tourner rapidement. Un filet de salive sucrée dégouline à la commissure de mes lèvres. Un mélange de la sienne et de la mienne. Comme j'ai encore de la barbe à papa dans la bouche, le tout s'avère un peu dégueulasse.

Nathalie, qui tournoie au gré de la grande roue, s'époumone de joie en nous voyant nous embrasser sur le banc. En réponse à son cri, Patrick remballe sa longue langue, il s'éloigne de moi et se lève. Il baisse alors son bermuda pour présenter ses fesses nues pendant quelques secondes aux gens dans la grande roue. Tout le monde rit autour de nous. Franchement! Pour ma part, je ne suis pas certaine de trouver ça vraiment drôle…

Timide, je profite du dérangement pour m'essuyer la bouche et terminer ma bouchée. Comme si de rien n'était, il se rassoit et me demande :

— Tu vas passer toute une soirée au bal ! T'es pas vierge, toujours ?

— Ben non !

— Super !

Incertaine quant à la pertinence de sa question, je reprends de nouveau un peu de barbe à papa…

Nom de l'ex-conjoint : Patrick Grégoire
Date de rencontre : 3 juin 1990
Lieu : Foire agricole de Sherbrooke
Durée de la relation : trois semaines

Patrick… Quelques semaines après cette première soirée, il était venu au bal avec moi, et ce, même si je le connaissais à peine. Je n'ai même jamais couché avec lui. Sur le coup, je croyais bien l'aimer, mais rapidement, je l'avais trouvé un peu bizarre et je n'avais plus voulu le revoir. Tout d'abord, lorsqu'il m'embrassait, il enfonçait toujours sa langue dans ma bouche au maximum et je pensais vomir chaque fois. Il me léchait souvent le cou aussi et je détestais ça. De plus, il avait cette manie de toujours montrer ses fesses à tout moment. Bref, nous avions eu du plaisir avec Nathalie et son *chum* à la soirée du bal, car les deux gars étaient bons copains, mais notre histoire en était restée là. Le fait que j'avais oublié de le comptabiliser dans ma liste de soupirants est plutôt révélateur de son importance dans mon parcours amoureux[18]... Malgré tout, il semblerait que le fait que je l'ai fréquenté lui accorde une place de choix dans ce rêve expérimental. J'aurais quand même dû m'en douter.

Patrick doit sans doute trouver que cela constitue un avantage notoire que d'être nu en permanence ; pas besoin de baisser son pantalon pour montrer ses fesses ! Il me semblait, aussi, que Sylvain n'aurait pas pu mener ce genre de vie...

Ma vie avec ~~Sylvain~~ Patrick, le 10 juin

Ne comprenant pas trop mon allure et, surtout, pourquoi je fixe en alternance depuis trois minutes son pénis et la

---

18. On appelle ça « la mémoire sélective »...

motte de pissenlits au sol, le pauvre Patrick me demande à nouveau :

— Tu m'inquiètes, mon cœur. Es-tu malade ?

— Oui, j'ai des frissons. La grippe…

— Aaaahh ! Repose-toi aujourd'hui.

« Au moins, il est gentil. Tout nu, mais gentil. »

Je regarde un peu ce qu'ils font en avançant de deux petits pas, question de refocaliser mon attention ailleurs que sur mes mires précédentes. L'air très emballé que je m'intéresse à son projet en cours, il m'explique :

— Tu vois, mon cœur, on enlève le pissenlit avec la cuillère et, ensuite, on vaporise un peu de notre potion magique et ils ne repousseront jamais !

Je prête attention au produit en question en songeant qu'Alexandre serait bien content de dénicher un remède miracle de ce genre pour sa pelouse… La bouteille que mon conjoint naturiste tient en main indique qu'il s'agit de « Pistilkill ».

Je pense à quelque chose qui me chicote.

— Le petit ? que je demande, curieuse de savoir si l'enfant sur la photo dans la cuisine est effectivement le nôtre.

— Ma mère a appelé. Il a encore fait pipi au lit cette nuit, mais, sinon, tout va bien. Ils viendront nous le porter comme prévu vendredi après l'école.

Ainsi que je le craignais, on fait bel et bien vivre cette horrible expérience à notre fils. En plus, il s'échappe encore à son âge… pauvre petit loup! S'il vient ici réguliè-rement, il doit être traumatisé, le pauvre. Je ne me sens pas très fière de moi pour ce coup-là, une fois de plus…

— Va te reposer, je te rejoins plus tard, fait Patrick en avançant d'un coup vers moi tout en ouvrant les lèvres et en déroulant sa longue langue de lézard.

Me souvenant de façon très limpide de ces horribles moments mouillés du passé, j'esquive son embrassade en rigolant:

— Oh non! ma H1N1…

Il m'attrape alors par la taille et me tire vers lui pour me chuchoter dans l'oreille:

— Ce soir, on s'amuse à quatre ou juste toi et moi?

Éberluée, je m'éloigne subitement de son corps nu. La bouche grande ouverte, je ne peux pas croire ce que je viens d'entendre. Craignant qu'il profite de l'occasion pour enfoncer sa langue dans mon orifice béant, je serre aussitôt les dents. À quatre? On est un couple échangiste en plus d'être nudiste? Je crois que je vais vomir dans les pissenlits. C'était donc ça, son message subtil sur la table parlant de «nos amis»…

Les bras mous et pendants le long du corps, je déambule dans le petit chemin comme si je venais de perdre un long combat. Échangiste? C'est le comble du malheur. J'ai peine à y croire. Je m'imagine pendant un instant vivre une situation semblable avec Alexandre: une autre femme avec nous et un autre homme aussi... Comment fonctionne ce genre de relation? Tout le monde se touche à la fois ou on échange de partenaire, tout simplement? On fait l'amour à quatre tous en même temps ou on s'en va dans un coin à deux, à l'abri des regards? L'un des deux scénarios me paraît quand même moins pire que l'autre. S'il s'agit «seulement» de coucher avec le partenaire du sexe opposé de l'autre couple, on ne fait que tromper son conjoint de façon contrôlée, avec son absolution, en réalité. C'est donc dire que tous les gens que je croise depuis ce matin sont potentiellement nos amis-amants-partenaires-échangistes... Ah seigneur! Pas la voisine des plates-bandes, j'espère! Ni le pépé à vélo[19]! Nous avons probablement sélectionné des couples dans notre tranche d'âge. Du moins, j'imagine. À partir de maintenant, je dois garder en tête que tout le monde est suspect. Tout le monde! Et si nos amants en manque de sexe me voyaient déambuler, seule et vulnérable, et

---

19. Hum... Vous voulez lui, hein? ☺

qu'ils m'entraînaient dans les bois ? « Non, Claire, quand même, ce ne sont pas des maniaques, mais bien des gens normaux… qui ne s'habillent pas et qui font l'amour en groupe », que je songe pour me rassurer. Ouf… ma réflexion ne me convainc pas du tout de la « normalité » de la chose, cependant.

Je décide de bifurquer vers un embranchement. Une pancarte à la croisée des chemins y indique la présence d'un lac à quelques mètres. Ah oui ! S'il vous plaît, un beau lac où je pourrai trouver de la tranquillité et de la paix. En effet, plus j'avance sur le sentier entouré d'arbres, plus j'aperçois l'eau qui s'étend devant moi. Je ressens d'emblée un certain calme intérieur. L'eau a cet effet apaisant sur moi depuis toujours. Outre de maintenir mes mains sous l'eau chaude pour me détendre, j'adore nager depuis que je suis toute petite. Papa et maman n'ont jamais voulu avoir de piscine, mais, plus jeune, c'était le rêve ultime de ma vie. Mon père refusait d'en acheter une en disant ne pas vouloir s'en occuper. Je leur en voulais à l'époque, mais quand mes propres enfants ont demandé d'en avoir une, il y a trois ans, j'ai refusé à mon tour. Pas question qu'on se divise inégalement une tâche domestique supplémentaire, ni qu'on paie un employé pour le faire. Mes charmants descendants vont donc barboter à la piscine municipale, tout comme moi. Il y a tant de situations que l'on ne comprend pas étant enfant, mais que l'on saisit seulement en devenant soi-même parent d'adorables rejetons ! « Vous comprendrez quand vous aurez des enfants ! », que je rengaine assez régulièrement aux deux miens. Exactement comme papa et maman me répétaient à l'époque.

En fixant le lac miroir qui reluit devant moi, je songe justement aux enfants. Les miens, les vrais. Je m'ennuie d'eux comme si j'étais partie en voyage depuis des semaines. Pourtant nous sommes toujours la même nuit… celle du 10 au 11 juin. Et si je ne revenais jamais à la maison? Et si je restais prisonnière d'une de ces vies de cinglés? Et si cette expérimentation atteignait un point de non-retour? Est-ce que je dois réussir quelque chose? Que se passe-t-il en cas d'échec?

Je suis dérangée dans mon scénario troublant par deux tout-nus qui arrivent près de moi en chaloupe.

— Allo, Claire! T'as froid en câline pour être habillée de même par cette chaleur! me lance le type debout dans la barque, qui adopte une position peu gracieuse.

Penché vers l'avant, il tente de pousser l'embarcation le plus près possible de la rive à l'aide d'une rame de bois. D'où je me trouve, j'ai donc droit à une vue tout ce qu'il y a de plus avantageuse sur sa craque de fesse poilue et ses bijoux de famille qui pendouillent comme une cloche à vache à deux battants. Je détourne le regard. Sa femme saute sur le quai en effectuant un bond si spectaculaire que ses seins ont presque failli se retrouver en plein milieu du lac en guise d'appât aux poissons. Pour rajouter au ridicule de la scène, elle porte des souliers de course et des bas blancs…

— Vous me donnez un petit coup de main, les femmes? nous prie l'homme, maintenant descendu sur la berge.

Il veut tirer l'embarcation plus loin sur la rive pour éviter qu'elle reprenne le large. Il ajoute à sa demande une œillade suggestive à mon intention. Euh… Est-ce que cette mimique signifiait: «Un petit coup de main, Claire!» ou «J'espère qu'on se fait une partouse torride à quatre dans votre roulotte ce soir, Claire!»? Justement, ce n'était pas clair. Je l'observe avec suspicion en avançant vers lui.

Sa femme s'installe plus loin, sur le côté opposé de son mari. Je me range du même côté qu'elle, mais vers le devant, pour diviser ainsi la charge du poids de façon équitable.

Le type profite de notre discrète proximité pour me murmurer:

— Je te trouve aussi *sexy* habillée que pas…

Ah mon Dieu! C'est eux, c'est lui, c'est certain! Je couche avec lui? Je tire l'embarcation de toutes mes forces, question d'en finir au plus vite. Sa femme revient vers nous et propose, en toute gentillesse:

— On devrait souper ensemble, ce soir, juste nous quatre…

«Juste nous quatre…» Ils ne sont pas subtils une miette avec leurs sous-entendus, et les plaisanciers du camping au grand complet doivent savoir qu'on s'envoie en l'air ensemble de temps à autre.

— Hum… Je pense que Sylvain… euh… Patrick a prévu quelque chose ce soir, mais je ne suis pas certaine…

— On passera vous voir plus tard quand même…

— Nnoui…, que je bafouille avec maladresse avant de tourner les talons pour décamper en quatrième vitesse.

J'ai détaillé cet homme de haut en bas pendant qu'on poussait la chaloupe, et disons qu'il n'est pas ce qu'il y a de mieux conservé. Voilà une réaction un peu superficielle de ma part, j'en conviens, mais il est, comment dire, bien bedonnant. Il ne m'attire pas du tout, de sorte que je m'imagine difficilement « faire la chose » avec lui.

En déambulant sur le chemin menant à la roulotte, je salue deux vacanciers au passage. Je tousse dans mon coude devant eux dans le but de maintenir bien crédible mon mensonge de grippe virulente.

10 H 36

En arrivant près de notre repaire – que je considère maintenant comme un fort de protection indispensable à ma survie –, la voisine horticultrice m'accueille en poussant un cri :

— Ah, Claire ! Je te cherchais !

Elle et son buste gigotant approchent vers moi, l'air de vouloir me confier quelque chose d'important, mais de secret à la fois.

— Ce soir, si vous voulez venir veiller sur le bord du feu chez nous, ça nous ferait bien plaisir à Gérard et moi. On voudrait vous remercier pour l'autre jour…, et elle me décoche à son tour un clin d'œil ravageur.

Quoi?! On se tape les voisins aussi? Comme toutes ces révélations sont littéralement trop pour ma petite personne et que la voisine semble me trouver singulière de la fixer la bouche ouverte sans être capable de prononcer un traître mot, je tousse pour me sortir d'embarras avant d'expliquer:

— Je suis très malade aujourd'hui…

Je prends aussitôt mes jambes à mon cou et je déguerpis. Elle me lance tout de même une dernière invitation de loin:

— J'espère que vous viendrez quand même à la pétanque cet après-midi…

En pénétrant dans mon coffre-fort sur blocs de ciment, je colle mon dos contre la petite porte et je souffle de soulagement. J'ai l'impression de déambuler dans une forêt regorgeant de loups assoiffés de sang, mais ici, c'est de sexe que ces gens semblent tous avides. C'est maintenant évident comme le nez au milieu du visage que Claire et Patrick forment un couple de bêtes de sexe sans limites. Je suis pourtant une femme si traditionnelle en ce qui a trait à « la chose » que j'ai peine à croire que la vie ait pu faire en sorte que je devienne aussi dépravée. En temps normal, je suis quasiment ennuyante au lit ! Oui, carrément ! J'aime quand Alexandre me fait l'amour en position du missionnaire, avec douceur et bien collé sur moi, voilà tout. Pour les pirouettes, les positions abracadabrantes, les jouets en plastique et le pluralisme sexuel, on repassera.

« Il n'est pas question que ce cauchemar se transforme en rêve érotique. » Je regarde l'heure. Comme il n'est pas encore midi, il y a peu de chances que je m'endorme si je m'étends. Je dois trouver une façon de survivre à cette journée sans me faire attraper dans un coin noir, autant par Patrick et sa langue que par cette horde d'obsédés nus. L'aplomb et le talent pour la répartie que je semble avoir développés au cours de mes rêves me seront sans doute d'un grand secours aujourd'hui... Je tombe dans la lune en contemplant les bouteilles de vin rouge sur le comptoir à ma gauche... Hum... Voilà une idée tout à fait géniale ! De ce pas, j'ouvre un tiroir et je me munis d'un ouvre-bouteille...

En me rejoignant pour le dîner, mon adorable conjoint semble un peu surpris de me retrouver seule, assise à la table de cuisine et picolant gaiement.

— Du vin ? À cette heure ? On fête quelque chose, mon cœur ?

Il s'approche de nouveau de moi. Selon ses mouvements, je devine rapidement son intention imminente de m'enfoncer sa couleuvre onduleuse dans la gorge. J'évite de justesse l'attaque en plaquant sans plus attendre ma main droite sur ma bouche.

Je prononce entre mes doigts :

— Non, ma grippe…

Il n'en fait pas de cas et recule. Je laisse tout de même ma main en place un instant, juste au cas où. Il dépose une bouteille de Pistilkill – le fameux produit miracle contre les pissenlits – sur la table de la cuisine.

— Tu y as cru, toi, que l'on deviendrait riches avec ça un jour ?

— Hein ? Sommes-nous SI riches ? que je m'étonne, les yeux bien ronds.

— Ha ! ha ! ha ! Assez riches pour que ma gentille épouse infirmière n'ait plus besoin de travailler de sa sainte vie et qu'elle puisse passer sept mois par année ici… C'est assez riche, ça, oui !

La première chose qui me vient en tête est : « Misère, je passe sept mois par année ici, à m'envoyer en l'air avec tout le voisinage ! » Cette simple perspective dégoûtante me fait avaler d'un trait une généreuse rasade de vin rouge. Mes pensées bifurquent vers un aspect plus positif: «Je suis donc infirmière. J'étais infirmière, plutôt...» Une autre pensée assez heureuse retient mon attention: «Patrick semble très amoureux de moi et il est gentil...» Cependant, une vision d'horreur revient alors au grand galop dans ma tête pour, du coup, gâcher tout le portrait: «Mais... il m'enfonce des vibrateurs géants je ne sais où!» Cette image douloureuse me fait sourciller, puis je m'envoie aussitôt une autre gorgée de ce Californien derrière la cravate.

— Bon, je vais partir le barbecue, j'ai invité les Dubé pour des hot dogs!

Ah, génial! Probablement que nous couchons avec eux aussi de temps à autre. S'ils tentent une approche à caractère sexuel, je m'élance vers le bois et je cours jusqu'à la route la plus près pour m'enfuir en autostop le plus loin possible avec le premier venu.

Le vin m'ayant un peu calmé les nerfs, je sors dehors pour feuilleter un magazine le temps que nos invités arrivent. Patrick se charge de tout. Voilà un autre point positif pour lui, mais ses petites attentions ne me feront pas oublier la présence de l'immense dauphin bleu dans notre chambre à coucher...

Au moment où j'aperçois nos invités – non vêtus – arriver par le petit chemin, je me sens plutôt zen et ce début de journée désastreux semble loin derrière. Est-ce que la section «morale» de mon cerveau commencerait à s'y faire ou, plutôt, à apprivoiser cette absurdité?

— Bonjour ! que je les accueille, la langue inévitablement déliée par l'alcool.

La femme qui accompagne le type que j'ai vu tantôt tient une petite serviette qu'elle pose sur une de nos chaises avant de s'asseoir dessus. Bon, il existe au moins un souci pour l'hygiène dans cette vie de nudisme. Simplement à cause de ce léger détail, j'apprécie davantage cette femme. Si je fais des cochonneries avec elle à l'occasion, ça me rassure de savoir que c'est une femme propre de sa personne !

— Pauvre Claire ! Malade en plein été… Il fait si beau, en plus !

— Pas drôle, pas drôle ! que j'approuve en me forçant à renifler.

Encouragés par ma consommation d'alcool hâtive, les deux hommes succombent à la tentation d'une bonne bière froide. Comme la femme décide à son tour de nous accompagner, je lui verse un verre de vin.

— T'as l'air en grande forme, même si t'es malade, remarque mon amante potentielle en me souriant comme une vendeuse d'assurance.

— Pas tant que ça, non, non…, que je lui réponds du tac au tac pour stopper raide son envie de nous proposer une partouse de groupe comme dessert.

D'un air sceptique, elle m'appuie :

— D'accord...

— Ce soir, je vais me coucher TRÈS, TRÈS tôt et je ferai peut-être même une sieste après le dîner, que j'ajoute pour taper sur le clou de ma fermeture à tout genre de projet sexuel, en espérant en secret que mon valeureux mari, sa langue et son vibrateur géant comprennent également le message.

Contre toute attente, le dîner se déroule dans une ambiance agréable – outre le fait que mes convives demeurent sans vêtements, bien entendu. Le shiraz que je me farcis sans retenue influence probablement mon appréciation positive du moment.

Le monsieur Dubé, qui a trop généreusement garni son hot dog, croque dedans à pleines dents. Des condiments sortent par le bout et tombent sur lui.

Sa femme réagit:

— Hon! Chéri, tu as du ketchup là... Hi! hi! hi!

Étant donné que je suis face à lui, je ne vois pas le dégât en question, mais je déduis fort bien ce qui se passe.

— Oh! Tout près de ma grosse saucisse! Ha! ha! ha!

— Moyenne saucisse, je dirais! ajoute alors la femme, toujours hilare.

Misère... quelle discussion ridicule...

— Je peux te nettoyer ça, si tu veux, ose sa femme en se léchant la lèvre inférieure pour être comique.

Je descends la moitié de mon verre de vin en riant jaune des allusions coquines qui fusent à table. Le type agrippe finalement une serviette de table pour se nettoyer. Lorsqu'il repose sa serviette souillée sur la table, je songe : «Je vais devoir trouver des gants de vaisselle pour mettre ça à la poubelle… peut-être même un masque de chirurgien, pour les odeurs.»

Deux voisins qui passent avec un sac sur l'épaule nous demandent si nous allons à la pétanque.

Pas friande de l'activité en question, je souffle un :

— Pfft !

Tout le monde répond quelque chose de vague, comme quoi nous verrons en temps et lieu. Madame Dubé attend que les voisins se soient éloignés avant de chuchoter à notre intention :

— On devrait aller à l'intérieur se payer une petite «partie» à la place…, en souriant un peu mesquinement et en se frottant les mains d'anticipation.

La première réplique qui me vient à l'esprit sort sans que je puisse la retenir :

— Une partie de quoi ? *Strip poker* ?

Tout le monde éclate de rire.

— Non, une «partie» comme on les aime, plutôt...,
ajoute la femme en haussant les deux sourcils dans ma
direction.

Cherchant une issue facile pour fuir, je balance en me
levant:

— Non, j'ai vraiment le goût d'aller à la pétanque,
finalement.

Pressée comme un lavement, je saisis la bouteille de
vin entamée et ma coupe de plastique pour signifier à tout
le monde que je suis même déjà prête à partir.

— Ah bon..., fait la femme, un peu déçue en termi-
nant son hot dog d'une seule bouchée.

— Tu ne voulais pas faire une sieste? s'informe mon
bienveillant mari.

— Non! J'ai même très envie d'aller jouer à la pétanque
tout de suite, que j'insiste en le lorgnant et en espérant
que notre complicité conjugale des dernières années lui
fera comprendre que je veux décoller maintenant.

— Les boules, alors...

— QUELLES BOULES? que je panique en répri-
mant un mouvement pour me protéger la poitrine.

— De pétanque, Claire..., précise-t-il en ayant l'air
de me trouver franchement bizarre.

— Ah, bien oui, les boules de pétanque...

13 H 40

Les joues rougies par le bon vin, je pénètre la première dans l'aire sportive du camping, suivie de près par les Dubé et Patrick qui complotent dans mon dos. S'ils tentent une attaque par-derrière, je leur fracasse ma bouteille de vin sur la tête !

L'organisateur de la joute prend nos noms afin de diviser stratégiquement les équipes sur les différents terrains. Ce tournoi semble assez officiel, merci. Je joue avec Patrick. En fait, tout le monde participe en couple. Charmant.

J'aperçois alors au loin une femme qui porte un chandail et un pantalon. D'instinct, je me rue sur elle comme si notre différence ostentatoire nous unissait viscéralement dans quelque chose d'unique.

En me voyant arriver près d'elle, la dame me déclare :

— T'as un coup de soleil toi aussi, Claire ?

— Non, je suis *balade* ! que j'exagère maintenant en parlant du nez.

— Moi, j'ai attrapé une solide insolation, hier, au tennis…

Pendant une seconde, je visualise la scène grotesque de gens jouant au tennis, nus. C'est comme irréel. J'ai l'impression que c'est le sport le moins propice à pratiquer sans vêtement[20]. Je m'imagine un instant y prendre part, mes poches de lait vides se baladant dans tous les sens... J'échappe un rire sans raison.

L'air de se demander ce que je trouve de comique dans sa triste situation, elle remarque ma coupe de plastique et ma bouteille de vin et s'informe :

— Tu fêtes quelque chose de spécial ?

— Oui, madame ! Les vacances !

— Claire, tu ne travailles plus depuis trois ans...

— Voilà, je célèbre cette excellente nouvelle, justement..., que j'hésite en tournant finalement les talons pour rejoindre mon coéquipier de mari.

Malgré que je me sente spectatrice d'une scène de film érotique à petit budget des années soixante dix, je réussis à m'amuser un peu lors de la joute. Incroyable ; les gens penchés, toutes fesses relevées, qui jouent à la pétanque ou encore qui mesurent la distance entre les boules... Je ne me découvre par contre pas de talent caché pour le jeu en question, l'alcool nuisant clairement à l'alignement général de mon corps.

---

20. Le hockey ne doit pas être génial non plus !

Le **Gazon**

Ma performance à la pétanque s'étant en bout de ligne avérée très désastreuse, nous regagnons notre campement. En marchant, Patrick m'adresse une fois de plus un regard me laissant croire qu'il me trouve très inhabituelle. Sur le chemin, nous croisons un emplacement de camping où je reconnais de loin le couple de pêcheurs à qui j'ai donné un coup de main ce matin. La femme bondit sur nous telle une furie et elle agrippe le bras de Patrick.

— Donc ? Ce soir, avez-vous quelque chose de prévu ou pas, finalement ?

— Oui ! que je réponds avant que mon cher mari n'ait le temps de placer un mot.

Il pose des yeux interrogateurs sur moi.

— Et on est même un peu pressés ! que j'ajoute en tirant de mon côté sur l'autre bras de mon époux.

— On passe vous voir plus tard, alors !?

— Parfait ! acquiesce Patrick, l'air honteux face à mon comportement un peu impoli.

Plus loin, je lui reproche :

— « Parfait » ?

— Oui, ça va, pour plus tard, non ? Après notre souper. Tu aimes bien leur compagnie, d'habitude...

Découragée par notre couple dans son ensemble, je lui demande, au bord des larmes :

— Patrick, pourquoi on fait ça ?

— Parce qu'on adore ça, Claire ! Toi, surtout... Disons que nous sommes un couple en demande ! C'est flatteur, non ?

Ah bon !? Il faudrait vite que je débouche une autre bouteille de vin...

— Pfft ! Un peu trop en demande à mon goût, oui !

— À toi de me dire ce dont tu as envie pour ce soir. Pour ma part, j'ai déjà une petite idée...

Il m'enlace alors de côté avec affection. De marbre, je reste en place un instant avant de m'éloigner en lui désignant un oiseau avec grand intérêt. Décidément, je crois qu'il sera difficile d'échapper à mon triste sort. Je devrai vraiment essayer de me coucher très tôt ce soir.

Je me jette à corps perdu sur l'ouvre-bouteille dès que je mets un pied dans notre roulotte. Patrick saute sous la douche.

Le Gazon

En sortant, fraîchement lavé, mon prévoyant conjoint me suggère :

— Tu devrais prendre une douche en prévision de ce soir, mon cœur, non ?

— Hum… non ! que je décide sans lui laisser l'opportunité d'argumenter davantage sur mon hygiène corporelle douteuse.

— Ah bon…

— Es-tu prête, alors ?

— Non ! que je m'oppose, toujours le nez enfoui dans mon verre de vin.

— Claire, qu'est-ce qui se passe ? Je te trouve étrange depuis ce matin. Tu t'ennuies de Tristan ?

— Oui, exact. Peut-on aller le retrouver ?

— Mon cœur, c'est à plus d'une heure de route d'ici et il arrive vendredi, donc dans seulement deux jours. Ce n'est pas très long…

Navrée que cette idée spontanée ne fonctionne pas, je me résigne à mon sort et lui déclare plutôt :

— La tête me fait mal.

— Je comprends donc ! Cesse de boire du vin comme ça !

— Non !

— Bon, on y va ?

Je me lève et je saisis de nouveau la bouteille et mon verre de plastique avant de le suivre docilement. En vérité, je ne me souviens même pas chez qui nous soupons. La tête me tourne en effet de plus en plus. Je sens que je serai assommée raide après avoir mangé. Il est à peine dix-huit heures, donc mon plan fonctionne à merveille.

En arrivant chez le couple qui nous reçoit pour souper, la femme me fait la bise. Selon toute apparence, elle picole elle aussi depuis un bon moment. Une alcoolique tout comme moi, quelle belle nouvelle ! Assise sur le petit patio devant leur emplacement, nous trinquons donc en parlant de n'importe quoi pendant que les hommes discutent de la haie de cèdres au fond du terrain.

Curieuse et désinhibée, la femme près de moi me demande :

— Dis-moi ! Vous l'avez fait chez les Dubé, à ce qu'il paraît ?

Bien entendu, les cancans vont bon train dans un petit lieu fermé comme celui-ci. Me foutant éperdument de la suite des choses étant donné que tout cela se terminera bientôt, j'acquiesce sans hésiter :

— Oui, madame ! Chez les Dubé !

— Tant mieux ! D'ici la fin de l'été, vous aurez « fait le tour » de tout le monde ! Ha ! ha ! ha ! s'égosille-t-elle en plaçant physiquement des guillemets à l'aide de ses doigts autour des mots « fait le tour ».

Génial! Je me sens malpropre comme jamais auparavant en ce moment. J'espère qu'on se protège, au moins…

Au moment où les hommes commencent à s'affairer autour du barbecue, je réalise que ma vue se dédouble un peu. J'ai aussi peine à retenir mes paupières ouvertes. Voilà une bien bonne chose. La femme nue, dont le taux d'alcool doit certainement se rapprocher du mien, me demande :

— Ça va, Claire?

— *Cha* va très bien, que je la rassure.

Tabarnouche! Je commence même à déparler. La grande classe! Je crois que je n'ai jamais bu autant de vin en si peu de temps de toute ma vie. Assise sur ma chaise de plastique, l'euphorie de l'ivresse me fait sourire comme une sotte à tout ce beau monde nu. Question de m'instruire un peu au passage, je demande à la femme, sans la moindre gêne :

— Vous aimez *cha* être tout nus, vous autres?

— Ha! ha! ha! T'es drôle, Claire! C'est la première fois que je te vois si bourrée! Tchin-tchin!

— *Eche*-que tu joues au *tennisss* toute nue, toi?

— Ha! ha! ha! s'esclaffe mon interlocutrice d'un rire gras et puissant. Ta femme est vraiment tordante, Patrick!

Comme il ne semble pas convaincu de la chose, il pose des yeux ambigus sur moi.

19 H 15

J'engloutis mon morceau de viande sans dire un mot à personne. Le nez dans mon assiette, je crains de m'effondrer dans mon steak entre chaque bouchée.

Une fois le repas terminé, notre hôte prend un air sérieux. Il pousse son plat vide plus loin sur la table et déclare en alternant son regard entre Patrick et moi :

— Écoutez, Sandra et moi, on aimerait aussi faire partie des heureux élus. On se sent un peu à part des autres, pour être franc ! Tout le monde a juste des bons commentaires en plus !

Wow ! Super ! On offre le service de façon professionnelle ou quoi ? Les gens doivent remplir un questionnaire d'appréciation de leur expérience après ?

— Oui, pas de problème ! Ça nous ferait même très plaisir, pas vrai, Claire ? Cette semaine ?

« Laissez-nous consulter notre agenda avant... Nous sommes très en demande... », ai-je envie de répondre avec ironie.

— Oui, oui..., que je leur confirme en vacillant un peu sur ma chaise.

— Voulez-vous entrer à l'intérieur ? demande Sandra en me prenant amicalement le bras.

— Non, pas maintenant! *Che* dois aller chercher quelque chose…, que j'invente pour m'éclipser en douce.

Comme je ne peux plus boire une seule gorgée de vin supplémentaire, sinon je serai malade, je me lève de table et déguerpis sans plus de précisions. Mon lit! Vite mon lit!

Assise sur la toilette de notre petite roulotte, je songe que mon intégrité morale se fait vraiment malmener dans cette tranche de vie spéculative. Cela me confronte énormément. Les gens auraient-ils tous au fond d'eux-mêmes un potentiel à devenir complètement désaxés sur le plan sexuel? On refoule ces pulsions ou quoi? Lorsque Alexandre et moi faisons l'amour dans la position de la levrette, je me sens clairement comme un animal. Pas ma meilleure posture, disons. Et là, je m'envoie en l'air avec les vacanciers d'un camping au grand complet…

J'entends la porte s'ouvrir. Ah non! Je cherche une arme des yeux pour me défendre au cas où l'intrus essaierait de me violer… Mais si la voisine et son mari souhaitent s'en prendre à moi, je suis foutue car ils font le double de mon poids!

Armée d'une bouteille de shampoing pleine que je tiens bien haut par le bouchon, je sors de la salle de bain. À ma grande joie, c'est Patrick que j'aperçois, debout en plein milieu de la petite cuisine. Ouf! Avec lui un simple «non» suffira, je crois.

— *Chalut!* que je fais, toujours dans un état d'ivresse très avancé.

— Claire, que se passe-t-il, pour l'amour?

Je pose mon arme sur la table et je m'élance vers le lit pour m'y laisser choir avec lourdeur.

— *Che* suis *chi* fatiguée...

Il me rejoint.

— Je comprends bien, tu as bu du vin toute la journée. Pourquoi?

— Non, toi, tu vas me dire pourquoi. Pourquoi on fait *çha* avec tout le monde? Hein? Pourquoi?

— Mon cœur... nous avons commencé à offrir le service l'an dernier sans rien charger. C'est normal que tout le monde veuille maintenant en profiter...

— Ah, *parche* qu'on a déjà pensé faire payer les gens! *Ch'est* le comble...

— On en a parlé longtemps ensemble avant de débuter et tu semblais d'accord.

On cogne alors trois petits coups à la porte. Misère! Patrick se lève pour aller répondre. J'entends la voix de la voisine qui demande si nous voulons venir les rejoindre au bord du feu.

— NOOOON! que je beugle avec impolitesse de mon lit.

Non, mais, à la fin, c'est quasiment rendu du harcè-
lement ! J'entends Patrick sortir avec elle. Ils chuchotent
devant la porte. Mes paupières sont lourdes. Mes pensées
sont confuses.

Lorsque mon mari revient auprès de moi, je suis déjà
presque endormie. Il prend place sur le matelas, au pied
du lit.

— Bref, je ne comprends pas que ça te dérange autant,
Claire. Ça ne t'implique en rien. Je me charge de tout.

Outrée par le ridicule de son propos, j'ouvre un œil.

— *Cha* ne m'implique en rien de me faire sauter par
tout le voisinage ?

— Hein ? De quoi tu parles ?

— Nos aventures coquines avec tout le monde, les
allusions de partouse à quatre, les invitations pleines de
chous-entendus…

— Des gens ici t'ont proposé ça ? Es-tu sérieuse ?

Confuse qu'il tombe des nues[21] de la sorte, je me
relève sur les coudes. « Donc, je me serais imaginé tout
ça… Comment est-ce possible ? » Prenant mon silence
pour de la contrariété, Patrick poursuit.

---

21. Expression tout en contexte, ici !

— Claire, je propose le service pour enrayer les pissenlits gratuitement à tout le monde ici depuis l'été dernier. C'est donc évident que nos voisins se sentent un peu redevables envers nous, mais s'ils commencent à te faire des propositions sexuelles, je suis outré ! Vraiment ! Dis-moi qui ?

Le service de pissenlits ? Je suis complètement perdue. C'est ce que les gens insinuaient avec leurs clins d'œil et leurs sourires complices ?

— On n'est donc pas un couple échangiste ?

— Je ne sais pas du tout de quoi tu parles... Tu m'inquiètes beaucoup, mon cœur.

— Et les Dubé, ce midi ? Leur allusion à une « partie » signifiait quoi, au juste... ?

— Ils croyaient que le moment était bon, après dîner, pour faire une petite partie de cartes. Je vois pas trop comment tu as pu croire qu'il s'agissait d'une invitation sexuelle, on joue si souvent aux cartes à l'argent avec eux, voyons !

Aux cartes ? Nous ne sommes donc pas des dépravés sexuels ? Puis, me souvenant d'un autre détail, je fouine dans les couvertures.

— Et *ça* ? que je m'offusque en brandissant le vibrateur dans sa direction tel un pistolet pour braquer une banque.

Il baisse les yeux, mal à l'aise.

— Si ça te déplaît à ce point, on peut les jeter. En te proposant de s'en acheter chacun un, je voulais tenter une nouvelle expérience et essayer du nouveau… Je croyais que tu étais à l'aise avec le fait de me procurer ce plaisir. C'est une zone très érogène pour les hommes aussi et… j'étais certain que nous étions complices dans tout ça. Je me suis trompé.

« Chacun un » ? Pour lui aussi, donc ?! S'agirait-il des fameux « amis » auxquels il faisait référence sur son message de ce matin ? Celui que je tiens actuellement en main est peut-être le sien… Plein d'images dégoûtantes en tête, je lâche le truc avec dédain et je me couche en disant :

— *Ch'est* trop pour moi pour *che* soir ! Bonne nuit…

C'est résigné et assez troublé merci, que mon pauvre mari sort de la chambre. Sans être en mesure de réfléchir plus longtemps, l'alcool m'emporte et je m'endors en un instant.

Entre ciel et terre

Des rires de hyène me tirent de mon sommeil. Le gourou sans visage se marre comme jamais, sans rien dire. En fait, il rit tellement qu'il semble incapable de prononcer un traître mot. On dirait même qu'il va s'étouffer.

— Quoi? dis-je indignée, en ouvrant un œil.

— Ah mon Dieu, que j'ai ri, Claire! Ha! ha! ha! Vous avez cru que… Ha! ha! ha! C'est bien la meilleure de la nuit…

— Rendue au point où j'en suis, plus rien ne me surprend… J'en deviens même parano. C'est votre faute.

– Votre visage, quand les gens vous proposaient des invitations… Ha! ha! ha! poursuit-il, hilare.

– Hé! Un instant! J'étais entourée de gens nus qui s'exprimaient avec des paraboles! Qu'est-ce que j'étais censée croire?! J'aurais bien aimé vous y voir!

Le gourou continue toujours de rire à ventre déboutonné.

— Bon, ça va, ça va!

— Je n'ai jamais autant rigolé de ma sainte vie!

Je me redresse un peu en réalisant, en effet, le ridicule de la situation. «J'ai complètement fabulé toute cette histoire de A à Z. J'ai un grave problème.»

— De plus, vous commencez très sérieusement à développer une problématique de consommation! s'amuse encore le type.

— Regardez qui parle! Monsieur je-fume-je-ne-sais-quoi-qui-sent-drôle-en-cachette… Le prochain rêve, fournissez-moi de l'opium, je pourrai ainsi dire que j'ai essayé les opiacés au moins une fois dans ma vie ! C'est ce que vous fumiez, non ?

— Ça n'a pas d'importance… En vous catapultant dans cette vie, j'étais content pour vous. Je me disais : « Enfin. Pour une fois, son expérience ne sera pas si désastreuse. » Je m'étais trompé ! Ha ! ha ! ha !

— Le camping de nudistes était assez désastreux à lui seul, à mon humble avis…

— La liberté du corps, vivre sa vie dans l'émancipation… Je trouvais que ça vous donnerait une belle opportunité d'ouverture, surtout en sachant qu'il s'agissait seulement d'un rêve.

— Non, non, non. Rêve ou pas, c'était traumatisant, laissez-moi vous le dire.

— Ne dramatisez pas, Claire. Nous nous amusons !

— Je corrige, vous vous amusez. Moi, j'agonise…

— Vous avez quand même vu qu'à l'intérieur de vous se cachait une certaine Claire un peu plus aventureuse…

— Ah, vous voilà sexologue maintenant ? Si vous me permettez, et avec tout le respect que je vous dois, je vais garder ce côté de ma vie intime, si vous n'y voyez pas d'inconvénient, bien sûr, que je grince, un peu offusquée de son intrusion dans cette sphère de ma vie privée.

— Allons, pourquoi tant de gêne, ma chère ?

— Je ne vous connais même pas ! Au fait, vais-je vous rencontrer un jour ? Savoir qui vous êtes ?

— Peut-être bien…

Je sais que je le connais. Mais je n'arrive toujours pas à me souvenir qui il est ni d'où je le connais.

En simultané, nous marquons une pause. Je réalise qu'il me reste encore la vie avec Sylvain à affronter. Misère, on s'en sortira pas !

— Comment auriez-vous pu éviter de vous bâtir une histoire de ce genre dans votre tête ?

— Je vous l'ai dit, comment vouliez-vous que je réfléchisse en toute logique en déambulant à travers un troupeau de gens nus ?

— Répondez à ma question…

— Tout me portait à croire que c'était bel et bien de cela dont il s'agissait… Et je n'osais pas poser de questions, de peur qu'on me confirme la chose !

— Voilà ! Est-ce possible que, dans votre vie, vous utilisiez ce genre de silence volontaire pour ne pas être confrontée à la réalité ou pour ne pas l'entendre ?

Il n'a pas tort. Souvent, je préfère ne rien dire que d'amorcer la conversation. Surtout avec Alexandre…

— Bien… Alors, dites-moi, êtes-vous prête à poursuivre l'expérimentation ?

— Non! que je m'oppose, en doutant fort que la dernière étape soit plus jojo que tout le reste.

— Vous verrez, celle-ci ira très bien…

— Je ne vous crois pas une minute!

— Allons, faites-moi un peu confiance…

— Ne m'en demandez pas trop.

J'expire avec découragement. Je me couche, tout de même un peu soulagée de savoir que ce rêve prendra fin bientôt. Et c'est un nouveau départ… Le dernier, cette fois, c'est bien vrai.

Ma vie avec Sylvain, le 10 juin

Je me fais une fois de plus réveiller par un sentiment de picotement dans le visage. Une mouche. Encore? Convaincue que je suis de retour au camping de nudistes, je panique illico en me redressant d'un bond dans le lit :

— AH NON! PAS ÇA!

L'homme près de moi se relève aussi en sursaut et il me prend l'épaule de côté.

— Claire? Calme-toi…

Les idées un peu embrouillées à cause de ce réveil brutal, je cligne quelques fois les paupières. Je regarde l'homme à mes côtés. Bon, au moins, pas de surprise à ce niveau cette fois-ci...

La professeure d'éducation physique arrive à l'avant de la grande salle. Le cours débutera sous peu. Dans mes options, j'avais choisi ce cours au premier rang : relaxation[22]. Pour moi qui ne suis pas trop sportive de nature, voilà un cours tout à fait adéquat. J'effectue un tour d'horizon visuel. Comme les gens proviennent de tous les programmes du cégep, je ne connais personne.

— Assoyez-vous en tailleur sur votre tapis et placez un petit coussin sous chacun de vos ischions...

Hein ? On dirait vraiment qu'elle parle de pièces de moteur automobile. C'est où, ça, un « ischion » ? Mon voisin de droite, qui semble aussi trouver ce mot étrange, me dévisage avec amusement. Nous attendons tous deux de voir la prof faire avant de nous exécuter. La voyant mettre un petit coussin de chaque côté de ses fesses, nous l'imitons en échangeant un sourire. Ce gars semble gentil, je ne l'ai jamais vu. En fait, beaucoup de garçons semblent gentils au cégep. Ça fait changement de

---

22. Quand même le *fun* comme cours ! Je l'ai eu aussi en 1re année de cégep. Le lundi matin en plus... ooommm.

toujours voir les mêmes visages de mon ancienne polyvalente. Comme Nathalie étudie en sciences humaines, elle
se trouve la plupart du temps dans un autre pavillon
que le mien. Je la côtoie donc surtout après les cours,
mais rarement sur le site du cégep même.

La femme qui nous explique la théorie concernant la
concentration et l'art de «faire le vide» semble très zen.
Même si je trouve le concept de «silence intérieur» un
peu abstrait, j'écoute avec attention.

— Donc, je vais vous distribuer une balle et vous
allez vous placer en équipes de deux. Le but est de
focaliser votre attention sur la balle qui roule et sur
rien d'autre.

S'ensuit le malaise incontournable à ce genre de situation. Les étudiants se regardent, un peu gênés de
demander à un inconnu de se placer avec eux en équipe.
Mon voisin de droite me sourit avant de me lancer un
regard interrogateur en haussant les épaules en guise
de «veux-tu te placer avec moi?». Je comprends sa
demande muette et j'acquiesce d'un discret «oui» de
la tête. J'avance un peu mon tapis de sol, mes petits
coussins et mes «ischions» vers lui.

— Sylvain!

— Claire!

— *Vous allez prendre la petite balle et la faire rouler sur le corps de votre partenaire pour stimuler la relaxation, l'abandon du corps et la concentration…*

Mon Dieu… Un tantinet gênant comme premier exercice. Je préfère commencer par lui faire que l'inverse. Je l'observe, allongé sur le ventre, les yeux clos, et je commence à faire rouler la balle sur lui selon les instructions données par la professeure qui circule dans la salle en nous guidant dans nos gestes. Puisque la balle ne doit jamais quitter le corps, le seul chemin possible pour se rendre aux jambes est de passer sur les fesses. Je le regarde. Il est beau garçon, il a des traits de visage fins, un nez un peu pointu et relevé. Il sent très bon aussi. Une odeur douce et propre…

Nom de l'ex-conjoint : Sylvain Plamondon
Date de rencontre : 22 août 1990
Lieu : Cégep de Sherbrooke
Durée de la relation : deux ans

Remise des peurs irrationnelles vécues à mon réveil, je l'observe tout près de moi dans le lit. Seigneur, il n'a pas changé d'un poil ! Je trouve même qu'il a embelli avec le temps. Il sent toujours doux et propre… Ce fameux cours de relaxation. Le seul moment où j'ai relaxé de toute ma vie, je pense. Comme la structure du cours proposait chaque semaine des exercices de massage ou de relaxation à deux, nous nous placions toujours ensemble, Sylvain et moi. Plusieurs semaines plus tard, nous formions un couple. Notre histoire avait débuté tout en douceur et en subtilité. Nous étions dans le même pavillon ; j'étudiais en sciences infirmières, et lui commençait sa dernière année en sciences pures. Il était brillant, motivé, passionné. Un garçon avec de grandes ambitions qui souhaitait à lui seul sauver le monde entier ! Il rêvait à l'époque de devenir chirurgien. Nous avons été presque deux ans ensemble, puis notre relation a pris fin lorsqu'il a rencontré une autre fille dans son cours de médecine. Peu de temps après, je tombais amoureuse d'Alexandre.

Ceci dit, quand j'avais su qu'il avait rencontré une fille, je n'avais pas trop lutté pour qu'on demeure ensemble, sentant que je n'avais pas ce qu'il fallait pour rivaliser avec une charmante doctoresse en devenir. Malgré tout, ma tristesse avait été de courte durée, et ce, même si j'admirais beaucoup Sylvain à l'époque. Faire sa médecine était selon moi un objectif de carrière réservé à une élite de gens plus intelligents que les autres. Des érudits dont le cerveau surchauffait, des surdoués prêts à passer des journées entières le nez rivé dans leurs bouquins. C'est justement ce que Sylvain faisait lorsqu'il avait commencé son bac, l'année suivant notre rencontre. Il était ambitieux donc il travaillait d'arrache-pied. Si fort que, parfois, nous ne nous voyions que peu, surtout durant ses périodes d'examen. Je m'étais par contre projetée dans le futur avec lui à cette époque. La femme du réputé médecin… Nous voulions nous marier et avoir des enfants. Trois. Nous rêvions d'une grande maison entourée d'arbres avec un jardin derrière et d'une vie familiale enrichissante. Ce fut ma première vraie relation amoureuse sérieuse et saine. La seule, en fait, hormis celle avec mon mari.

Il flatte mon bras et me demande :

— Ça va ?

— Oui, oui.

Je jette de nouveau un regard circulaire tout autour. Nous semblons dormir dans une tente. Un campement, plutôt. Il fait particulièrement chaud, tellement que des gouttes de sueur perlent sur mon front, à la racine de mes cheveux. L'air ambiant s'avère par contre sec. Nous sommes dans un pays étranger, donc sans doute en vacances. Ah ! ce serait bien que ce rêve se passe en voyage ! Cela me permettrait de vivre une aventure extraordinaire sans que j'aie besoin de partir pour vrai. Je me demande si nous avons eu les trois enfants que nous voulions tant…

— J'espère que tu as bien dormi malgré tout, Claire. Nous avons une grosse journée devant nous aujourd'hui !

— Quoi ? On va visiter un truc ?

— Ha ! ha ! ha ! Oui, c'est ça, on va faire un safari !

Ah mon Dieu! C'est si excitant! Comme dans les émissions au canal Évasion. N'étant pas friande d'aventures en général, j'aime toutefois explorer les pays étrangers dans le confort de mon salon. En haute définition, je trouve ça splendide, divertissant, et je ne prends pas le risque d'attraper des maladies ou de me faire dérober tout ce que je possède.

En me levant du lit, je remarque son emplacement étrange au beau milieu de la place. Deux petites tables de chevet de bois l'encadrent de chaque côté. On ne retrouve presque rien d'autre ici. Il n'y a aucune division, et les toiles de l'abri semblent assez rigides, comme taillées dans un genre de cuir très épais. Un évier rehaussé d'un petit miroir se trouve dans le coin gauche du grand espace. « Ce campement est probablement permanent puisqu'il y a de l'eau courante... » Par endroits, le sol en terre battue est recouvert de grandes toiles du même matériel que les murs. Un tapis est déroulé par terre sur le côté du lit où je me trouve. Un tapis noir, dont la fourrure provient de je ne sais quel animal. Pas d'autre pièce par contre. Il n'y a donc pas de toilette? Si nous partons réellement en safari sous peu, peut-être que ce campement n'est que le point de départ avant de pénétrer dans la brousse? À première vue, j'en déduis que nous devons être en Afrique. Mon Dieu! L'Afrique, c'est pour moi le bout du monde. L'inaccessible. Le comble du dépaysement. Je sais très bien que jamais de ma vie je ne viendrais ici. Je crois que, même si je gagnais le voyage, je ne m'aventurerais pas aussi loin. Je le vendrais. Mais dans un rêve, ça va…

Un homme qui entre en trombe dans notre abri de fortune confirme mon soupçon concernant le pays où nous nous trouvons. Il a la peau noire et très foncée. Il s'adresse à Sylvain en français :

— C'est maintenant, monsieur ! Maintenant !

— Ah oui ?! Bon, nous arrivons. Merci, Jésus !

« Jésus » ? Peut-être que je suis au paradis, en fin de compte ! Je sais que, dans certains pays d'Afrique, les gens parlent français et sont catholiques, mais je ne me souviens pas lesquels. Nous partons maintenant ? Nous aurions dû le prévoir et mettre une alarme pour nous lever plus tôt, non ? J'aurais bien aimé me rafraîchir un peu avant le grand départ. Sylvain s'habille en quatrième vitesse, assez que je plagie son tempo en faisant de même. Non, mais, je déteste être pressée de la sorte. Surtout en vacances, bon sang !

— J'y vais ! Tu me rejoins là-bas, ma belle ?

Et il sort presque au pas de course. Les bagages doivent déjà nous attendre dans le véhicule d'excursion. Une jeep sans toit probablement, comme dans les émissions que je regarde. Je ne sais même pas pour combien de temps nous partons en expédition. Peut-être reviendrons-nous dormir ici ce soir ? J'aurais vraiment dû lui poser davantage de questions.

Le Gazon

Ayant attrapé les premiers vêtements à portée de main, je me retrouve donc vêtue d'un t-shirt et d'un pantalon beige très léger. Ce modèle de pantalon peut se transformer en pantacourt si jamais la chaleur devient trop suffocante. Parfait ! En m'habillant, j'ai remarqué ma taille de guêpe. Dans tout ce brouhaha matinal, je n'y pensais même plus… Honnêtement, à la vue de mon corps, je ne crois pas que nous ayons eu des enfants. Je ne vois aucune vergeture sur mon ventre, aucune peau molle, mes seins semblent plus fermes et plus ronds. Non, à vrai dire, je suis même certaine que je n'ai pas eu d'enfant, finalement.

Peut-être que mon mari est un médecin si riche qu'il ne travaille que six mois par année et que le reste du temps nous parcourons le monde à la recherche d'expériences nouvelles. Ça me surprend un peu de moi, mais bon, si je suis en Afrique pour participer à un safari, j'ai forcément eu la piqûre pour les voyages à un moment ou à un autre dans ma vie. Ça ne ressemble pourtant en rien à un voyage tout compris au Mexique, comme Alexandre et moi projetons d'offrir aux enfants.

Je m'attarde un moment dans la pièce, ne sachant pas trop si je dois apporter des bagages avec moi. Il doit bien y avoir un chapeau quelque part dans mes affaires… Comme je n'en trouve pas, je décide de rejoindre Sylvain afin d'obtenir un peu plus de détails sur notre safari ainsi que sur sa durée.

En sortant, je constate qu'il y a beaucoup de mouvement dans le secteur. Un nombre impressionnant de gens se promènent dans tous les sens. Je remarque d'autres campements semblables au nôtre. Nous sommes au beau milieu d'un genre de désert. Un semblant de petite ville, formée de maisons toutes menues et faites à base de matières naturelles, jouxte un espace désertique situé devant une rangée de grands arbres élancés et desséchés. Des animaux se baladent en toute liberté ; des chèvres, quelques vaches maigrichonnes, des poules aussi... J'ai l'impression d'être débarquée dans un film d'époque du temps de Jésus, justement ! J'aperçois des femmes avec de grandes robes fleuries et des foulards assortis tournicotés en grosses galettes sur leur tête. Des enfants courent partout, pieds nus. Je souris. On ne dirait pas juste un autre siècle, mais carrément une autre planète, oui. Curieuse, j'avance à petits pas en contemplant la vie qui bourdonne autour de moi. Je viens bel et bien d'atterrir sur Mars. Des gens me saluent chaleureusement et me sourient. Ils paraissent tous très accueillants. Tout le monde semble si heureux. Je déambule à travers tous ces gens qui m'envoient la main comme s'ils me connaissaient très bien. Peut-être sommes-nous venus en voyage ici à plusieurs reprises ?

Ceci dit, je ne sais pas du tout où retrouver Sylvain. Une femme accourt alors vers moi avec un mouchoir de tissu fermé dans les mains. Elle me salue avec courtoisie en français et me tend une banane avec un morceau de pain sucré un peu sec qui reposait au creux dudit mouchoir.

— Madame, mangez tout ça avant…

Malgré le fait que je n'ai pas très faim dans l'immédiat, je m'exécute. Je présume à son air prévoyant qu'on ne compte pas nous servir de repas pendant le safari.

Après avoir tout avalé sous le regard de cette femme bienveillante, je lui demande :

— Où est Sylvain ?

— Ici, madame, ici…

Elle m'escorte jusqu'à l'entrée d'un bâtiment en terre cuite et elle prend ensuite la poudre d'escampette. J'entends alors des cris d'horreur retentir de l'intérieur. Une femme souffre. Seigneur !? Qui hurle donc comme ça, et surtout, pourquoi ? J'ouvre la porte sans fenêtre de la petite bâtisse devant laquelle je me trouve. Le panorama qui m'apparaît me trouble. Une Africaine, couchée sur une table de bois, crie à fendre l'âme du diable en deux. Sylvain se tient au bout de la table entre deux autres dames de race noire. Ils portent tous un sarrau blanc. Je comprends alors très bien la scène… Cette femme accouche, bon sang !

— T'en as mis du temps, Claire, me reproche Sylvain à travers son masque de chirurgien, debout devant la pauvre mère écartelée.

Une des deux femmes en poste me fait signe de la suivre dans une petite pièce adjacente. Elle me présente le lavabo de la main et elle commence à placer des vêtements stériles sur une table basse. Docile et habituée à ce genre de procédures médicales, je me lave les mains et les avant-bras avec soin, mais rapidement. Pas le temps du tout d'exécuter ma routine avec le jet d'eau chaude cette fois! L'assistante m'aide ensuite à m'habiller pendant que je songe: «Moi qui croyais prendre part à un safari exotique. J'avais tout faux! Nous sommes sûrement un couple de médecin-infirmière missionnaires... Un peu moins excitant comme journée.»

Comme la femme semble attendre que je termine de me préparer, je fais vite. Je suis infirmière en Afrique... Bon Dieu, qui l'eût cru! J'apprécie davantage cela que d'être une serveuse aux seins artificiels qui fait des tours de passe-passe dans l'isoloir 4 à un gros singe. Allons travailler, alors!

Sur ces entrefaites, Sylvain entre dans la petite pièce où je me trouve. Victime d'atroces souffrances, la femme de l'autre côté se lamente de plus belle. Il en profite pour me faire un topo rapide du cas, mais je l'entends à peine tellement la parturiente gueule fort.

— Ça se passe mal. Le premier bébé se présente par le siège. Il faudrait le retourner manuellement pour éviter la césarienne. Avec les moyens dont nous disposons ici, ça ne se passe jamais bien, les chirurgies, tu le sais. Le deuxième devrait être plus facile à placer, une fois le premier sorti. Elle est dilatée à neuf centimètres, donc c'est maintenant ou jamais...

— D'accord.

Le **Gazon**

Mes gants de plastique bleu maintenus bien haut pour ne pas les contaminer, je lui emboîte le pas tandis qu'il retourne de l'autre côté. Je suis un peu anxieuse, car n'ayant jamais travaillé dans le département d'obstétrique, mes stages en maternité s'avèrent bien loin dans ma tête. Nous pénétrons dans la salle où joue toujours en trame de fond musicale les cris stridents de la pauvre femme à l'agonie.

— Comme c'est ta spécialité, je te laisse faire, m'annonce Sylvain en me faisant un signe de la tête en guise d'encouragement.

Hein ? *Ma* spécialité ? Je le fixe avec effroi. Suis-je sage-femme ? Non, impossible. Comme je ne fais rien, debout, plantée comme un oignon, mes gants de caoutchouc toujours maintenus dans les airs, il m'incite à débuter :

— Allez-y, docteur…

« Docteur ? » Non, je ne peux pas être médecin. Est-ce sérieux ? Je ne sais absolument pas quoi faire. Je me souviens alors que, durant le premier rêve, des notions théoriques concernant l'accouchement des brebis étaient apparues dans ma tête au moment où j'agissais, comme si le bagage de connaissances acquises durant cette vie potentielle faisait bel et bien partie des fonctions mnésiques de mon cerveau actuel. Sans vouloir comparer les deux accouchements – fort différents –, j'espère néanmoins que les notions d'obstétrique apprises durant ma supposée formation scolaire me reviendront en mémoire au plus vite.

Je considère un instant l'entrejambe rosacé de cette pauvre femme avant de me mettre en action. Tout en introduisant mes doigts dans son vagin, la technique précise concernant la façon de tourner un fœtus à l'intérieur d'un utérus m'apparaît en effet. Je commence à m'exécuter avec méticulosité. Mon valeureux mari m'aide selon mes indications en faisant certaines pressions sur le ventre de la femme, qui semble gonflé au point de bientôt vouloir exploser. Il n'y a pas si longtemps, je picolais joyeusement dans un camping de nudistes, et là, j'ai la main plongée dans le vagin d'une maman africaine. Cette suite de rêves est trop absurde.

À l'aveuglette, je continue ma manœuvre délicate.

9 ʜ 45

Un moment plus tard, mes manipulations semblent porter leurs fruits, car je sens que le premier petit bébé est maintenant tourné du bon côté. Tabarnouche… Je ne veux surtout pas être responsable de la mort de trois êtres humains.

En apercevant une touffe de cheveux très noirs près de mes doigts, je m'écrie :

— Bingo !

Une fois assurée que le nourrisson est bien positionné, j'adresse un signe de tête à mon cher collègue et mari.

Le Gazon

— Il faut pousser, maintenant, ordonne Sylvain à la femme.

Sans pouvoir retenir un cri de mort interminable, la patiente pousse un grand coup, puis un autre. En moins de trois poussées, je me retrouve avec un minuscule bébé frippé dans les mains. Un garçon. J'ignore combien cette femme a eu d'enfants, mais sa délivrance a été somme toute rapide. Assurément, le passage était déjà fait ! Il est si petit. Il ne pèse certes pas plus de cinq livres, voire un peu moins. Il pleure. Je le tends à la première assistante qui avance vers moi avec une couverture de coton fleurie.

— Le deuxième, à présent ! me motive Sylvain.

J'insère de nouveau ma main dans son pelvis pour vérifier le positionnement du second jumeau. Comme je ne le touche pas, je demande à la femme :

— Poussez un peu, mais pas trop fort.

À mon grand bonheur, une petite touffe de cheveux noirs similaire à la première apparaît. Il s'est placé tout seul, le champion.

— Il arrive par la tête. On pousse !

Je donne un peu plus d'espace au bébé en distendant avec mes doigts l'entrée du vagin de la femme. Elle n'a même pas le temps de terminer son cri de douleur que le deuxième petit garçon tombe dans mes mains à son tour. Cependant, il ne vagit pas. Il semble même avoir des difficultés respiratoires. Sylvain coupe immédiatement le cordon ombilical et s'en empare. La maman perd du sang en abondance. Misère... Cette situation met beaucoup trop de pression sur les épaules de ma petite personne.

Pendant que Sylvain s'occupe du nouveau-né à l'écart, je demande à la deuxième infirmière qui m'assiste si nous avons du sang de disponible pour une transfusion. Elle part en flèche vers l'autre pièce. Comme si j'avais fait ça toute ma vie, je rapatrie le matériel nécessaire. Tout va vite dans ma tête, mais les idées s'alignent les unes à la suite des autres comme si j'étais réellement médecin. En fait, je le suis! J'ai juste l'impression que c'est mon cœur qui ne suit pas la cadence. J'entends le petit hurler derrière moi. Ouf! Cependant, la femme sur la table perd de la vigueur et devient de plus en plus pâle.

La perfusion terminée, j'attends. Sylvain se fait relayer avec le bébé par la deuxième assistante. Il prend les signes vitaux de la pauvre maman et me rassure:

— Je crois que ça va aller, Claire...

En sortant de là, je suis ahurie. Où sommes-nous exactement? Vivons-nous ici de façon permanente ou effectuons-nous une mission humanitaire pour quelques semaines ou quelques mois seulement?

— Bravo, Claire! me félicite Sylvain en touchant avec affection mon épaule. Allons manger un morceau avant de nous rendre à la clinique.

Le **Gazon**

Je le suis docilement. J'observe les alentours. Tout le monde nous sourit et des gens abaissent même leur chapeau de paille sur notre passage. Nous sommes des dieux ici ou quoi ? Tout à coup, des enfants accourent de nulle part et forment une ronde autour de nous pendant que nous marchons. Ils chantonnent une comptine dont je ne comprends pas très bien les paroles. Il y a des mots français, mais des mots dans une langue que je ne reconnais pas parsèment également la chanson. Comme ils sont de plus en plus nombreux et qu'ils obstruent un peu notre route, Sylvain ralentit le pas pour les observer en souriant. Une petite fille de tout au plus trois ans fonce sur moi et s'agglutine à ma jambe. Je m'immobilise pour ne pas la bousculer. Elle est si chétive. Pas seulement en ce qui a trait à sa grandeur, mais elle est très maigre aussi. Comme elle ne porte qu'un simple short en ratine jaune comme vêtement, son bedon bien rond est saillant. Mes réflexes maternels me poussent à caresser ses petits cheveux drus qui sont attachés dans un chignon très serré sur sa tête. Elle me dévisage avec la béatitude d'un ange… Je sens, même sans trop le connaître, que Sylvain semble attendri par mon contact avec cette enfant.

C'est maintenant au tour des adultes de nous acclamer avec diverses chansonnettes dans un langage inconnu. Ce doit être un dialecte du village. Je distingue des sonorités graves, mais très mélodieuses, ressemblant à une récitation aléatoire de voyelles. Nous sommes vraiment des héros, on dirait. Comme je ne comprends pas trop, je murmure à l'oreille de mon humble mari :

— Que se passe-t-il ?

— Deux bébés vivants, Claire, ça fait combien de temps qu'on a vu ça, ici ? Après le décès de Marie-Clara et de son fils la semaine dernière, cette victoire sur la mort vient panser une triste plaie, ajoute-t-il en levant une main vers un homme qui vient lui serrer la pince en baissant la tête.

Nous avons perdu une femme et son nouveau-né pas plus tard que la semaine dernière... Seigneur. Comment fais-je pour vivre ça ? Pour encaisser de telles défaites ? À l'hôpital, des patients décèdent parfois à la suite d'une intervention chirurgicale, mais c'est très rare et ce sort est généralement réservé aux personnes très âgées pour qui l'anesthésie générale s'avère trop éprouvante. Et comme je suis aux soins post-op et non en salle d'opération, je ne rencontre pas souvent ce genre de cas. Quand les patients sont transférés à mon département, ils vont habituellement bien et ils se remettent de leur intervention la plupart du temps en quelques jours tout au plus. Ensuite, un nouveau bénéficiaire prend leur place et la vie continue. Je n'ai clairement pas les nerfs assez solides pour que la vie des gens dépende de moi et de mon expertise, comme c'est le cas ici.

En continuant de se mouvoir à travers les festivités improvisées par ce peuple heureux de compter deux nouveaux êtres vivants parmi eux, je songe : «Je suis médecin...» Une fierté m'envahit tout à coup. Comment ai-je pu accomplir cet exploit ? Je n'avais ni le talent ni les résultats scolaires pour y arriver. Je vais tenter d'en savoir plus. Oui, je dois vite en apprendre davantage sur cette tangente surprenante qu'a prise ma vie… notre vie, plutôt. Selon moi, l'idée de venir s'établir ici devait venir de Sylvain à la base. Pas de moi, certain !

En pénétrant dans l'enceinte d'une petite cour, une Africaine avenante nous accueille, les paumes vers le ciel. Trois tables meublent l'espace restreint, et un couple de Blancs occupe l'une d'entre elles.

— La nouvelle a fait le tour rapidement. Beau boulot, Claire ! me félicite la femme en souriant.

— Merci, que je fais en prenant place face à mon mari.

Je devine qu'il s'agit probablement de collègues, aussi spécialistes de la santé. Je cherche une façon de questionner Sylvain sans avoir l'air trop déconnectée de la réalité. Je tente de bien me camper dans mon rôle de femme-médecin-missionnaire-en-Afrique.

— Tu sais, depuis ce matin, je songe à notre vie, à ce que l'on fait ici pour ces gens. Est-ce que tu es heureux, Sylvain ? Es-tu toujours en accord avec nos choix de vie ?

Il sourit. À moi d'abord, et ensuite à la femme noire qui avance vers nous en transportant deux assiettes fumantes. Du riz, des légumes et du poulet dans une sauce un peu rougeâtre garnissent ma platée. Ça sent très bon.

— Tu sais, Claire, la première fois que tu as parlé de l'Afrique à la suite du drame avec la fillette qui avait subi une excision du clitoris, je me suis demandé d'où tu sortais ce projet de fous! Je te trouvais téméraire et ça ne te ressemblait pas trop, à vrai dire. J'ai ensuite compris que, pour toi, c'était une façon de pallier le fait que nous ne pouvions pas avoir d'enfants…

Il devient un peu triste et fixe le contenu de son assiette. En inspirant longtemps, il me touche le poignet avant de me sourire avec tendresse de nouveau. Comme je sais que je suis fertile, nos problèmes de fécondité doivent donc provenir de lui. Il poursuit en confirmant mon doute :

— Comme l'infertilité venait de mon côté et non du tien, je me sentais si coupable. Le désir que tu avais d'avoir des enfants était si fort que j'ai cru que tu allais me quitter pendant un temps. J'ai craint cette éventualité longtemps, mais j'aurais compris… Il y a sept ans, quand tu m'as parlé de venir s'installer ici de façon permanente, je sautais de joie. Tu me confirmais donc que tu voulais rester avec moi et que notre mariage allait se poursuivre. Je t'aurais suivie en Sibérie, s'il l'avait fallu.

Voilà l'histoire. Notre histoire. J'ai dû être complètement déchirée à cette époque. L'impossibilité d'avoir des enfants n'a jamais été envisagée dans ma vie avec Alexandre. Comme je suis tombée enceinte de Laurie très rapidement, je n'ai pas vécu l'angoisse reliée au fait que ça pourrait ne pas fonctionner. Nous avons cessé d'utiliser des contraceptifs et, quelques mois plus tard, j'étais bien ronde. Pas le temps de se poser mille et une questions. Est-ce que j'aurais pu ne pas avoir d'enfants, comme dans cette vie potentielle ? Je rage parfois contre mes deux héritiers aux bras trop longs à la maison qui semblent ne rien voir de tout ce que je fais pour eux et qui vident le frigo à la vitesse de l'éclair, mais pour rien au monde je ne pourrais imaginer ma vie sans eux.

D'instinct, je pose ma main sur mon ventre ferme et svelte. Il n'a donc jamais porté la vie. Quel dilemme : rester ou non avec un homme qu'on aime, mais qui ne peut pas avoir d'enfants. L'adoption ? Je ne sais pas si j'aurais pu… Ce rêve me montre une perspective très particulière en me présentant une Claire qui a choisi son couple en dépit de la maternité. Aujourd'hui, compte tenu de la maman que je suis devenue, je crois que jamais je ne pourrais prendre une telle décision à nouveau. Je sais maintenant en toute connaissance de cause ce que je manquerais. Je connais les joies et le bonheur de la maternité, et je serais incapable d'y renoncer… Aucun ventre svelte ne peut remplacer ça.

— Toi, as-tu des regrets ? me demande Sylvain, qui perçoit mon état d'esprit songeur.

— Non, pas du tout ! que je m'exclame avec véhémence, pour ne pas le froisser.

Mon cœur crie pourtant : « Oui, j'en ai mille ! », mais ma tête rationalise que la Claire d'ici, la Claire médecin en Afrique, a trouvé une façon de compenser un bonheur qu'elle n'a jamais connu en réalité, donc qui ne lui manque pas au sens propre.

Nous mangeons en silence en nous souriant de temps à autre. Sylvain est assurément un homme bon, sage et rassurant. Je m'en souvenais... La fin de notre relation est arrivée de façon un peu abrupte et, à cette époque, j'ignorais tout à propos de la stérilité de Sylvain. Je ne comprends pas trop pourquoi nous serions restés ensemble, par contre. Tout ça n'est pas très clair dans ma tête, pour faire changement...

12 H 54

Après le délicieux repas, Sylvain m'embrasse sur une joue en me souhaitant un bel après-midi et il s'éloigne. Comme je ne sais pas du tout où je dois aller, je lui demande subtilement :

— Qu'est-ce que je fais en premier, donc? L'accouchement de ce matin m'a un peu ébranlée, je suis comme perdue dans mon horaire.

— Hum... Vois avec Marie-Blanche, je ne suis pas certain, mais je crois que tu fais quelques heures de clinique externe au camp B avant ta supervision.

Ne comprenant rien à rien de ce qu'il vient de me déballer, j'acquiesce tout de même comme si je savais très bien de quoi il s'agit. Je dois trouver cette Marie-Blanche au plus vite!

Je déambule un peu sans trop savoir comment m'y prendre. La petite friponne à la toque revient vers moi en galopant et elle me serre de nouveau très fort la jambe. Ses petits yeux espiègles pétillent de joie en me regardant, le cou basculé au maximum vers l'arrière.

— Quel âge as-tu? que je lui demande, même si en théorie je dois très bien le savoir.

Ne se rendant pas trop compte que la femme médecin du village semble tout à coup faire de l'Alzheimer, elle répond avec fierté en levant le nombre de doigts requis :

— Quatre ans, moi!

Et la bambine s'esclaffe d'un rire lumineux capable d'éliminer toute forme de colère sur la terre entière.

Je veux adopter cette enfant! Or, je croyais qu'elle n'en avait pas plus de trois, car elle est si menue. Elle est tout simplement craquante. Ce doit être ma fibre maternelle non exploitée qui explose au grand jour pour me faire ressentir un tel élan affectif à son égard.

Un garçon pas trop loin crie :

— Fleur, attrape!

Le jeune gamin botte alors un ballon de soccer un peu dégonflé en direction de la petite, toujours près de moi.

Fleur, voilà son nom. Celle-ci court comme un canard vers la cible roulante et elle propulse le ballon à l'aide de son petit pied sale, avant de faire à nouveau jouir les spectateurs d'un autre rire sincère qui chavire le cœur. Je réagis en m'esclaffant à mon tour, incapable de faire autrement. Elle délaisse finalement son compagnon et son ballon pour revenir vers moi. Le sourire moqueur, elle me montre la poche de mon pantalon en se tortillant d'excitation. Qu'est-ce qu'elle veut? Comme elle récidive sa demande non verbale, je fouille dans la poche en question. J'y trouve deux petits bonbons rouges bien enveloppés et je lui en offre un. Elle sautille d'enthousiasme. Son malin camarade de soccer, qui n'a rien manqué de l'intéressante transaction, se précipite vers moi à toute vitesse. Je lui remets la deuxième sucrerie.

Profitant de leur présence – et un tout petit peu de leur innocence –, je m'informe:

— Où est Marie-Blanche?

Fleur relève les yeux en croyant pouvoir la repérer pour moi. Le garçon me renseigne:

— Là-bas…, en me désignant une maison au toit de bambou dont les murs de terre cuite ont été peints d'un bleu éclatant.

Il repart en trombe avec son ballon. Comme Fleur est restée près de moi, j'improvise pour me tirer d'embarras:

— Tu peux venir me la montrer en secret?

— Si, se réjouit Fleur, ravie que je réquisitionne de la sorte ses précieux services.

Comme s'il s'agissait d'un jeu, Fleur grimpe sur un seau renversé près d'une des fenêtres de la maisonnette.

Planquée tout près d'elle, je jette un œil à l'intérieur. Trois Africaines s'y trouvent. Elles plient avec soin des serviettes sur une grande table. Complètement absorbée par cet amusant espionnage, ma petite acolyte me désigne une femme avec un ruban rose et brun autour de la tête. Elle ricane ensuite, la main sur la bouche, avant de déguerpir à la course. Bon techniquement, je viens d'utiliser une enfant de quatre ans pour lui soutirer de l'information, mais bon, que Dieu me pardonne ! C'était du troc, en échange du bonbon rouge.

Je cogne trois coups rapides à la porte et j'entre dans la petite maison à la va-comme-je-te-pousse. À ma vue, les trois femmes présentes me saluent avec beaucoup de chaleur. La femme au foulard bicolore avance vers moi.

— Bonjour, docteur !

— Bonjour, Marie-Blanche !

Bien que je ne veuille pas avoir l'air trop ignorante de mon horaire africain, je lui demande néanmoins :

— Je ne me souviens plus par quoi je commence aujourd'hui, ma très chère.

— Ah ! Je viens avec vous ! Laissez-moi poser tout ça.

En marchant dehors, elle me déclare :

— Hier, grosse nuit d'amour avec mon Boubou! Ha! ha! ha!

Vient-elle tout juste de me faire une confidence sur sa vie sexuelle? Peut-être sommes-nous très bonnes copines, elle et moi... Marie-Blanche renchérit:

— Je veux tomber enceinte avant la mousson.

— Ah oui, avant la mousson... bien entendu! que je répète, complètement dans le néant face aux réalités climatiques de la région.

Au fait, dans quel pays sommes-nous au juste? Si j'ose questionner quelqu'un à ce propos et que ça s'ébruite, mon mari me fera rapatrier au Canada en moins de deux pour perte de contact avec la réalité. Je m'abstiens donc de le demander.

En arrivant tout près d'un bâtiment plus volumineux que les autres, je remarque une longue file de femmes, toutes plantées à la queue leu leu. J'en compte approximativement plus de trente. Peut-être y distribuons-nous de la nourriture ou des médicaments?

En longeant cette autoroute humaine, certaines femmes me sourient, d'autres pas. Qu'est-ce qui m'attend, je me le demande? Trois Africaines se trouvent déjà dans la pièce où nous entrons. L'une d'elle me tend un sarrau blanc. Je me laisse guider en tentant de comprendre, par leur attitude et leurs gestes, ce que je dois faire et où je dois aller.

En faisant des rotations avec son bassin, Marie-Blanche annonce au groupe avec entrain :

— Hier, avec Boubou, on a fait boua-boua-bbou ! Ha ! ha ! ha !

Les femmes présentes éclatent de rires sincères. Moi aussi. Marie-Blanche est une personne très colorée. Elle semble avoir la langue bien pendue. Cela dit, entendre des collègues de travail parler de sexe entre elles de façon si ouverte demeure pour moi assez étrange. Eh bien ! Serions-nous trop prudes au Canada ? Avec les copines très proches, ça peut aller, mais avec les collègues de travail, c'est quand même particulier comme sujet ! Sauf peut-être pour ma collègue qui m'avait fait la confidence concernant son achat de vibrateur… Disons que je ne m'imaginerais pas du tout entrer à l'hôpital un lundi matin et déclarer haut et fort dans la salle du personnel : « *Oh boy !* Hier soir, Alexandre m'a fait l'amour comme jamais ! Ouf !* » Mes collègues me regarderaient en croyant que je tente de leur prouver que ma vie de couple va bien ou je ne sais quoi. Est-ce simplement la peur du jugement qui nous rend si réservés ? De toute façon, je ne veux pas nécessairement divulguer ce genre d'information aux gens. C'est personnel, il me semble. Ce qui se passe dans la chambre à coucher reste dans la chambre à coucher[23], voilà !

---

23. Bon… Vous savez bien que je ne pouvais pas m'en empêcher… ☺

Marie-Blanche discute un instant de sa nuit torride avec deux des femmes pendant que la troisième me guide vers une minuscule salle d'examen. J'y trouve une table d'auscultation, une chaise à roulettes, un petit bureau et plusieurs boîtes de documents qui me semblent à première vue être des dossiers de patients dans des chemises de carton jaune.

J'en déduis donc que je vais rencontrer des patients. J'espère que je ne dois pas passer au travers toute la file dehors! Non, c'est impossible. Cela s'avère infaisable en une seule journée. En tentant d'adopter un ton à mi-chemin entre la question et l'affirmation, je m'informe à la femme près de moi:

— Je ne verrai pas toutes les femmes qui se trouvent dehors?

— Si, et cinq de plus qui arriveront plus tard...

Quoi? Voyons donc! Marie-Blanche s'approche de moi et me dit:

— Je viendrai vous chercher dans deux heures pour aller à la clinique.

Ah! Donc, en plus de rencontrer toutes ces femmes, j'ai seulement deux heures pour le faire? Peut-être que certaines n'ont besoin que de médicaments ou d'injections...

Après mon vingtième examen gynécologique en rafale, j'en ai ma dose. Seigneur! J'aurais dû m'en douter. Sylvain m'avait dit ce matin: «Comme c'est ta spécialité…», donc je ne suis rien de moins qu'une obstétricienne-gynécologue. En plus d'avoir fait ma médecine, j'ai réussi avec brio une spécialité! Or, je crains désormais de rêver à des vagins roses pour le reste de mes jours…

Mais sans blague, je suis un peu attristée par ce que je constate depuis tout à l'heure. Presque une patiente sur deux a subi une ablation du clitoris. Quelle pratique effroyable! J'ai même dû intervenir auprès de trois femmes à qui l'on avait carrément cousu l'entrée du vagin avant leur mariage, afin d'assurer leur virginité. Tantôt, je croyais m'envoyer en l'air à qui mieux mieux avec un camping au grand complet, et là, je me retrouve dans un contexte tout autre, où des croyances culturelles et religieuses cherchent à annihiler le plaisir féminin. Paradoxe?! C'est si barbare. Et pour certaines, l'opération a été exécutée avec des méthodes chirurgicales improvisées et très inadéquates. De plus, certaines femmes que j'ai auscultées étaient enceintes sans même le savoir, dont deux adolescentes séropositives. Il s'agit possiblement de cas d'agressions sexuelles. J'ai alors songé à ma belle Laurie. Si j'apprenais qu'un préda-teur sexuel avait mis sa patte sale de détraqué sur ma chère fille, je serais capable de représailles horribles. Moi qui suis pacifique en général, il me vient vraiment des envies meurtrières quand j'envisage la possibilité qu'on fasse du mal à mes enfants.

Des bruits d'animation de foule perçants viennent interrompre ma fabulation dramatique. L'infirmière à ma droite se dirige vers la fenêtre pour tenter d'identifier la cause de ce brouhaha soudain.

— Un petit groupe s'est réuni sur la place centrale. Ils ont l'air de paniquer, me décrit-elle en maintenant le rideau ouvert du revers de la main.

Trop curieuse, elle sort pour aller aux nouvelles.

Elle revient à mes côtés peu de temps après en m'annonçant sans trop d'émotion que deux guépards se sont approchés beaucoup trop près du village. Le mot d'ordre est que les enfants ne doivent plus dépasser les enceintes du village. Clouée sur place, un grand frisson parcourt mon dos. Misère, on s'en sortira pas… vivants! Durant un safari dans une jeep blindée, les fauves ne m'auraient pas intimidée, mais la dernière chose que je souhaite est de tomber nez à nez avec un gros chat assoiffé de chair fraîche de médecin blanc en mission. Déjà que je déteste les félins en modèle réduit, j'ose à peine m'imaginer en présence d'un minou, format géant. Et, qu'on ne m'amène pas un enfant à moitié mutilé par l'un d'eux, parce que je quitte mon emploi sur-le-champ, sans aucun préavis. Je pense à Fleur. «J'espère qu'elle respectera la règle en vigueur concernant les balises à ne pas dépasser», que je songe en me faisant du sang d'encre. Sans trop savoir pourquoi, depuis que je l'ai rencontrée ce matin, je me sens viscéralement liée à cette enfant, tout comme si elle était bel et bien la chair de ma chair. Étrange.

Après tout ce beau monde rencontré à la vitesse de l'éclair, je songe : «Ici, les soins de santé de base s'effectuent à la sauvette, mais au Québec, on doit attendre à l'urgence pendant vingt heures… Les soins de santé du monde entier sont déficients, ma foi !»

En sortant du campement B, j'aperçois Marie-Blanche qui rigole au loin avec un groupe de femmes transportant des cruches de terre cuite sur leur tête. Si ça se trouve, elle doit leur divulguer d'autres détails croustillants au sujet de sa nuit torride avec Boubou !

Je m'informe auprès d'elle à propos d'un détail qui me chicote :

— Les guépards ? C'est réglé ?

— Non, ils sont toujours là…

— Vraiment ? Où ça ?

— Ils se promènent autour. Boubou les a vus tout à l'heure, mais s'ils approchent, les chasseurs et lui s'en chargeront.

Ah bon! Belle nouvelle! Boubou n'est pas seulement un bon amant, mais aussi l'exterminateur de bêtes sauvages du village. Me voilà rassurée!

Au loin, Sylvain me fait un grand signe de la main. Je laisse Marie-Blanche en plan pour aller retrouver mon cher mari. D'emblée, je tente désespérément de me faire rassurer une seconde fois:

— Savais-tu que de gros chats pas très gentils rôdent autour? Sommes-nous en danger?

L'air trop poli pour être honnête, il me regarde un moment avant de dire:

— Mais non. Ça arrive souvent...

— Et comme toujours, donc, Boubou s'en charge!

Dans mon cœur, Boubou possède désormais la trempe d'un véritable héros national. Parce qu'il honore bien Marie-Blanche dans le lit conjugal, oui, mais surtout parce qu'il nous sauvera tous d'une décapitation imminente.

Sylvain rit à peine de ma blague, puis son regard se rembrunit. Il ne parle pas et il m'observe avec des yeux inquiets.

— Les guépards te préoccupent toi aussi? que je suppose.

— Non, je ne pense pas à ça... Les femmes ne t'ont pas expliqué?

De quoi parle-t-il? La seule chose dont les femmes discutaient aujourd'hui, c'est des ébats nocturnes de Marie-Blanche. Ce qui n'est quand même pas un sujet très inquiétant!

— Non, quoi?

— Fleur… Les vieilles sorcières des puits veulent lui faire ce soir, il paraît, au coucher du soleil…

À mille lieues de comprendre, je demande:

— Lui faire quoi?

Il me fixe avec des points d'interrogation dans les yeux, l'air de se demander sur quelle planète je vis.

— Son excision. Comme elle est orpheline, personne ne peut s'y opposer…

— QUOI? que je crie, étouffée d'horreur. MOI, je vais m'y opposer!

— Claire, les villageois reconnaissent que tu t'es occupée d'elle depuis sa naissance, mais pour eux, c'était normal que tout le monde fasse sa part, étant donné que sa maman est décédée en couches.

Voilà pourquoi je me sens si attachée à cette enfant. Je veille sur elle depuis qu'elle est née… Ce que je ressentais dans mes entrailles, c'était donc ça.

— Je vais aller voir ces femmes, alors!

— Encore? Bien que tu milites depuis qu'on est ici contre cette pratique, ça n'a fonctionné qu'avec les mères plus jeunes du village, Claire. Les sorcières des puits ne l'entendent pas ainsi et tu le sais très bien. Elles sont âgées et très ancrées dans leurs pratiques culturelles et religieuses...

Sortie de nulle part, et comme si elle avait pressenti que notre discussion la concernait, Fleur surgit et s'accroche une fois de plus à ma jambe. Ses yeux sont moins pétillants que tout à l'heure. Ils semblent plutôt implorants. Ressent-elle que quelque chose de terrible se trame? On dirait qu'elle se protège entre mes jambes, qu'elle me supplie du regard de l'aider. Mon ventre se tord. Cette petite Fleur ne peut pas vivre une expérience horrible de ce genre. À l'intérieur, je me sens aussi boule-versée que si on m'annonçait que ma chère Laurie se ferait charcuter au coucher du soleil.

Avec toute la détermination que je porte au cœur, je lève des yeux convaincants vers mon mari.

— Personne ne touchera à cette enfant!

— Je le souhaite aussi, Claire, mais...

Voyant que je ne réplique pas, il change de sujet:

— Qu'est-ce que tu fais maintenant? Tu t'en vas à la clinique?

Me fiant à lui plus qu'à autre chose, j'acquiesce.

— Oui, et toi, t'as fini ta journée ?

— Non, je m'en vais au jardin, voir comment se porte le gazon. Je suis certain que, même avec un minimum d'eau de pluie récupérée, on peut réussir à faire pousser ce truc. Je vais y arriver !

— Emmène-la avec toi. Je me charge du reste. Garde-la avec toi jusqu'à ce que je vienne la chercher, s'il te plaît. Promis ?

— Promis !

Je flatte doucement les cheveux de la petite avant de me diriger vers Marie-Blanche.

— Tu savais qu'elles veulent faire du mal à Fleur ce soir ?

— Si, j'ai su. Au coucher du soleil...

— Ah non ! Elles ne feront pas ça, crois-moi !

Reconnaissante, Marie-Blanche me prend le côté du bras.

— C'est à cause de vous que je n'ai pas accepté pour mes deux benjamines. Seule ma pauvre première y a goûté, quelques semaines avant votre arrivée ici. Vous nous avez aidés à voir les choses d'un œil différent...

Marie-Blanche, qui semble se rappeler de douloureux souvenirs, rive ses grands yeux noirs aux miens.

— Je vais aller les voir !

— C'est impossible. Les sorcières des puits ne reçoivent pas la visite des médecins blancs...

— J'irai quand même!

Songeant tout à coup à la possibilité de me faire happer violemment par les gros chats qui déambulent à qui mieux mieux par là, j'ose demander :

— Est-ce que Boubou pourrait m'y conduire?

— Oui, si vous y tenez...

Avec le chasseur de bêtes du village à mes côtés, je serai en sécurité.

Elle me prend alors dans ses bras, avant de s'éloigner pour me regarder longtemps. Son geste me fait sentir qu'elle me voue une grande admiration. C'est touchant.

La tournure dramatique, voire aventurière, que prend cette vie, amalgamée au décor désertique et aux guépards avoisinants, me donnent l'impression d'être une version féminine et très instruite d'Indiana Jones. Non, mais, ces sorcières n'ont qu'à bien se tenir! Voir si je les laisserai faire ça à une enfant de quatre ans. On ne mutile pas une petite fleur de la sorte. Comment des femmes peuvent-elles faire ça à d'autres femmes? De plus, je sais avec conviction que la pratique est illégale mondialement, autant au niveau de la morale collective que de la loi.

15 н 50

En approchant de la clinique de vaccination, je constate que beaucoup d'enfants attendent déjà dehors. Nous les vaccinons contre quoi au juste ? Une fois de plus, je me fais acclamer en reine par tous les petits mousses qui s'y trouvent. Je réalise à cet instant que je n'ai pas un ou deux enfants, mais bien deux cents. Un petit garçon vient me donner un caillou blanc qui semble très précieux à ses yeux. Je lui souris. Ces belles frimousses contribuent sans doute au fait que la maternité me manque moins chaque jour.

Je passe peu de temps à la clinique, où tout semble bien rouler. Des Africaines et deux femmes blanches, probablement des infirmières, administrent des vaccins aux enfants les uns à la suite des autres. Mon rôle consiste seulement à superviser le bon déroulement des opérations.

Comme le soleil se couchera probablement bientôt, je juge que le temps presse. Je rejoins donc Marie-Blanche à l'extérieur et lui demande où je pourrais donner rendez-vous à Boubou. Semblant me trouver une fois de plus franchement inhabituelle, elle me désigne un robuste gaillard qui se trouve à quelques mètres de moi.

— Ah, bien oui ! Boubou !

— Bonjour, madame Claire !

— Nous y allons ?

— Si, madame, acquiesce-t-il, puis il envoie un regard à sa femme laissant croire qu'il me prend un peu en pitié.

Possiblement que tout le monde craint que je n'y arrive pas. Marie-Blanche m'entraîne un peu à l'écart pour me remettre une gourde en peau brune tannée munie d'une ganse qu'elle installe en bandoulière sur mon épaule, puis elle me serre encore une fois dans ses bras possiblement pour me donner du courage. Elle me refile aussi une banane. Est-ce si loin ? Vais-je partir pour trois jours ou quoi ? Ces sorcières vont-elles m'attacher à un arbre dans le but d'exciser mon propre clitoris ? Ce serait une fin de rêve bien désolante...

À l'amorce de notre expédition vers les puits, mon vaillant tueur de guépards me demande d'attendre un instant et il entre dans l'une des dernières maisons du village. Il en ressort muni d'une faux utilisée pour couper le foin dans nos campagnes à l'époque coloniale. Seigneur !? Est-ce là notre seule arme contre les guépards meurtriers ? J'aurais préféré un AK 44 ou une grenade. N'avons-nous pas ça en stock ? J'aurais franchement dû attraper un ou deux bistouris à la clinique, question de me bricoler une arme de poing artisanale. Pour l'instant, mon seul moyen de défense est cette banane trop mûre...

Le **Gazon**

Nous marchons un bon moment en direction de ce qui semble être, à première vue… rien. La région est très aride. Sous le soleil descendant, mais toujours de plomb, la terre que nous foulons est beige pâle et craquante. Boubou chantonne :

> ♫ « Pourquoi ton père ? Pourquoi ta mère ? Si tu veux savoir, demande au soleil… » ♫

Cet homme, d'une carrure imposante, possède à la fois la douceur de l'enfance et la force de la brute. D'instinct, je lui accorde toute ma confiance, surtout en ce qui a trait à ma protection.

En nous éloignant, je remarque que le paysage désertique s'étend aussi loin que se porte mon regard. Coudonc ? Peut-être que j'aurais dû un peu mieux planifier mon expédition. Est-ce encore loin ? Alerte à toute possible attaque animalière, je balaie constamment l'horizon de façon latérale. En tournant ma tête vers Boubou qui chante toujours, je fixe la faux qu'il tient sur l'épaule. Cette antiquité désuète pourrait potentiellement me sauver la vie ? Je demeure sceptique. Peut-être que si je lance ma banane très loin, les félins courront derrière pour la manger à la place de me dévorer vive ?

> ♫ « Si tu as peur, si tu as faim, demande au soleil… » ♫

Nous amorçons alors l'ascension d'une petite colline recouverte de touffes disparates d'arbustes rachitiques. Une dizaine de suricates surgissent devant nous à vive allure et me font sursauter. Comme la surprise fut partagée de part et d'autre, les bêtes déguerpissent dans tous les sens, leur fuite de groupe s'avérant tout à fait désordonnée. La vie me semble si primitive ici, si sauvage. J'ai le syndrome de l'imposteur. Les pieds de la Blanche civilisée qui se posent sur des terres encore vierges d'humanisation.

Dès l'or, quelques indices de civilisation nous apparaissent de l'autre côté de la colline. Quatre grands puits à environ cinq mètres de distance sont entourés de diverses maisonnettes construites à l'aide de matériaux disparates, comme dans des bidonvilles. Deux feux de bois extérieurs sont allumés, et une marmite de fonte imposante repose sur l'un d'eux. C'est sûrement le repaire de ces fameuses sorcières des puits. « Les barbares des puits, plutôt. » Je réfléchis un peu à ce que je plaiderai comme argumentaire pour empêcher ces femmes de mutiler ma pauvre petite Fleur. Le gros bon sens ? Seigneur ! Est-ce suffisant ?

Une fois que nous sommes rendus tout près de leur campement, deux silhouettes dehors près des feux crient quelque chose d'incompréhensible en simultané. Des femmes âgées sortent alors d'une maison. À première vue et de loin, elles semblent toutes très bizarres ; elles portent de grandes jupes brun foncé et des foulards hétéroclites en bandoulière autour du corps et d'autres autour des bras. En approchant, je remarque que certaines ont le visage et les avant-bras maculés de dessins faits avec une poudre blanche qui ressemble à de la craie. L'une d'elles arbore un foulard rouge sur la tête et ses grands cheveux noirs, agglutinés ensemble comme des rastas, tombent derrière jusque dans le milieu de son dos. Des plumes brunâtres et beiges ornent son impressionnante tignasse. Un collier fait d'ossements d'animaux pend à son cou. Elle semble tenir le rôle de la cheftaine de cette colonie des puits. Boubou baisse un peu la tête sous le regard inquisiteur du personnage à plumes qui avance maintenant vers nous. Visiblement mécontente, elle s'adresse à lui sans même daigner me regarder :

— Pourquoi avoir amené la femme blanche qui vide le sang par les bras ici ?

« Vide le sang par les bras ? » Pas vraiment dans ma description de tâches… Une vieille femme à sa droite, qui semble étrangement plus primitive que les autres, crache dans ma direction comme un chat en me désignant avec un bâton de bois dont le bout est embrasé. Doux Jésus ! Ai-je plus peur des guépards ou de ces femmes ? Plus ou moins clair dans ma tête. Sans trop m'en rendre compte, je serre trop fort ma banane qui s'écrase un peu sous la pression.

Boubou explique :

— La femme blanche a demandé à venir, donc je l'ai conduite.

Bon… Il ne m'aide pas tellement, lui. L'Africaine ressemblant à la grand-mère de Bob Marley avance d'un grand pas vers moi. Mon estomac se noue. Morte de trouille, je referme de nouveau ma main sur la pauvre banane. Une autre mémé, restée près d'un des feux, jette alors des feuilles séchées de je ne sais quoi dedans. Le tout s'embrase instantanément en laissant fuser un crépitement sonore. Des tisons ardents grimpent avec agitation vers le ciel. Elle me dévisage avec haine à travers le nuage de fumée blanchâtre qui s'élève en cylindre devant elle. À première vue, on se croirait dans une scène de conte pour enfants au pays des sorcières de Salem. Elles me transformeront en crapaud d'ici deux minutes, je le sens. Boubou reviendra au village avec sa faux dans une main et une grenouille dans l'autre et il racontera à tous que la pauvre médecin qui enlève le sang par les bras est désormais réduite à l'état de batracien, et ce, pour l'éternité. La tangente que prend ce rêve me paraît un peu mystique, cette fois.

La chef m'observe de si près que je crains presque qu'elle me renifle tout bonnement le côté de la joue. Sans crier gare, une nouvelle sorcière sort d'une des maisons avec un tambour et elle débute un tempo rythmé assez bien exécuté, je dois l'avouer. Les femmes, incluant Bob Marley qui me renâclait il y a deux secondes, commencent alors une danse improvisée à mi-chemin entre la danse des canards et le *Achy Breaky Dance* de Stef Carse. C'est le bouquet ! Boubou qui semble trouver le tout franchement entraînant commence même à se déhancher le popotin un peu. Je lui assène une tape du revers de la main pour lui rappeler le sérieux de notre mission.

Je continue d'observer la séance dansante en cours en considérant l'ensemble du portrait tout à fait absurde. Pour dire vrai, on jurerait que je suis en train de me faire piéger à une émission spéciale de *Surprise sur prise* dans le désert. Le film d'aventure fantastique vient tout à coup de se transformer en interlude joyeux et chorégraphique comme dans les films du Bollywood indien.

16 H 49

Comme j'en ai gravement marre de les voir se trémousser encore et encore, je décide de mettre un terme à ce cirque ridicule en levant mon bras tout en criant :

— *STOP !*

Elles s'immobilisent à l'unisson. Même la joueuse de tambour cesse de frapper son instrument. Elles me fixent avec leurs plumes dans les cheveux telles des perdrix saisies par le premier coup de feu d'une saison de chasse.

Affichant un air contrarié, la chef de meute s'approche à nouveau de moi. Elle semble reprendre la conversation exactement où nous en étions avant l'intermède de danse en ligne.

— Les Blancs ne doivent pas venir ici, JAMAIS... Vous portez le malheur dans vos mains pâles.

— Je présume qu'il peut y avoir des cas d'exception..., que je fais d'une voix un peu chancelante.

La vieille, derrière, jette de nouveau des feuilles dans le feu. Deux de ses voisines crachent comme des chattes dans ma direction. Une fumée opaque jaillit. On dirait que le Bollywood est bel et bien terminé.

Je rassemble tout le courage que je n'ai pas, pour ajouter d'un timbre de voix un peu plus assumé :

— Je vous interdis de toucher à Fleur.

La chef lève alors les yeux vers le soleil qui continue de descendre dans le firmament. Elle revient à moi pour me fixer d'un regard de défi. Je regrette alors intensément d'avoir abandonné le judo après le troisième cours lorsque j'avais dix ans. Je me repens aussi d'avoir dérangé leur amusant ballet...

— L'enfant Fleur est celle des dieux. Ils lui ont enlevé sa maman pour que nous veillions sur elle. Nous devons la protéger de la tentation...

— Non, non, non, la mutiler de la sorte ne la protègera en rien, madame.

— Si... Nous le ferons, aujourd'hui au crépuscule ou un autre jour. La grande voix du ciel nous l'a demandé...

Elles semblent carrément issues d'un monde parallèle, il sera difficile de raisonner avec elles. De toute façon, même si je les en empêche aujourd'hui, elles pourront toujours tenter le coup un autre soir.

— S'il vous plaît, c'est insensé. Nous sommes des gens civilisés…, que je tente.

La doyenne, qui alimente à nouveau le feu avec des feuilles en crachant avec sa bouche, me fait alors douter de façon très sérieuse de mon affirmation précédente.

— Et si sa mère s'opposait?

— La maman décide pour sa fille. Mais de mère, Fleur n'a pas…

Je pense vite.

— Eh bien, je vous annonce que j'ai adopté légalement Fleur. C'est donc ma fille légitime.

Elle relève alors des yeux paniqués vers moi. Elle ne semble pas croire un traître mot de ce que j'avance. Me sentant désormais forte et en contrôle, je termine en disant:

— Avec tout le respect que je vous dois, ne vous avisez JAMAIS de toucher un seul cheveu de ma chère fille.

Et je tourne les talons en espérant que ce soit suffisant. Boubou et sa faux trottinent derrière moi. Je tiens toujours en main ma banane, maintenant réduite en purée. L'adoption légale a-t-elle de la valeur à leurs yeux? Je ne sais pas…

J'entends en m'éloignant le tambour, qui repart de plus belle. J'éprouve de la difficulté à croire que ces aborigènes à plumes puissent faire preuve d'autant de barbarisme…

Boubou garde le silence au début du trajet. C'est possible que ma démarche lui semble un peu étrange. Quand quelqu'un grandit dans un pays où ce genre de pratique est courante, j'imagine qu'il s'y fait. Que la morale concernant la chose est, comment dire, différente.

En faisant l'ascension de la petite butte de terre dans le sens inverse, la même horde de suricates court vers nous. Cette fois, ils semblent affolés. En nous voyant, ils bifurquent illico vers la gauche, surpris de croiser quelqu'un dans leur course pour une deuxième fois. Arrivée en haut, j'aperçois le village au loin. Boubou pose la main sur mon bras avec consternation, et sa bouille glacée m'indique qu'il aperçoit quelque chose d'horrible. Quoi ?

Il me montre alors deux guépards, assis au pied d'un arbre, le nez au vent. Ah mon Dieu ! Je vais mourir, c'est certain que je vais mourir. Je crois que je préfère retourner auprès des sorcières aux pieds dansants, finalement...

Les bras écartés en signe de paix envers nos ennemis, Boubou recule un peu. Malgré que les félins soient très loin de nous, mon instinct de survie me dicte de courir de toutes mes forces. Ce que je fais. Boubou me crie :

— NOOON ! avant de bondir sur moi tel un maniaque pour me projeter contre la terre aride sans ménagement.

Le Gazon

Un petit nuage de particules sablonneuses se soulève sous l'impact de notre chute. Je souffle avec la bouche. L'air sec grafigne un peu mes yeux. Le visage empoussiéré contre le sol, comme deux officiers de l'armée de terre espionnant le clan ennemi, il me murmure :

— Ne jamais courir, madame Claire, jamais courir…

Ah bon ! Va savoir ! Il faut dire que je ne suis pas très au parfum et que j'ignore l'attitude adéquate à adopter dans ce genre de situation. Faut-il faire le mort comme avec les grizzlys ? Sa faux toujours en main et bien plaquée contre le sol, Boubou soulève la tête pour épier nos rivaux. De peur de voir les dents acérées d'un félin à cinq centimètres de mon visage, je préfère rester face contre terre. Si je ne sais pas à quel moment je me ferai croquer, je présume que la souffrance sera moindre ? J'imagine alors avec beaucoup trop de précision les crocs puissants des mâchoires de ces bêtes se refermer sur ma pauvre tête de blanc-bec pour la broyer comme un vulgaire quart de poulet cuisse de chez St-Hubert. Salade de chou crémeuse ou traditionnelle ? Les gens du village craignaient pour les enfants, mais je me considère comme un petit modèle de femme assez alléchant et d'un volume adéquat pour un félin de leur taille. Les yeux fermés et en attente de mon douloureux destin, je tente de me concentrer sur le fait qu'il s'agit d'un simple rêve, après tout. « C'est un rêve, Claire… un rêve. »

Boubou me touche l'avant-bras et me fait bondir de frayeur.

— HÉ! que je m'insurge, paniquée.

— Venez, partons doucement...

Ah, sont-ils déjà partis? En me relevant, je remarque que les deux bêtes ne sont effectivement plus en poste. En vérité, je crois que le fait de ne plus les voir ne me rassure guère. C'est bien connu que des assaillants potentiels ayant été repérés par devant se positionneront ensuite de façon à effectuer une attaque sournoise de côté ou par-derrière. À mon avis, tous les guépards de ce monde doivent connaître cette stratégie de premier niveau...

Nous poursuivons tout de même notre route vers le village. L'espace autour de nous est libre de tout obstacle visuel, nous les verrons donc surgir s'ils tentent une embuscade. Quoique ces bêtes sont les plus rapides de la terre, si ma mémoire est bonne. Par précaution, je tourne sur moi-même régulièrement pour observer les alentours sur trois cent soixante degrés. Boubou, qui repère à nouveau les félins, me rassure:

— Ils sont là, à droite. Ils nous laissent passer et ne viendront pas.

Ah bon, super! Merci bien! Sage décision, les minous. Mangeant quotidiennement des agents de conservation qui donnent le cancer, je ne dois pas être comestible de toute façon.

En communion avec la nature, Boubou se tourne vers les touffes d'arbres à notre droite pour leur crier un truc incompréhensible dans un langage indigène. Il parle le guépard, lui, maintenant ?

Je blague :

— Tu les as remerciés ou quoi ?

— Si.

Avoir su qu'il suffisait d'être poli ! Bravo Boubou, alias l'homme qui murmure à l'oreille des guépards !

— Ils ne viennent pas sur le territoire des hommes, sauf lorsqu'ils ont trop faim. Habituellement, chacun respecte le pays de l'autre.

♫ « Pourquoi ton père ? Pourquoi ta mère ? Si tu veux savoir, demande au soleil… » ♫

17 H 52

En revenant au village saine et sauve, je cherche Sylvain. J'espère qu'il veille toujours sur Fleur. Je le retrouve à l'autre extrémité du village en train d'arpenter une étendue de terre semblant faire office de jardin collectif. Fleur s'amuse non loin de lui avec deux autres enfants.

— Et puis ?

— Toujours aussi difficile de faire pousser du gazon ici…, m'avoue-t-il, au désespoir. Toi, les sorcières des puits t'ont écoutée ?

Comme le soleil est maintenant presque disparu à l'horizon, je lui annonce :

— Dans la mesure où je leur ai dit que j'avais adopté Fleur, oui, je crois bien que oui…

— Quoi ? T'es sérieuse, Claire ?

— Oui…, que je répète en le regardant droit dans les yeux.

`21H58`

Cette incroyable journée africaine terminée, je me retrouve seule avec Sylvain dans notre chambre sous la tente. Fleur dort dans la maison d'une voisine, comme chaque soir à ce qu'il paraît. Je suis crevée. Après avoir pris une douche dans une bécosse sans toit derrière notre installation, je me glisse dans le lit pendant que mon mari consulte des papiers sur le coin de sa table de chevet à la lueur d'une chandelle. Il cesse sa lecture pour se tourner vers moi. Les paupières lourdes, je le fixe.

— T'es certaine de vouloir faire ça, ma belle ? La petite Fleur à notre charge pour le reste de notre vie…

— Oui, nous aurions même dû le faire dès le début lorsque j'ai tissé ces liens maternels avec elle, tout de suite après sa naissance.

— Le pire, c'est qu'à cette époque, j'y avais pensé, pour toi, à cause des enfants que je n'ai jamais pu t'offrir.

Sylvain m'émeut beaucoup. Tout cet amour qu'il a pour moi, sa joie de vivre, sa bonté. Je me souviens clairement avoir aimé cet homme de tout mon cœur, autrefois. Mes sentiments amoureux pour lui sont désormais inexistants, mais je le respecte beaucoup. Aujourd'hui, durant toute cette journée, je le voyais comme un collègue, un ami, mais sans plus. Malgré cela, je le considère comme un être au cœur grand comme l'Afrique.

— Je ferai venir tous les papiers demain…

Je réponds à son baiser de bonne nuit sur mes lèvres avec affection, comme si je ne pouvais pas faire autrement. Cela me fait drôle de sentir les lèvres d'un autre homme sur les miennes. Il y a bien longtemps qu'elles n'embrassent que mon mari. Je me retourne dos à lui dans le lit et je réfléchis. C'est tout de même rassurant pour moi de penser que, si j'avais choisi Sylvain à l'époque, il aurait été bon et aimant pour moi, mais je n'aurais jamais voulu de cette vie-ci. L'Afrique, la médecine, l'expatriation, le don de soi … Je trouve la démarche en soi très noble, mais je n'en aurais pas voulu.

Je suis un peu ébranlée de voir tout ce que j'aurais pu accomplir si j'avais fait des choix différents. C'est très étonnant. Je me sens animée d'une force intérieure et d'une paix indicibles. Oui, j'ai failli me faire jeter un sort par une bande de sorcières juste avant de me faire dévorer par des guépards… Mais au-delà des mésaventures que j'ai vécues, je réalise à quel point chaque être humain est bel et bien maître de sa destinée.

Entre ciel et terre

Au contact de ma douce literie duveteuse, j'ouvre les yeux d'un seul coup en croyant dur comme fer que je me retrouverai enfin chez moi. Or, une lumière blanche puissante, devenue bien familière, m'enveloppe… Zut ! Sylvain était pourtant le dernier homme que j'ai rencontré dans ma vie avant Alexandre, non ? Le dernier avec qui j'aurais pu avoir une vie potentielle. S'il y en a encore un autre, je jure devant Dieu que je n'ai aucun souvenir de cette relation.

La fameuse voix – que je commence d'ailleurs à trouver presque rassurante, depuis le temps – me salue, l'air d'arriver de l'autre bout du monde :

— Ouf ! Re-bonsoir, Claire ! Me revoilà, plutôt ! Je suis décidément très occupé cette nuit !

— Donc, c'est terminé maintenant ?

— Ne vous avais-je pas prévenue que cette vie potentielle serait fort agréable ? Que d'exotisme sur le continent africain !

— Eh bien, si vous considérez que de plonger le nez dans trois cents vagins juste avant de se faire presque manger par des guépards assoiffés de sang est exotique, donc oui, en effet, c'était TRÈS exotique !

— Ha ! ha ! ha ! C'était amusant, la scène des guépards, non ? De l'action, du suspense, exactement comme je l'aime…

Je roule des yeux en direction du ciel. Il se marre une fois de plus, lui. Tout un numéro, ce fantôme.

— Bon, redevenons sérieux. Ma très chère Claire, dans cette vie, je présume que vous avez appris une multitude de choses intéressantes...

Je me concentre afin de synthétiser mes réflexions quant à mon expérience, car il y en a beaucoup...

— Vous avez raison, oui. Jamais je n'aurais cru posséder en moi le potentiel de devenir médecin. Incroyable ! Je ne vous dis pas qu'après l'avoir expérimenté je le referais, mais bon, c'est très flatteur pour l'*ego* de réaliser ce que l'on aurait pu accomplir.

— Quoi d'autre ?

— Bien sûr, une chose m'a particulièrement touchée : le fait de ne pas avoir d'enfant. Accepter de ne pas avoir d'enfant, devrais-je plutôt dire. J'ai peine à croire que j'aurais pu assumer cette décision. C'est comme impensable...

— Vous avez pourtant adopté un enfant, à la fin. J'ai vraiment adoré ce passage touchant, soit dit en passant.

— Des enfants de mon sang, je veux dire. Tomber enceinte, les porter dans mon ventre, croiser leur regard pour la première fois...

— Qu'est-ce que cette perspective de vie vous a fait réaliser d'autre ?

— Ça me rend un peu triste, en vérité. Je constate à quel point la maternité fut viscérale et centrale dans ma vie, pour bâtir qui je suis, qui je voulais devenir. Mes deux enfants sont ce que j'ai de plus précieux au monde.

— Voilà qui est fort noble.

— Sylvain était un homme bien aussi...

Je marque une pause.

— Je peux rentrer à la maison maintenant?

— Il reste une dernière vie...

— Quoi? Ah non, il reste la mienne, la vraie, et c'est tout. La vie tranquille, mais ô combien confortable de Claire «Trudeau». La vie que tout le monde trouverait probablement ennuyeuse, mais que j'aime plus que tout. Celle qui va vite, qui roule, qui fait en sorte que le temps passe si rapidement, mais... c'est la vie que je veux, bon sang!

— Allongez-vous, Claire, nous repartons en balade, mais cette fois-ci, je vous accompagne...

Vais-je me réveiller dans mon lit ou pas? Je suis un peu angoissée, pour faire changement. Et pour être franche, j'en ai marre. Je veux juste rentrer chez moi et que toute cette aventure se termine.

Aussitôt que mon dos touche le matelas, le lit se met de nouveau à tournoyer, comme chaque fois depuis maintenant beaucoup trop longtemps à mon goût...

Le Gazon

Je ne sais où, ni quand

Je reprends peu à peu conscience dans mon lit… dans ma chambre. Je reconnais très bien mon plafonnier. Je pivote la tête vers la droite. Cette fois, c'est bel et bien Alexandre qui roupille près de moi. J'aperçois ses cheveux bruns courts et le derrière de sa nuque. Je serais capable de la reconnaître parmi deux cents nuques d'hommes… Ah, Dieu soit loué ! C'est enfin terminé ! J'ai le goût de littéralement sauter au cou de mon cher mari, mais je me retiens pour le laisser dormir en paix. De toute façon, il me trouverait un peu névrosée de l'assaillir de la sorte en me réveillant. Je rabats la tête de l'autre côté pour consulter mon réveille-matin. Il indique six heures vingt-huit.

Heureuse à souhait de me retrouver chez moi, je bondis hors du lit en un clin d'œil. Ooooh ! Je me sens tout à coup bien étrange. La tête me tourne, un peu comme si je m'étais levée trop précipitamment. J'ai aussi l'impression d'être légère et vaporeuse comme si je ne pesais qu'une demi-plume. Je scrute mes mains et mes bras qui me paraissent différents. En réalité, je semble floue : ma peau est translucide. En déplaçant mes mains devant moi, je remarque que mon corps laisse un spectre de lumière pâle dans l'air en bougeant. Exactement comme je l'ai déjà vu dans un film où les gens étaient décédés. Seigneur, mais qu'est-ce que c'est que ce délire, encore ?! Suis-je réellement morte pour être diffuse de la sorte ? Une anxiété sinueuse me tord le bas du ventre et me grimpe ensuite jusqu'à la mâchoire. Voilà donc la fin de cette expérimentation : la fatalité de la mort ?

Le cadran qui rugit sur la table de chevet à ma droite me fait sursauter. En me tournant vers l'objet, je réalise que mon propre corps s'avère toujours étendu dans le lit. Quoi ? Comment est-ce possible ? Debout à un mètre du lit, je me vois tendre le bras pour atteindre le cadran afin de le faire taire. Cette Claire s'assoit ensuite au bout du matelas en se prenant le visage à deux mains pour tenter de se réveiller un peu. Ahurie, je la regarde se lever. Il y a bel et bien deux « moi » dans cette pièce. C'est complètement insensé. Sans trop réfléchir, je m'approche de mon corps physique pour me toucher.

— Vous ne pourrez pas…, me met en garde la voix qui semble cette fois venir du plafond.

— Ah bon, vous êtes là ! Pouvez-vous m'expliquer ce qui se passe, bon sang ? fais-je avec impatience en voyant alors mon corps passer carrément à travers mon halo comme si je n'existais pas.

— C'est très simple, Claire. Dans cette dernière perspective, vous ne serez que spectatrice de votre vie. Vous observerez ce qui s'y passe.

— C'est complètement délirant… Pourquoi ?

Aucune réponse. Comme j'aimerais savoir quel jour nous sommes, je me dirige de ce pas vers la cuisine. Je repère mon téléphone portable qui gît sur l'îlot, l'écran tourné face contre le stratifié. J'avance la main pour l'agripper. Échec. Mes doigts passent carrément à travers la matière, étant donné que je ne suis qu'un vulgaire esprit errant. J'effectue la manœuvre une seconde fois pour me convaincre de ma situation fantomatique actuelle.

Bredouille et impuissante, je rebrousse chemin et je retourne épier mon double, maintenant rendu à la salle de bain. Mon corps se regarde dans le miroir, l'eau chaude du robinet lui coulant sur les mains. « En fait, c'est vraiment moi qui se lève le matin », que je rationalise dans ma tête vaporeuse. L'air découragé, la Claire que j'espionne s'inspecte dans la glace. J'avance et je me positionne de biais derrière cette femme, bien vivante. Je suis surprise de distinguer le reflet de mon esprit dans le miroir. C'est quelque peu épeurant en réalité. Je suis réellement floue. C'est moi, mais en fantôme, avec des traits blanchâtres et des lignes diffuses et imprécises. Seigneur! Dire que certaines personnes ont du plaisir à consommer des drogues hallucinogènes qui font voir des trucs étranges! Je peux maintenant confirmer hors de tout doute que ce ne serait pas mon cas… même si je dois admettre que je voyais un peu double à la fin de ma beuverie au camping de nudistes.

J'épie avec attention la Claire en chair et en os qui se regarde toujours dans le grand miroir. Un constat terrible me frappe. Elle semble si malheureuse. Ai-je toujours l'air aussi triste dans la vie? La vraie moi ferme le robinet et s'essuie les mains à la hâte avant de se diriger vers la cuisine. En ayant l'impression de voler au-dessus du plancher, je la chaperonne.

Elle commence alors à préparer les lunchs des enfants et celui d'Alexandre. Tout le monde dort encore. En sortant des trucs du frigo, la vraie moi échappe le contenant de moutarde qui tombe au sol et roule… Ah ! Je sais très bien quel jour nous sommes. Nous sommes ce matin, euh, hier matin en réalité. En fait, nous sommes mercredi matin, le 10 juin, comme dans tous les rêves que j'ai faits depuis le début.

— Vous comprenez des choses, Claire ?

Ah bon ! Il est encore là, lui !

— Je ne fais que ça depuis que je me suis endormie hier soir, comprendre des choses, si vous voyez ce que je veux dire.

En me voyant appuyer sur le bouton-poussoir de la machine à café, je me trouve bien songeuse. J'ai cet air nostalgique de veuve de guerre toujours imprimé dans le visage. Pourquoi ? Ah oui, j'en avais plus qu'assez de ma vie, je la trouvais moche. Ce matin-là me semble à des années-lumière dans ma tête. On dirait que ça s'est passé il y a déjà très longtemps. Pour dire vrai, le sentiment que je ressentais à cet instant précis n'est plus très net dans ma tête. J'en avais assez de quoi au juste ? J'aspirais à quoi ? Plus d'excitation ? Plus de défi ? Moins de routine et plus d'action ? Tabarnouche ! En ce qui a trait à l'action, je suis saturée pour les vingt prochaines années.

Au moment où je me vois fixer le nuage de lait qui ressemble à une petite souris dans ma tasse, j'entends mon cher mari marcher dans la maison en sifflotant. Alexandre… Je m'ennuie si fort de lui. Mon fils passe à son tour en coup de vent dans le corridor. Ah! mon grand Mathis, ce que j'ai hâte de le voir, lui aussi. Sans surprise, il fonce droit devant sans relever sa tête chevelue et il s'engouffre dans la salle de bain. Je me doute que je peux probablement passer comme une lettre à la poste à travers les murs, mais mon cœur de mère préfère s'abstenir de voir certaines choses.

De bon poil, Alexandre arrive dans la cuisine et il embrasse la vraie moi sur une joue en disant:

— Bon matin, ma chérie!

Ce qu'il est beau… Cette Claire cafardeuse lui sourit à peine en continuant de s'affairer à sa tâche. Elle lève finalement les yeux pour lui balancer sur un ton un peu sévère:

— Il faut que tu paies le gars du gazon aujourd'hui…

— Oh, je n'aurai pas le temps de passer à la banque avant d'aller au journal… Toi?

— On appelle ça le partage des tâches, Alexandre. Ce n'est pas comme si nous n'en avions jamais parlé… Tu t'occupes du type du gazon, je gère la femme de ménage. Je fais le lavage, tu sors les poubelles. D'autres exemples, ou ça va comme ça?

— Chérie… On va trouver une solution! Tu veux de l'aide pour les lunchs?

— Trop tard, déjà terminés.

Bon sang que je me trouve bête, distante, voire glaciale avec lui. Pauvre Alexandre. Suis-je toujours comme ça ? Il me propose de l'aide et je lui fais presque sentir qu'il dérange…

— J'ai faim ! Qu'est-ce qu'on mange ?

Mon grand garçon… Même si j'ai l'impression de ne pas l'avoir vu depuis des semaines, je trouve toujours sa coupe plus ou moins hygiénique, et ce, en dépit de mon ennui extrême. Ceci dit, il est adorable malgré tout.

— Des toasts et des céréales, ce matin. Je suis pressée…

— Baaah… J'aurais préféré des crêpes…

« Gros glouton ! Je vais te montrer comment en faire et tu te lèveras pour nous en préparer chaque matin, d'accord ? », que je songe comme réplique dans ma tête en lui souriant fantomatiquement.

À la place, la vraie Claire répond d'une voix cassante :

— Des crêpes ? Oui, j'ai juste ça à faire, me lever trois heures avant tout le monde pour faire des crêpes alors que j'ai travaillé jusqu'à minuit à l'hôpital, hier… Ce sera des toasts, voilà tout !

J'aurais quand même pu lui répondre de façon un peu plus humoristique, question d'alléger l'ambiance.

— Je suis la seule de ma classe à pas avoir de iPad. Vous me marginalisez auprès de mes pairs et j'en souffrirai grandement dans ma future vie d'adulte.

Ma belle grande fille, rendue à l'aube de sa vie de femme… Je voudrais tant la serrer dans mes bras. À la place, je lui réponds :

— Bon, qu'est-ce qu'il faut pas entendre ce matin…

Je me vois pivoter vers le frigo en soupirant. De ma perspective actuelle, plus globale et extérieure à la scène, je remarque qu'Alexandre lève la main en direction de Laurie, l'air de dire : « Pas ce matin, Laurie. » Ah bon !? Mon mari fait parfois ce genre d'intervention subtile dans mon dos ? Moi qui le croyais complètement passif, côté discipline, avec les enfants…

— Je veux un iPad, bon !

— Laurie ! Ça suffit ! crie mon double.

Seigneur ! Je me surprends moi-même de me voir réagir avec autant d'exaspération pour si peu.

— C'est injuste ! Je veux aller vivre en famille d'accueil !

À première vue, l'intervention muette de mon mari n'a pas très bien fonctionné, mais tout de même, je suis fière de lui. Comme dans les faits je n'ai pas vu ce qu'il a tenté de faire précédemment, je lui demande :

— Alex, dis quelque chose, s'il te plaît ?

— Ma grande fille, on va reparler de tout ça une autre fois…

Alexandre semble mal à l'aise. J'ai à présent l'air en beau fusil en dévisageant mon pauvre mari. Pourtant, de l'extérieur, je trouve son intervention tout à fait adéquate…

— Ça aurait été bon, des crêpes…

Un peu abasourdie face à cette scène matinale, je déplace ma carcasse vaporeuse vers la chambre. Je me rends jusqu'à la fenêtre pour regarder dehors. Notre voisin de droite tond déjà son gazon en jetant de temps à autre un coup d'œil vers nos fenêtres de maison. Je me remémore une fois de plus la discussion avec Alexandre, hier soir, avant de nous mettre au lit. Il trouvait que le voisin bizarre avait un gazon beaucoup plus vert que le nôtre…

— Claire ? m'interpelle alors l'esprit du plafond.

— Oui, que je réponds, la voix un peu chancelante.

— Que se passe-t-il ?

— Je suis triste, je me rends triste moi-même…

— Pourquoi ?

— Après avoir vécu toutes ces vies potentielles, la vision que je porte sur moi, sur ma vie familiale, est si différente de l'état d'esprit dans lequel je me trouvais ce matin-là. Suis-je vraiment cette femme aigrie et de mauvaise humeur ?

— D'accord, allons faire une autre balade. Je ne peux pas vous dévoiler l'avenir, car vous déciderez vous-même de vos choix au fur et à mesure, mais je peux vous présenter une vie potentielle du futur par contre. Une seule...

Tout se met à tourner autour de moi. Exactement comme si j'étais le point central d'un mouvement de rotation planétaire ultrarapide.

Mon futur ?

Lorsque tout reprend sa place, je me trouve au même endroit, c'est-à-dire près de la fenêtre dans ma chambre à coucher. Je ressens toujours cette sensation corporelle étrange d'être un fantôme. En effet, mes mains vaporeuses laissent encore une traînée de blancheur dans l'air en se déplaçant.

J'effectue un pivot complet sur moi-même. Les meubles ont changé de place. Le lit est maintenant positionné sur le mur à droite de la porte au lieu d'être à son opposé. Pourquoi donc ?

Mes yeux de lynx de femme très ordonnée remarquent tel un radar le léger fouillis. De la poussière est entassée dans certains recoins du plancher de la chambre et des vêtements de mon mari traînent sur la commode et sur le lit qui n'est pas fait non plus. «Je me suis levée en retard et c'est vrai!»

Je regarde l'heure sur le réveille-matin du côté d'Alexandre, car étrangement le mien a disparu. Il indique sept heures quarante-cinq.

Nous sommes dans le futur, certes, mais je ne sais pas quel jour ni en quelle année.

Je me dirige vers la cuisine d'où provient du bruit. En arrivant, j'y retrouve mes enfants et mon mari qui confectionnent tous un sandwich sur le comptoir de la cuisine. Alexandre a la peau sous les yeux plissée comme un Shar Peï. Personne ne dit un mot. Mon fils tente de couper le sandwich qu'il s'est préparé en deux, mais la salade glisse à cause de la mayonnaise et l'ensemble de son œuvre se démantibule.

— Grrrra! Grrr! grogne-t-il, tel un hominidé des cavernes.

Que vois-je? Leur ai-je lancé le défi de faire leur lunch eux-mêmes pour une semaine? Quelle bonne idée! C'est amusant! Ils verront que leur routine du matin devra être révisée…

Où suis-je dans tout ça? Je vole jusqu'à la salle de bain. Je ne m'y trouve pas non plus. Je travaille peut-être…

Je perçois alors que la querelle éclate dans la cuisine. J'y retourne aussitôt.

— Je ne peux pas tout faire! s'insurge Alexandre, les baguettes en l'air.

Tabarnouche! Je ne me souviens pas de la dernière fois que j'ai vu mon mari dans cet état... Ma fille, avec qui il semble se chicaner, maintient les lèvres bien serrées.

Furieux, Alexandre poursuit :

— Tout le monde doit faire sa part, un point c'est tout! Est-ce bien clair?

Ma fille fixe le comptoir. Elle bout de rage. Mais que se passe-t-il, bon sang?

— Eh bien, c'est à cause de TOI que maman est partie, bon! lui reproche-t-elle en pleurant avant de s'enfuir vers sa chambre.

— Ah non! Ce n'est sûrement pas juste ma faute, jeune fille! réplique mon mari, toujours hors de lui.

En entendant cette réplique, mon fils disparaît à son tour dans sa chambre. Mon mari dépose avec force son couteau à beurre sur l'îlot et il approche de la fenêtre en se prenant la tête à deux mains.

Où suis-je partie? Que cette scène est dramatique. Ai-je quitté ma famille? Impossible...

D'un pas aérien décidé, je me dirige vers la chambre de ma fille. Sans même réfléchir, je passe la tête à travers la porte de sa chambre. Je n'avais pas encore osé expérimenter le truc, mais bon, mon soupçon est confirmé, je peux effectivement traverser les murs. J'aperçois ma puce qui pleure à chaudes larmes sur son lit, le visage bien enfoui dans un oreiller à l'effigie des personnages de *Twilight*.

Je fais de même dans la chambre de Mathis. Il pleure aussi, assis à son pupitre.

Le cœur gonflé de tristesse, je vais retrouver Alexandre, toujours debout face à la fenêtre. Je m'approche très près de lui, de biais. Des larmes roulent aussi sur ses joues... Mais qu'est-ce que j'ai fait ? Les ai-je réellement abandonnés ?

— Allo ? que j'implore en regardant le plafond.

Pas de réponse.

— ALLO ! que je m'impatiente.

— Excusez-moi, Claire, je suis là.

Les yeux à mon tour remplis de larmes de voir ainsi pleurer ma famille au grand complet, je m'informe auprès du gourou :

— Mais qu'est-ce...

Je n'ai pas le temps de terminer ma phrase que tout se met à tourner autour de moi...

Le Gazon

Entre ciel et terre

Sans que je m'endorme ou que je perde conscience, ma vision redevient nette et je me retrouve encore au milieu de ce fameux lit dans le nuage. Non, mais, j'en aurai fait du kilométrage en une seule nuit. Je pense à ce que je viens de voir. Dans cette vie potentielle, j'étais partie… Mais où ? J'ai le cœur gros en songeant à ma famille éplorée. Pourquoi m'avoir présenté cette vision ? Je sais très bien qu'ils seraient tous tristes si je partais. Patiente, je m'assois en attendant que l'on m'explique.

Comme la voix ne vient toujours pas, je l'appelle pour accélérer les choses :

— Allo ?

Pas de réponse. Des images animées apparaissent alors devant mon lit, comme si un film débutait sur un écran géant invisible déroulé devant moi. Au départ, j'ai peine à percevoir ce qui s'y passe de façon nette. Au moment où la qualité de l'image se précise, je m'aperçois, enfant, gambadant dans l'arrière-cour de mes parents. La scène est en couleurs, mais muette. Je cueille une fleur et je cours ensuite à l'opposé du grand terrain. En souriant de toutes mes dents, je remets ladite fleur au jardinier de mes parents. Je reconnais l'Hindou qui travaille aussi chez moi, maintenant. Seigneur, il est si jeune ! Ma mère m'appelle alors à l'intérieur. La scène coupe.

Je me vois maintenant dans mon cours d'éducation physique, en troisième année du primaire. Nathalie avance vers moi et elle me chuchote quelque chose à l'oreille. J'effectue un visage horrifié en guise de réponse. En me rendant au fond du gymnase pour ranger mon ballon, je parle avec Jean-François, l'ami de Manuel. Celui-ci se dirige ensuite vers Manuel qui écoute avec attention ce qu'il a à dire avant de lever des yeux très désappointés vers moi. La scène coupe encore.

Le film montre ensuite certains moments de la journée que j'ai passée à la ferme de brebis avec lui. La vie potentielle que j'ai vécue se déroule rapidement, mais en courtes scènes seulement. Le souper de lentilles avec toute la famille, l'après-midi à la ferme, l'accouchement de la brebis…

— Bon, je suis de retour, Claire… Dites-moi, qu'avez-vous appris de précis sur vous dans cette vie ?

Je réfléchis en continuant de regarder les images défiler… je joue le rôle de professeure et d'éducatrice à la maison avec les enfants, le petit Gustave se rue sur mon sein pour boire, je lui tends un gobelet…

— Que je peux facilement me tirer d'affaire grâce à mon grand sens de l'organisation… Mais ça, je le savais déjà.

— Ce que je vois, moi, c'est que vous êtes capable de faire preuve de générosité et d'abnégation pour votre famille, et que cela vous valorise tout en vous permettant de vous accomplir. De plus, vous avez eu un plaisir sincère à le faire.

Je me vois alors sourire, assise au salon, entourée des enfants que j'aurais soi-disant eus avec Manuel.

— Oui, vous avez sans doute raison.

Le film reprend aussitôt. Je suis plus vieille, mais toujours une enfant. Je me trouve encore chez mes parents, discutant au téléphone près de la grande porte-fenêtre de la cuisine. Je parle avec quelqu'un en faisant un signe négatif de la tête dans le vide, l'air tristounet. Le jardinier passe près de la fenêtre. Je lui envoie la main sans enthousiasme tout en poursuivant ma conversation. La scène se déplace vers un jeune garçon, également dans sa maison, qui parle au téléphone. Il raccroche et fixe le mur, le visage décomposé. C'est Steve. Je me souviens plus ou moins de cet appel… Je crois que c'est le moment où je lui ai annoncé que notre amourette de camping était terminée.

Nous plongeons ensuite dans cette perspective de vie. Comme pour la scène précédente, je ne vois que certaines séquences de ce rêve : le souper de dingues où je lui ai crié par la tête ses quatre vérités devant son associé médusé, sa maîtresse déconfite, et le public de clients enchantés du divertissement, puis le psy et mes soins de beauté.

Je dévisage Steve qui me méprise le matin et qui passe devant notre fille sans lui accorder la moindre attention…

— Remarquez votre aplomb, Claire. La façon dont vous avez exprimé votre mécontentement face au mépris de cet homme à la fin de cette journée. Vous avez fait preuve d'une grande intégrité et d'une belle force de caractère tout en ne devenant pas vulgaire. L'affirmation de soi n'est pas toujours facile, mais essentielle pour trouver le bonheur.

C'est vrai. Ça me surprend encore de lire cette confiance inébranlable que j'avais dans les yeux au moment de quitter la scène.

Comprenant à présent que nous revisiterons les vies potentielles de l'expérimentation une à une, je ramasse un oreiller que je positionne de façon verticale contre la tête de lit. J'appuie mon dos dessus, question d'être plus confortable pour la suite du visionnement.

Le film reprend. Assise à mon petit bureau de travail dans ma chambre d'enfant, je lis une lettre et je sanglote. Je prends une pause pour me moucher. Dans le couloir, l'oreille bien plaquée contre la porte fermée, ma mère écoute le drame qui se déroule dans ma chambre. « Pauvre petite maman, elle devait se sentir si impuissante », que je songe. On entrevoit alors Michel à sa maison de réforme qui court pour se cacher près d'un arbre avec une autre jeune fille. Ils se bécotent. Dans une autre scène, la fille semble quitter le centre, accompagnée d'un autre garçon. Elle embrasse ledit gars avant d'embarquer dans sa voiture. De sa chambre, Michel les regarde par la fenêtre, accablé. On l'aperçoit par la suite, assis à un pupitre en bois dans une pièce exiguë qui ressemble à une cellule de prison. Il termine de rédiger une lettre en dessinant des cœurs au bas de la feuille. On me retrouve à mon petit bureau, dans ma chambre. J'ouvre sa lettre, je la lis et je réfléchis. Je prends ensuite la feuille et je la déchire avant de la jeter avec nonchalance dans une corbeille à papier.

Le reste de la séquence défile à vive allure. La course folle dans le bar où je travaillais. Mes deux garçons se blottissent tour à tour dans mes bras sur le divan chez ma mère. On me voit ensuite faire un grand sourire à l'intervenante de la DPJ à qui j'ai annoncé que j'allais quitter Michel.

— Rien ni personne ne pourra jamais se mettre entre moi et mes enfants…, que je résume au gourou, comprenant que c'est sans doute ce qui ressort le plus de cette vie potentielle.

— Exactement. Rien de plus à ajouter pour celle-ci.

— Quelle vie de fous, celle-là, tout de même !

Le film se poursuit. Devant l'entrée de garage enneigée, Nathalie et moi discutons. Ma mère entrouvre la porte et m'appelle. J'entre et je prends le téléphone. On voit alors Pierre, aussi dans son salon, qui discute dans un vieux cornet de téléphone beige. La scène revient à moi. J'ai l'air catastrophé. Je fais non de la tête. Pierre semble en colère. Il raccroche et lance un oreiller contre le mur. Nathalie, encore emmitouflée, vient me rejoindre et me console. Ma mère me regarde, les bras croisés. L'image se déplace vers une enveloppe gisant sur le comptoir de

la maison de mes parents. On peut y lire: Inscription –
Cégep de Sherbrooke.

La scène passe alors à moi, adulte, qui se fait heurter
par la folle en voiture. BANG!

Toujours dans le lit, je cligne des yeux en sursautant
avant de porter mes deux mains à ma poitrine. «Seigneur,
pas encore cet horrible meurtre…», que je pense en
reprenant mes esprits.

— Oups! Bon, nous n'avions pas vraiment besoin de
voir ça, en vérité…, précise la voix, comme si nous éprou-
vions un problème technique lié au montage vidéo.

La scène revient à moi, dans l'auto, qui réfléchis en
ramenant les enfants à Pierre après notre après-midi de
fuite aux Galeries de la Capitale.

— Et dans cette séquence? Que comprenez-vous?

— Que je n'aurais jamais dû ramener mes enfants à
cette folle!

— Connaissant la suite de l'histoire, en effet… Mais *a
priori*, votre raison a primé sur votre colère. Vos instincts
tendent naturellement vers la paix. Votre cœur est bon,
Claire.

«Peut-être, mais c'est plutôt moi qui aurais dû faire la
peau à cette Karine Brook!» Je ne divulgue rien de cette
dernière pensée, de peur que le gourou ne change d'idée
quant à la bonté de mon cœur.

Le Gazon

Le film reprend en me présentant au côté de mon père qui marche dans l'entrée vers son camion. Nous reculons dans la cour en envoyant la main au fils du voisin, même s'il ne nous parle jamais. Nous apercevons ensuite mon père qui me dépose devant une maison. J'y entre. Il semble y avoir une fête d'anniversaire. Beaucoup de monde s'y trouve, partout, surtout des jeunes. Je semble chercher quelqu'un des yeux. Patrick fonce sur moi et il tente de m'embrasser en sortant sa langue. Je pose ma main sur son torse pour l'en empêcher. Nous allons à l'extérieur, à l'abri des regards. Il réitère sa manœuvre et je l'évite une seconde fois, puis je lui explique quelque chose de plutôt sérieux.

« Je m'en souviens très bien… »

Le pauvre Patrick baisse la tête et retourne à l'intérieur sans rien dire. Je rejoins Nathalie dans la cuisine. Changement de décor. Je me trouve au camping de nudistes. Les yeux un peu croches, je discute avec Patrick sur le lit en brandissant le vibrateur bleu géant dans sa direction. On m'aperçoit ensuite au souper, bien ivre et tanguant dangereusement, face contre mon assiette. On me revoit boire un coup durant la joute de pétanque.

« Que c'est ridicule, pas croyable ! », que je rigole dans ma tête en voyant des images de cette vie farfelue.

On se transporte au dîner de hot dogs avec nos amis, et moi qui peine à masquer mon immense malaise.

— Comme vous le disiez, j'aurais dû poser des questions pour éclaircir la situation.

— Absolument. Vous devez pallier ce reflexe que vous avez de tout garder pour vous, Claire. D'endurer sans rien dire. De ne rien demander en espérant que les gens devineront vos besoins. Les femmes semblent toutes faire ça, d'ailleurs[24].

— Dorénavant, je tenterai de m'exprimer davantage.

Je ne peux m'empêcher d'éclater d'un rire franc. Non, mais, quelle histoire! Le gourou qui gère cette expérimentation pouvait bien se marrer.

Le film qui s'achève présente la dernière rupture, celle avec Sylvain. On m'aperçoit ouvrir les grandes portes principales de son pavillon universitaire. Je me dirige vers le café étudiant, je souris. En y entrant, je m'immobilise aussitôt en voyant Sylvain assis avec une jeune fille, blonde et jolie. Ils rigolent ensemble et il lui tient la main. Je les considère un instant, mais comme je crains que l'un d'eux ne lève les yeux vers moi, je tourne rapidement les talons et je me dirige en direction opposée. Par malheur, je fonce dans un gars qui arrivait en sens contraire. La scène coupe.

On aperçoit le début de mon excursion pour détourner ma petite fleur de son triste sort… On me retrouve ensuite au campement B à effectuer des examens gynécologiques, puis on saute à la clinique de vaccination. On me voit

---

24. Hum… vrai ou pas?

enfin qui discute avec Sylvain, tout près de la femme qui accouche de jumeaux…

— Bon Dieu, j'ai vraiment fait tout ça…, que je me remémore avec fierté.

— Claire, la vie ne prévoit aucune limite pour quiconque. Chaque être humain possède en lui le pouvoir illimité de l'univers. Vous auriez pu faire ça amplement, et bien plus encore… Cependant, il faut savoir qu'aucun emploi n'accorde plus de crédit qu'un autre à celui qui l'occupe, au final. Tout dépend du cœur que l'on y met…

Il a tellement raison… Je souris en repensant à toutes ces péripéties en rafales. L'écran imaginaire devient noir. Le film doit être terminé. Je soupire.

— Est-ce que vous voyez plus clair ?

L'écoutant à peine, je songe toujours à ce montage vidéo récapitulatif. Quand même impressionnant, comme vision d'ensemble d'une seule et même nuit…

— Avez-vous bien remarqué tous vos choix ? insiste le gourou.

— Mes choix ? Mais je n'ai rien choisi du tout dans ces rêves, sinon je ne me serais certainement pas retrouvée en Afrique, et encore moins dans un camp de nudistes !

— Dans chaque perspective de vie, vous avez pris le contrôle de la situation. Un bébé de deux ans non sevré ? Claire l'a pris en charge. Un mari méprisant et non aimant? Claire l'a secoué et lui a montré qu'elle était plus qu'une simple poupée de service. Des enfants retirés à la garde de leurs parents? Claire s'est chargée de larguer Michel pour remédier à la situation. Un divorce difficile? Claire a pensé au bien-être de ses enfants et a fait contre mauvaise fortune bon cœur. Un code vestimentaire inhabituel? Claire a choisi de rester habillée tout de même. Des problèmes de fertilité? Elle a adopté une enfant. Dans toutes ces situations, vous n'avez pas eu peur d'agir pour modifier le cours des choses. Vous avez de quoi être fière. Et aujourd'hui, ou à partir de maintenant si vous préférez, vous pouvez aussi prendre les rênes de votre vie et en modifier certains aspects pour la rendre plus douce à vos yeux, plus satisfaisante. Vous n'êtes pas la marionnette du théâtre, mais plutôt celle qui tient les ficelles. Retenez, Claire, que la passivité retire à la vie sa chance d'être vécue… La position de victime ne fait qu'empêcher vos ailes de s'ouvrir. Les choix que vous ferez ne seront JAMAIS des erreurs, ils forgeront simplement la suite. Le potentiel de chaque être humain est infini.

J'écoute le gourou avec intérêt. Ce qu'il me révèle me touche au plus profond de moi-même.

— Oui, je comprends mieux toute la démarche à présent…

— Vous avez fait un dernier choix très significatif dont nous n'avons pas encore parlé. Un choix déterminant que j'aimerais vous montrer…

— Lequel? Alexandre?

— Entre autres…

Le choix déterminant

Le film reprend à la scène du café universitaire où j'aperçois Sylvain avec sa nouvelle flamme. Tandis que je rebrousse chemin, je fonce dans un gars qui échappe un carnet de notes sous la force de l'impact. Sans trop le regarder et à la hâte, je ramasse son truc et le lui redonne avant de fuir, les larmes aux yeux. Le gars en question, c'était Alexandre…

Pour dire vrai, il m'a reparlé souvent de cet incident, mais je ne me souviens pas avec exactitude de cette scène ni de son visage. J'étais en état de choc, après tout. Alexandre, lui, se rappelle très bien. Dommage pour moi, car cela constitue quand même un beau morceau du casse-tête de notre histoire d'amour. Je refocalise mon attention sur le film qui se poursuit. Plusieurs semaines plus tard, Alexandre passe devant moi, qui suis assise, seule, sur un banc au cégep. En m'apercevant, il recule de trois petits pas et m'adresse la parole. Il semble me mimer la fois où je lui ai foncé dedans. Je hausse les épaules, ne me souvenant pas très bien de son visage. Il s'assoit près de moi un instant pour rattacher son lacet de soulier. Nous bavardons en toute légèreté un bon moment.

On me voit ensuite qui le croise une autre fois dans le corridor, quelques semaines plus tard. C'est l'époque où il devait aider un prof du cégep dans le cadre d'un cours à l'université. Il venait donc au cégep tous les mercredis matin. Je me souviens très bien que, après quelques discussions passionnantes avec lui, j'attendais les fameux mercredis matin avec impatience. L'image nous montre maintenant Alexandre, debout dans le corridor du cégep, qui m'invite pour la toute première fois à sortir. Gêné, il tortille nerveusement un bout de papier autour de son annulaire. «Trop craquant!» On peut déduire selon la mimique positive de mon visage que j'accepte son invitation. Nous apparaissons ensuite au restaurant. Il touche mes doigts du bout des siens sur la table. C'est le soir où nous nous sommes embrassés pour la toute première fois... J'anticipe le doux moment avec grande excitation. Comme de raison, la scène suivante est la bonne. Nous sommes debout, devant l'arrêt d'autobus, qui apparaît justement au loin. En toute simplicité et sans flaflas, il approche et m'embrasse. Pas très longtemps, car le véhicule arrive à notre hauteur. J'aurais aimé à l'époque que ce bus n'arrive jamais et que le temps se suspende pour toujours... Ceci dit, comme ce n'est pas ce qui se passe, nous nous éloignons, et je le regarde avec timidité avant de m'engouffrer dans l'autobus. Je prends place sur un banc de son côté du chemin et je lui envoie la main à travers la fenêtre. «Seigneur que nous sommes mignons...» Alexandre a les yeux rêveurs en rentrant chez lui à pied. Je souris à belles dents en fixant le dossier du banc devant moi.

Le Gazon

Alexandre répète sans cesse que notre relation ne tient qu'à un carnet de notes échappé et à un lacet détaché. Comme je disais, bien que je me souvienne avec plus ou moins de précision d'une des deux scènes, il n'a pas tort d'énoncer cette affirmation. Le film arrête.

La voix s'adresse à moi de nouveau :

— Et puis ?

— Je me suis enfuie du café universitaire au lieu de confronter Sylvain sur-le-champ pour lui demander des explications... Ça a changé la donne à ce point ?

— Oui, sans aucun doute. Vous avez ensuite ramassé ce carnet de notes tombé au sol... Quoique, à voir le regard d'Alexandre lorsqu'il vous a aperçue, je crois que même si vous ne l'aviez pas ramassé, il vous aurait courtisée quand même. Ce sont aussi les petits choix de ce genre, Claire, qui façonnent le cours de notre vie... Des détails, aussi anodins soient-ils.

« Courtisée... Il est drôle, lui. J'aimerais tant savoir qui c'est. »

Il enchaîne :

— Le temps file et j'ai d'autres cas à suivre, donc poursuivons…

Le film reprend. Il présente Alexandre et moi qui nous sautons dessus comme des bêtes en entrant dans ma chambre quelques mois plus tard. Les scènes se déroulent à présent en accéléré, mais dans le sens chronologique des événements cette fois. Je termine mon cours et il assiste à la cérémonie de remise des diplômes. Dans la foule, près de mes parents, je le vois qui me sourit. C'est ensuite au tour de sa collation des grades, et j'accompagne ses parents. Lors des deux événements, nous portons les mêmes habits chics : son complet noir et blanc et ma robe rouge avec de la dentelle noire dans le bas. Ensuite, nous emménageons dans notre premier appartement ensemble. Scène classique : il me fait entrer par la porte en me portant dans ses bras comme on le fait après un mariage. La scène coupe et reprend à notre mariage, justement. Nous échangeons nos alliances.

S'ensuit l'échographie de Laurie. « Ah, Seigneur, quel beau souvenir ! » On enchaîne avec le médecin qui la dépose sur mon ventre quelques secondes après mon accouchement. Alexandre pleure en la regardant. Nous deux, devant elle, essayant en vain de lui faire manger de la purée de brocoli dans sa chaise haute. Une scène du déménagement dans notre maison actuelle prend le relais. Mon père, son père et le jardinier nous donnent un coup de main, car je suis enceinte de Mathis. Mes parents et ses parents entrent dans ma chambre d'hôpital pour venir voir mon petit bonhomme qui vient tout juste de naître. Une image montre ensuite notre salon, où Alexandre roupille pendant que je regarde une émission pour enfant, emmitouflée dans une couverture avec les deux petits.

« C'est comme un album photos vivant d'incroyables souvenirs… »

Ensuite, les enfants offrent des bricolages de la fête des Pères à Alexandre qui semble très ému. Nous voilà maintenant dans l'auto, lors de notre voyage en Gaspésie avec les enfants. Mon fils, très fier, revient de l'école avec un cocon de papillon dans un bocal. Ma fille, rendue bien grande, me sourit en me montrant une peinture, il y a de ça à peine quelques semaines. La scène finale nous présente, le week-end dernier, en train de visionner un film en famille dans le salon.

L'écran fictif s'évapore peu à peu. L'espace où l'écran translucide semblait suspendu redevient blanc et vaporeux comme avant.

Je souris, émue, les larmes aux yeux.

— Vous êtes rendue à cet embranchement dans le parcours de votre vie, Claire. Le chemin se poursuit ici, m'indique la voix.

— Je sais, je suis rendue là. Mais, il faut avouer que ce film ne montrait que les beaux moments…

— N'est-ce pas sur ces moments, justement, que toute notre attention devrait se porter ?

— Hum… Vous avez tellement raison…

— L'expérimentation est terminée, Claire. Je crois que vous n'avez plus besoin de moi à présent.

— Mais qui êtes-vous, à la fin ? Un sage ? Un acolyte du divin ?

— Ah, je ne suis que peu, croyez-moi. Que peu…

— J'aimerais tant le savoir.

— Peut-être qu'un jour, vous le saurez, Claire…

— Quand ?

— Quand le temps sera venu…

Sans que j'aie besoin de m'étendre ou de fermer les yeux, le lit se met à tourner sur lui-même. Je perds tout repère et je m'endors comme une souche…

Encore le 10 juin ?

La sonnerie du réveille-matin qui retentit à tout rompre ne me fait pas sursauter comme d'habitude.

Instantanément bien alerte et sur le qui-vive, je lève les yeux vers le cadran et je l'éteins. J'effectue ensuite un tour vertigineux de cent quatre-vingts degrés sous les couvertures. Sa nuque… Ouf! Alexandre dort tout près de moi. En m'assoyant dans le lit, j'inspecte mes mains, je me touche le tronc. Je semble bel et bien en chair et en os cette fois. Je contemple le mur devant moi un instant en espérant de tout cœur que toute cette histoire soit bel et bien terminée. Je me lève et je marche à pas de loup vers la salle de bain, ma main longeant le mur, l'air de craindre qu'un extraterrestre se matérialise devant moi. À mon grand malheur, tout ressemble étrangement à ce même matin du 10 juin. Ah non, pas encore le jour de la marmotte… Au lieu de m'arrêter à la salle de bain, je poursuis ma route vers la cuisine pour consulter mon cellulaire sur l'îlot. Je l'ouvre. Le jeudi 11 juin. Je soupire de soulagement. C'est bien fini. Je décide de retourner de ce pas à la chambre et je me glisse comme une anguille sous les couvertures. En toute douceur, j'enveloppe Alexandre par-derrière même s'il dort toujours. Il bouge un peu en réaction à mon étreinte affectueuse. Il émet un « huuum… » allongé, comme il le fait presque chaque matin en se réveillant, et ce, depuis que je le connais.

— Bon matin, mon chéri…

— Bon matin, qu'il réplique en semblant un peu perdu.

Il ne parle pas. Je reste blottie près de lui un instant, en silence, avant de finalement me lever pour me rendre à la cuisine. En proie à une énergie foudroyante, je sors la farine, les œufs, le lait, le beurre et le sucre. Je prépare en un temps record un mélange à crêpes que je laisse reposer dans un bol. Je m'affaire à terminer les lunchs lorsqu'Alexandre surgit dans la cuisine. À ma grande surprise, il ne siffle pas comme il le fait chaque matin. Il me questionne plutôt :

— Que se passe-t-il ?

— Rien. Une belle journée commence, non ?

L'air sceptique, il me dévisage. Il n'ouvre pas sa tablette pour lire son journal, mais il se dirige plutôt vers la fenêtre pour regarder dehors.

Mon zombie de fils se lève à son tour. Comme toujours, il traverse le corridor à tâtons pour se rendre à la salle de bain, la vue obstruée par ses cheveux en broussaille. Très motivée, je lui crie un :

— Bon matin, mon grand !

Il grogne en retour un bruit fort primitif et referme la porte. Bon, c'est très normal. Il restera probablement désagréable jusqu'au moment d'embarquer dans l'autobus, mais ça va. C'est la vie. C'est ma vie. Comme je sifflote à tout va dans la cuisine, Alexandre lève les yeux vers moi. Je lui souris. Il ne me renvoie pas mon sourire, et il se tourne pour continuer sa méditation face à la fenêtre. Il semble très étrange, ce matin. Ou peut-être est-ce moi qui suis diamétralement décalée ?

Laurie entre dans la cuisine sans dire bonjour à personne. Ma belle fille d'amour…

— Prête-moi ton iPad, pa…

Comme son père ne l'écoute pas, elle réitère sa demande, mais plus fort :

— Pa ? Ton iPad ?

— Laurie chérie, ne crie pas après ton père comme ça…, que je fais pour lui signifier de laisser Alexandre tranquille, étant donné qu'il semble encore très endormi.

— Ben achetez-m'en un, d'abord ! rugit-elle, en levant les bras vers le ciel.

— Prends-le, il est là, réagit Alexandre, sans trop de conviction.

— Écoute, Laurie, on pourrait peut-être contribuer à t'en payer un cet été, si on juge que tu as économisé suffisamment d'argent de ton gardiennage.

— Combien ?

— Disons, la moitié ? Mais ce, uniquement si tu réussis tous tes cours avec des notes au-dessus de la moyenne du groupe.

Alexandre m'observe avec insistance et semble me trouver de plus en plus inhabituelle.

— *Yes !* fait ma fille.

Mon fils effectue une entrée discrète dans la cuisine. Mon grand gaillard de petit garçon. Je me suis tant ennuyée de lui que je trouve même ses cheveux pas si mal, tout à coup. Bien évidemment, sa sœur le nargue aussitôt.

— Les parents vont payer la moitié de mon iPad… Nanananana !

— Pas juste, làààààà ! pleurniche avec désarroi mon fils comme si j'avais accepté que sa sœur lui tranche un bras avec un couteau à beurre.

— Bon, bon, bon, toi, je te fais des crêpes ! lui dis-je, comme si cela compensait largement pour la future tablette de son adorable frangine.

— Ben là, j'aime *full* mieux un iPad que des crêpes, s'oppose-t-il, presque dégoûté face au déjeuner que je mijote.

— On reparlera de tout ça, mais pour l'instant, on passe un beau moment en famille ! que je souligne en souriant de toutes mes dents.

Mon fils me dévisage alors encore plus bizarrement qu'Alexandre. Il se tourne ensuite vers son père et il l'implore, d'un ton de voix désespéré :

— C'est quoi qui se passe, là ?

— Rien, rien, on se lève en famille et c'est le 11 juin ! C'est super, non ? que je leur partage, avec un air de femme ayant mangé du lion.

— *Mom*, t'es genre *weird*…, me fait remarquer Mathis, les sourcils dans tous les sens.

— Ouin, t'es vraiment *weird*, approuve ma fille chérie en reportant les yeux vers l'écran devant elle.

Bon, les voilà en harmonie à propos de quelque chose ! Génial ! Je crois que je n'ai pas vu ça depuis la fois où ils s'étaient mis d'accord pour aller manger au St-Hubert l'été dernier, pendant une panne d'électricité à la maison.

Alexandre semble se ronger les sangs. Mais qu'est-ce qu'il a, lui, ce matin ?

— Bon, comme je vous concocte un déjeuner plus laborieux ce matin, tout le monde fera sa part et préparera soi-même son lunch, que je propose avec entrain.

— Oui, dorénavant vous allez aider votre mère un peu plus… et moi aussi, d'ailleurs, renchérit Alexandre, qui semble revenir à lui.

« Avoir su que ce serait si facile… »

Mes deux ados avancent vers la cuisine, l'air démuni face à la tâche demandée. Leur réaction négative est par contre moindre que je l'appréhendais.

Presque craintifs que je sois désormais folle à lier et bonne pour l'asile, les membres de ma petite famille prennent place à table pour manger. J'avoue que je dois paraître assez névrosée merci en ce moment. Le diable au corps, je gambade dans la cuisine en leur servant des crêpes comme si nous venions de remporter le gros lot du 6/49. En fait, je considère ce matin ordinaire comme encore plus enrichissant que n'importe quel billet de loterie gagnant.

Mon fils, qui profite d'un moment d'inattention de sa sœur adorée, trempe le manche de sa fourchette dans le pot de sirop d'érable. Au moment où je lui sers une crêpe, elle prend l'ustensile et ses doigts s'y collent. Mathis se tape sur les cuisses, fier de lui. Elle hurle comme une perdue :

— AAAH! T'es vraiment con, gros cave!

De retour à la cuisinière, je tourne la tête pour sourire au frigo. Doux matin, bien normal.

Un texto entre sur mon portable :

« Allo, Claire! Sans trop savoir pourquoi, je me suis levée en pensant fort à toi! Je m'ennuie, ça fait trop longtemps! On soupe ensemble bientôt, Nathalie xxx »

Je réalise de nouveau un détail non négligeable. Curieusement, Nathalie ne se trouvait dans aucune de mes vies potentielles... Pourquoi? Je l'aurais donc perdue de vue si j'avais emprunté un parcours différent? Ceci dit, je suis bien heureuse d'avoir encore la chance de la côtoyer!

Je lui réponds:

«Oui, moi aussi! On soupe ensemble bientôt, oui, et seulement toutes les deux cette fois! J'ai plein de choses à te raconter! Je m'ennuie de toi aussi, très chère Nathalie! xxx»

Je me dirige vers la chambre, le cœur léger. Alexandre me suit.

Une seconde après nous être habillés pour le boulot, mon mari s'approche de moi et il me serre dans ses bras. Il ne dit rien. Il m'étreint très fort. De l'autre côté de la porte, j'entends Mathis crier à tout rompre:

— Sors de la salle de bain, Laurie! Ça fait mille deux cents ans que t'es là!

Ça aussi, c'est très normal…

— Je suis content de te voir de si bonne humeur ce matin…

Je me dégage un peu de son étreinte pour lui sourire. J'aurais le goût de lui dire un million de choses à la fois.

En parlant vite, je débute:

— Alexandre, je te promets que nous n'aurons jamais de ferme de brebis à la campagne, je ne me ferai jamais refaire les seins non plus, ni de la liposuccion, ah ça non! Je ne vais jamais prendre de drogues, ni en faire le trafic, c'est trop stressant. Je préfère aussi que l'on ne s'achète jamais de vibrateurs géants, notre vie sexuelle me convient parfaitement. Et, tu sais quoi? Je ne suis pas lesbienne du tout, j'en suis convaincue! Le nudisme, c'est pas notre truc non plus, hein? Par contre, j'aurais facilement pu être médecin, oui, mais je suis très heureuse dans ma vie d'infirmière dévouée et...

— De quoi parles-tu, Claire? s'interloque-t-il, complètement dans le néant par rapport à où je veux en venir.

Je me calme un peu et je réorganise mes idées dans ma tête.

— Mais tu sais ce qui m'importe le plus? Je ne veux jamais avoir à signer de papiers de divorce avec toi...

Mon mari s'inquiète.

— Claire? Tentes-tu de me dire quelque chose de façon subtile...

— Oui, j'essaie simplement de te dire que je t'aime et que j'aime notre vie. Elle est peut-être imparfaite parfois, mais pour rien au monde je ne voudrais la changer.

Je m'éloigne de lui pour me diriger vers la fenêtre. L'étrange voisin est déjà dehors à nous épier tout en prenant soin de sa pelouse.

Le **Gazon**

— J'ai fait un rêve, chéri. Un rêve très curieux…

Comme ma voix est un peu chancelante, il approche et m'enlace par-derrière.

— Moi aussi, j'ai mal dormi, je pense…

Nous fixons un instant le gazon impeccable du voisin, et ensuite le nôtre, parsemé de fleurs jaunes indésirables. Le voisin, qui inspecte son terrain à la loupe, lève les yeux vers nous, comme s'il sentait que nous jalousons ses talents de jardinier.

Mon mari me demande, découragé :

— Comment autant de pissenlits peuvent-ils pousser en une seule nuit ? Regarde le voisin, il n'en a pas un seul, lui…

— As-tu déjà entendu parler d'un produit qui s'appelle le Pistilkill ?

— Non ! T'as vu ça où ?

— Bien, en fait, je ne sais même pas trop si ça existe pour vrai…

Il fronce ses sourcils.

— Ah, tiens, le jardinier vient d'arriver. Je vais aller lui demander s'il connaît ça. Je dois lui parler au plus vite, à lui, de toute façon…

Je le regarde revêtir un chandail à la hâte. Je le trouve si beau, MON mari. Comme il bâille un peu, je lui demande :

— T'as fait de l'insomnie cette nuit, me disais-tu ?

— Non, j'ai rêvé et rêvé… C'était trop bizarre…

Il marque une pause, l'air perplexe. Je le relance :

— Moi aussi j'ai rêvé et crois-moi, tu pourrais en écrire un, roman !

— On est deux…

Avant qu'il passe la porte, je lui dis précipitamment :

— Alexandre ?

— Oui ?

Je me rétracte.

— Ah rien…

Il se tourne de nouveau, mais je change d'idée.

— Alexandre ?

— Oui ?

— Ce serait bien que ça existe, ce produit. De cette façon, tu ne pourrais plus jamais dire que le gazon des voisins est plus beau que le nôtre…

Il sourit. Je poursuis :

Le **Gazon**

— En fait, peu importe que ça existe ou pas, je ne veux plus JAMAIS que tu dises que le gazon des autres est plus vert que le nôtre. C'est notre gazon et il est comme il est.

— Ah ça, je le sais! Crois-moi, je le sais!

Il tourne les talons et sort, toujours l'air dépassé par les événements. Je me déplace vers la fenêtre qui est entrouverte pour faire circuler l'air dans la maison. J'envoie la main au jardinier, qui me fixe de la cour arrière. Il ne me renvoie pas mon signe de la main, mais il accroche son regard au mien, sans sourire. Étrange. Je le scrute, comme hypnotisée, incapable de détacher mes yeux des siens. Nous nous dévisageons un bon moment à travers la vitre. Il m'adresse finalement un clin d'œil en souriant, puis il s'esclaffe. Je réalise alors que je n'ai jamais entendu éclater de rire de la sorte notre jardinier. Par contre, ce rire-là me rappelle vaguement quelque chose… Je l'ai déjà entendu. Notre jardinier tourne la tête vers Alexandre qui arrive près de lui. Je poursuis mon analyse de la situation. Mes pensées vont vite. J'entends dans ma tête le gourou du ciel me dire: «Vous êtes arrivée ici car vous l'avez souhaité, vous l'avez demandé…»

Je songe à une scène précise, hier après-midi, lors de mon retour à la maison…

Pour pouvoir me garer, je dois sortir de mon véhicule afin de déplacer le vélo de Mathis qui trône en plein milieu de la cour. Le jardinier, qui travaille dans une plate-bande, me regarde prendre le vélo avec force et le balancer plus loin avec une colère évidente. Avant de retourner dans mon automobile pour l'avancer, je crie avec impatience :

— Quelqu'un peut me dire si c'est ÇA, mon destin ? TOUT ramasser derrière TOUT le monde jusqu'à ma mort, je n'ai pas choisi ça… Ah ça, non ! Je n'ai assurément pas choisi ça !

L'air perplexe, le jardinier ne dit pas un mot et retourne la tête vers les vivaces devant lui.

Et ce rire… Bon sang, c'était lui… c'était donc lui…

Fin

Épilogue

les femmes sont les trésors des dieux... Ayant vu Claire grandir des premières loges, je la connais comme le fond de ma poche! Étrangement, j'ai toujours eu l'impression de la connaître mieux qu'elle se connaît elle-même. C'est une femme sensible, honnête et bonne, mais qui a toujours semblé sous-estimer son potentiel, sa fougue et son influence sur les choses. J'ai fait ce que j'ai fait parce que j'avais le pouvoir de le faire. Mon grand-père indien, originaire de Rishikesh, m'a appris il y a déjà longtemps comment procéder à ces expérimentations. J'ai donc fait ce que j'ai fait cette nuit-là parce qu'elle me l'avait demandé, ce fameux 10 juin. Je ne sais pas si les morceaux du casse-tête s'emboîteront dans sa tête pour qu'elle arrive à comprendre et à en tirer le meilleur parti pour sa vie. Mon père disait toujours: «Quand les humains se comparent aux autres, ils se retrouvent prisonniers à l'extérieur des limites de leur jardin. Ils ne sont pas capables de prendre conscience de la richesse qui grandit à l'intérieur de leur cœur, qui est en fait ce grand jardin. » Je le crois. Dans cette vie-ci, je suis un serviteur, je sers les gens.

La vie est le résultat d'une somme de choix, le destin n'existe pas. Chacun est roi et maître de sa destinée et chacun prend les routes que celle-ci propose au gré de ses sentiments, de ses aspirations et de son instinct. Je ne suis pas un grand sage ni un prophète ; je sers, voilà tout. En fait, compte tenu de l'immensité de l'Univers, je compte pour bien peu dans la balance, ah ça oui, pour bien peu. Il n'en demeure pas moins que les femmes restent des êtres bien complexes à mes yeux. Les hommes sont plus prévisibles, souvent moins anxieux, mais cela ne veut pas nécessairement dire que ce soit plus simple pour eux. Du moins, si je me fie à l'autre expérimentation que j'ai réalisée cette nuit-là[25]...

Ceci dit, mes amis, la seule chose que l'on doive retenir au final est celle-ci : le gazon peut s'avérer vert chez nous autant que chez le voisin... tout dépend du jardinier qui en prend soin !

---

25. Ah bon...

Autres titres d'Amélie Dubois

Dans la série « Chick Lit »

À paraître à l'automne 2015 :
Ce qui se passe à Cuba reste à Cuba !